J.P 克羅斯・犯罪推理 02

雙面人魔

ALONG CAME A SPIDER

作者／詹姆斯・派特森（James Patterson）
譯者／黃怡芳

目錄

序曲：來玩吧！偽裝遊戲開始（一九三二年） 5
第一部：瑪姬・蘿絲與小蝦米・郭德堡 9
第二部：林白之子 131
第三部：碩果僅存的南方紳士 195
第四部：紀念瑪姬・蘿絲 289
第五部：重啓調查 337
第六部：克羅斯之家 437
尾聲：正義的邊疆地帶（一九九四年） 457

J.P 克羅斯・犯罪推理 01

惡狼遊戲 THE BIG BAD WOLF

★本書連續25周高居美國書市排行榜。

一連串的白人綁架失蹤案，毫無頭緒，毫無規則，甫加入 FBI 的艾利克斯・克羅斯，便碰上這樁棘手的案子。
整起失蹤案的背後主謀，
全都指向「老狼」。
「老狼」是誰？
只有幾具全身骨折的屍體才知道。

◎艾利克斯・克羅斯（Alex Cross）
艾利克斯・克羅斯是詹姆斯・派特森筆下的黑人警探，擁有約翰霍普金斯大學心理學博士學歷，曾當過心理醫生。成為正式警察後，他是華盛頓警局的副警長，並在謀殺組和重案組的調查中擔任心理分析師的工作。後來，更晉升為聯邦調查局(FBI)和華府警局之間的聯絡人，成為暴力犯罪逮捕計畫〔VICAP〕的成員。

序曲

來玩吧！僞裝遊戲開始（一九三二年）

普林斯頓近郊，紐澤西州，一九三二年三月

查爾斯・林白農莊閃爍著鮮艷奪目的橘紅色光線。尤其矗立在陰鬱、滿布冷杉林的澤西島一帶，它看起來更像個熾熱的城堡。小男孩步步逼近他此生第一個眞正的燦爛時刻、他殺戮的第一次，一片片朦朧的霧氣把他裹得密不透風。

這裡伸手不見五指，他踩在一條潮濕、滿是泥濘的泥巴路上，一切都如他所料。他早就計畫好一切，連天候都在他的掌握中。

他穿著一雙九號的成人男靴，靴子裡從腳趾到腳跟塞滿了破爛的布料以及撕碎的《費城詢問者報》碎片。

他是**故意**要留下鞋印的，他要在泥巴路上留下大量的鞋印，男人的鞋印，而不是十二歲小男孩的足印。鞋印會從一條叫做史道斯堡—威斯菲立的郡公路開始出現，朝查爾斯・林白農莊的方向往返一圈。

當他抵達那一整排松樹，距離那棟不規則狀的大宅不到三十碼處，他全身顫抖了起來。那間豪宅跟他想像的一樣壯觀：光是二樓就有七間臥房、四間衛浴室。這裡是全國最幸福的林白和安妮・摩洛的宅第。

真酷的垃圾，他心想著。

小男孩一吋吋接近餐室玻璃窗。他被所謂的**名望**震攝住了，他想了很多，幾乎是念茲在茲地想著成名這件事。眞正的**名望**到底像什麼？聞起來是什麼味道？嘗起來滋味如何？近距離去看名望又是長的什麼樣？

「全世界最受喜愛和最富魅力的男人」此刻就坐在餐桌邊。查爾斯．林白個子高䠷、氣質不凡，留著一頭出色亮眼的金髮，還有一身白皙的膚色。「萬千寵愛集一身的林白」似乎凌駕任何人之上。

他的妻子安妮．摩洛．林白也是個幸運兒。安妮有一頭又捲又黑的俏麗短髮，烏黑的髮色更襯得她的皮膚就像石灰一樣白。餐桌上的燭光似乎正繞著她輕盈舞動著。

林白夫婦兩人直挺挺地坐在餐椅上。沒錯，他們看起來絕對是高高在上的，這對男女彷彿是上帝帶給世界的特別賀禮。他們氣宇軒昂、尊貴地享用著盤中美食。小男孩伸長了脖子想知道餐桌上擺了什麼食物，他看到完美的骨瓷上似乎裝著小羊排。

「我會比你們兩個可悲的傢伙更出名。」小男孩終於忍不住喃喃自語道。他已經對自己許過諾言。男孩早就對每個細節仔細想過不下一千次之多，他有條不紊地忙碌了起來。

小男孩在車庫旁找來一個被工人丟置的木梯。他將梯子緊緊靠在他身上，朝書房更遠處的某個點移動。他悄然無聲地架好梯子爬上育嬰房，他的脈搏飛馳了起來，他的心跳砰然大響，聲音大到連自己都聽得見。

走廊上一盞油燈的光線將嬰兒房照得通明，他看見搖籃和睡在裡面打盹的小王子了。查爾斯二世，「地球上最出名的孩子」。

在遠離通風口的另一邊有一張五彩繽紛的簾幕，上面繪著各種野生動物。

他湧起一股惡作劇的狡猾感覺。「狐狸先生來了。」男孩靜靜拉開窗子，一邊低語著。

然後他又向上爬了一格梯子，他終於進到嬰兒房裡面了。

他站在搖籃旁邊，盯著這位高貴的小王子。小王子跟他父親一樣，有一頭金黃色的捲髮，不過髮量濃密得多。小查爾斯才二十個月大就已經長得白白胖胖了。

小男孩再也無法克制自己，他的眼睛流下兩行熱淚，渾身因挫折與憤怒而搖晃不已——這一切竟然會跟他生命中最難以想像的樂趣交雜在一起。

「**呦，爹地的小心肝，我們的時候到了。**」他對自己咕噥著。他從口袋取出一個小小的橡皮球，球上面繫著一條橡皮筋。他迅速把手上那個奇怪的圓形物滑到小查爾斯的頭上，就在那時，小王子的小藍眼珠正好睜開了。

當嬰兒嚎啕大哭起來，男孩立即將那顆橡皮球塞到小可愛的嘴巴裡。他伸手到搖籃，將林白寶貝兒子一把揣進手臂，然後敏捷地從梯子溜下去。一切都按照計畫進行。

男孩懷裡抱著寶貴的包裹，一路沿著泥巴路狂奔而回，身影消失在黑暗中。

在距離查爾斯・林白農莊不到兩英里之處，男孩埋葬了懷裡這個被寵壞的林白寶貝——他活埋了小王子。

那一切只是故事的開場，畢竟，他不過是個小男孩。

他，並不是布魯諾・理查・豪夫曼（譯註：此為真實刑案，曾轟動美國社會的林白之子遭綁架撕票案，德國籍移民豪夫曼被處以死刑，不過直到今天有些學者還認為他不可能是兇手），他才是眞正綁架林白心肝寶貝的歹徒，這一切都不假他人之手，全是他一人所爲。

真酷的垃圾。

第一部

瑪姬・蘿絲與小蝦米・郭德堡

01

一九九二年十二月二十一日大清早，我走在華盛頓特區第五街家中的日光迴廊，心中湧著樂天知命的滿足感。這個狹小的房間到處散落著發霉的冬大衣、工作靴，以及傷痕累累的兒童玩具，凌亂不堪。不過我一點也不在意，不管它是豬窩狗窩，總是我自己最溫暖的窩。

我撫著我們家那臺曾經**風光一時**，現今已然有些荒腔走調的老鋼琴，彈奏著蓋希文的歌曲選集。現在剛過凌晨五點，走道就像冷藏肉櫃一般寒氣逼人。爲了《美國人在巴黎》這支曲子，我早就準備好要小小犧牲一下。

廚房那頭響起刺耳的電話鈴聲，也許我中了華府、維吉尼亞或是馬里蘭地區的大樂透，而前天晚上工作人員忘了通知我吧！我經常購買這三個區域的彩券，然而偏財運一向不會降臨在我身上。

「娜娜?妳能接一下電話嗎?」我在走廊上呼喊著。

「是找你的，你也可以自己接啊。」我那沒耐性的奶奶回答我，「沒道理要我跟你一樣早起吧!在我的字典裡，『沒道理』的意思就是說你『亂七八糟』啦!」

她也不是眞的要數落我，在我們家這樣的對話很正常，我們一直都是這樣交談的。

我步履蹣跚地走向廚房，還得用我清晨那雙凍僵的腿小心翼翼地避開地板上的玩具。那時的我三十八歲了。就像有句話說的，早知道會活這麼久，我就更應該好好照顧自己。

那通電話，結果是我兇殺組的搭擋——約翰·桑普生打來的。桑普生知道我一定起床了，他比我自己的孩子還瞭解我。

「早啊！黑寶貝。你早就起床了，對吧？」他說。我們之間根本不需要報名字，桑普生和我從九歲起就是死黨了。我們小時候曾在附近住宅區的派克街角雜貨店扒過東西，那時的我們萬萬沒想到，店主人派克老先生竟然會爲了一包柴斯特非香菸開槍射我們。如果被娜娜媽媽發現我們兩個小鬼當年的胡鬧事，她肯定不會給我們好臉色。

「就算本來不清醒，也被你搞得睡意全消了。」我對著電話那頭說，「說吧！我只想聽好消息。」

「又發生一起謀殺案了，看起來又是同一個傢伙幹的。」桑普生回答，「他們正等著我們過去，我敢說全世界有一半的人早就已經在幹活兒了。」

「一大清早就要趕著去參觀救護車，未免也太急了吧。」我咕噥著。我感到自己的胃在翻滾，一點也不希望我的一天是這樣開始的。「呸！他媽的。」

娜娜媽媽從冒著蒸汽的熱茶和生蛋黃中抬起頭來，丟了一個神聖不可侵犯、道貌岸然式的女主人表情給我。她早就整裝待發，以七十九歲的高齡之姿，準備要到學校開始她日復一日的義工服務。桑普生還在電話上滔滔不絕地跟我描述今天第一起兇殺案的血腥細節。

「嘴巴放乾淨點，艾利克斯，」娜娜說，「只要你還想待在這個家一天，我拜託你注意一下自己的措詞。」

「我十分鐘左右就到。」我對桑普生說。「這個房子由我當家，妳別管啦！」我向娜娜反擊回去。

娜娜彷彿晴天霹靂，像是聽見可怕的話發出呻吟的哼聲。

「藍格立街又發生慘烈的兇殺案了，我很擔心是恐怖殺人狂的傑作。」我跟娜娜解釋狀況。

「那眞是太不幸了。」娜娜媽媽回應我。她用柔和的褐色眼珠定定地看著我，她那滿頭的蒼蒼白髮，看起來就像她爲客廳座椅鋪上的一條雪白小飾巾。「那些政客竟會放任這裡淪落爲一個可悲的城市，眞是悲哀啊！有時候我眞覺得我們應該搬離華盛頓，艾利克斯。」

「我偶爾也會這麼想，」我說，「不過，我相信我們能挺過去的。」

「你說的沒錯，我們黑人總是有自己獨特的生存方式，我們總是不屈不撓，總是默默承受著一切。」

「也不見得總是默不作聲啦。」我回應娜娜的看法。

我已經決定要穿我那件陳舊的蘇格蘭針織夾克出門。今天是命案發生日，那表示我等會兒會見到白人。在運動大衣上，我又套了一件喬治城的暖身夾克，在這個社區這樣穿會比較恰當。

在我床邊的五斗櫃上方掛了一張瑪麗亞．克羅斯的照片。三年前，我太太在一場歹徒駕車開槍事件中遭到無辜波及，中彈而亡。那個命案，就跟東南角發生的多數案件一樣，從來沒有偵破過。

我在經過廚房門口時親了奶奶一下，打從八歲起，我和娜娜就有吻別的習慣。我們也會互道再見，因爲我們總是擔心有一天再也見不到彼此。自從娜娜媽媽開始照料我，下定決心要將我扶養長大那刻起，將近三十年來，我們一直都很珍惜相處的每一天。

娜娜含辛茹苦，將小男孩培養成一個擁有心理學博士學位的兇殺組警探，他，就在華盛頓特區的貧民區工作與生活著。

02

在華盛頓警局，我的官階是副警長，套一句莎士比亞和福克納先生（譯註：威廉・福克納是美國二十世紀著名的小說家，《聲囂與憤怒》為其著名作品）的名言，這是個充滿**聲囂與憤怒**的職務，也意味著「那達」（譯註：Nada是西班牙語）——亦即說你什麼也不是的意思。本來這個職階應該可以讓我成爲華盛頓警局裡「第六」或「第七」號人物，然而事實顯然並非如此。不管怎麼說，特區命案現場的衆人們還是一直在等我露面。

賓尼路四十一之十五號前方，混亂地停著三輛華盛頓首府特有的藍白警車。一輛全窗貼上純黑玻璃紙的廂型偵防車以及一輛急救車都已經抵達現場，一切整裝待命。救護車的大門用油印蠟紙大剌剌地印著「停屍間」三個字。

那棟發生兇案的房屋外頭停了兩輛消防車。現場充斥著左鄰右舍的閒人，大部分都是些趕來湊熱鬧的好事之徒。年紀稍長的婦女也穿著睡袍，匆匆套上大外套，頭髮還上著粉紅色和藍色的髮捲，站在自家門廊上，在寒風中猛打著哆嗦。

這個連棟房屋漆著色彩豔麗的加勒比海藍，它的護牆早已經分崩離析了。一輛勉強用膠帶固定住邊窗破洞的陳舊雪維特，看起來就像被遺棄在車道上的棄婦那般哀怨。

「去他媽的！咱們還是回去睡覺好了，」桑普生說，「接下來會看到什麼，我現在已經統統想起來了。這陣子我眞是恨透這份差事！」

「我可是超——愛這份工作，超——愛與兇殺案爲伍的哩。」我挖苦自己說。「看到沒？那個傢伙就是驗屍官，他已經穿上檢查服了。負責偵查犯罪的工作人員已經各就各位。你看看，現在往我們方向走來的那小子又是何方神聖？」

當我們一步步往命案房子接近時，一個全身被氣鼓鼓的藍黑色毛皮外套裹著、頸部還圍著毛領的白人警官，步履蹣跚地走向桑普生和我。那個人兩隻手都插在口袋裡取暖。

「桑普生？呃，克羅斯警探？」那位警官拉長他的下顎，就像有些人在高空飛行中想去除耳鳴會做的那種動作。他很清楚我們是誰，明明知道我們是特調組的成員卻還裝傻，他這麼做只不過是想挫挫我們的威風。

「有何貴幹，老兄？」桑普生顯然很不高興自己被調侃。

「這位是資深警探桑普生，」我糾正那位警官，「我是克羅斯副警長。」

那個警官有著鮪魚肚，典型的愛爾蘭人，他的肚子大概是從南北戰爭之後日積月累下來的成果吧！他的臉看起來就像在雨中被淋得稀巴爛的結婚蛋糕。他對我的粗花呢夾克似乎一點也不買帳。

「大夥兒的屁股都凍僵了，」他氣喘呼呼地說，「那就是我的『貴幹』。」

「你倒是該努力把屁股的肥肉甩掉，」桑普生建議他，「或許你可以打個電話給珍妮·

克雷格試試看。」（譯註：珍妮・克雷格是知名的減重專家。）

「操你的。」那個警官衝口而出。遇見白人版的艾迪・墨菲可眞愉快啊！

「這傢伙的反應眞敏捷，」桑普生對著我露齒而笑，「你聽見他說什麼了嗎？操你的？」

桑普生和我的身材都很魁梧，我們平常都會在聖安東尼醫院——簡稱聖安的附屬體育館健身。我們兩個人加起來足足有五百磅，如果有心的話，光是體格就可以達到威嚇的目的。我們執勤時，偶爾的確需要利用身體的優勢來唬人。

我的身高只有六呎三，約翰雖然已經六呎九了，卻還在不斷長高中。他的臉上總愛戴著Wayfarer旅人牌的太陽眼鏡。有時候，他會戴上他那頂破爛不堪的Kangol帽，或是黃色的印花大手帕出現。有些人會叫他「約翰約翰」，因爲他實在是太壯碩了，說他一人等同於兩個約翰一點都不誇張。

我們視若無睹地經過那名白人警官身邊，逕自朝兇案屋子的方向走去。由菁英編制而成的特遣小組，是理當要超越這種無聊對抗的。有時我們對雞毛蒜皮的小事確實懶得理它。

屋子裡面已經有兩個制服警察在駐守。這起謀殺案是一個神經質的鄰居報的案，當時她以爲自己發現小偷，大約在清晨四點半打電話給轄區警局。這個女人飽受神經過敏所擾，徹夜未睡，整個街坊都知道她有這個毛病。

那兩個制服巡警在屋裡發現三具屍體，與總部聯絡之後，上級指示他們等待特別調查小組——也就是所謂的特調組到場支援。特調組是由八位原本應該能在局裡謀得更好差事的黑人警官所組成的。

通往廚房的外門半掩著，我施力把門推到底。每間屋子的門扉被開開合合時，總會發出一種獨特的聲音，現在這扇門的聲音聽起來就像個嘎嘎哀鳴的老頭子。屋子裡頭伸手不見五指，令人毛骨悚然。一股陰風灌進敞開的門，我聽見門內有東西發出喀擦喀擦的怪音。

「長官，我們並沒有把燈打開，」從我背後傳來其中一個制服警官的聲音，「您是克羅斯博士對嗎？」

我點點頭。「你們到的時候，廚房的門是開的嗎？」我轉身對那位巡官提出問題。那位警官是白人，幸好他留了點小鬍子，才能讓他的娃娃臉稍脫稚氣。他的年紀大約在二十三、四歲左右，他那天早晨顯然是被命案現場嚇到了，這我一點也不怪他。

「啊！不，門是合上的，不過並沒有強行闖入的跡象，門沒上鎖，長官。」

那個巡警看起來非常緊張。「屋裡亂成一團，長官，受害者是一家人。」

某位警官打開強力的特製鋁合金手電筒，每個人的目光都順著光源朝廚房裡頭望去。映入眼簾的是一張廉價的富美家早餐桌、配上萊姆綠的乙烯基樹脂椅。一面牆壁上掛了一個黑色的辛普森家庭時鐘，是在全國各地的國民藥妝店櫥窗都可以找到的那種。空氣中瀰漫著消毒藥水和燒焦的油脂味，混合成一股特異的味道，不過還不算太難聞，我聞過命案現場的惡臭味，比這糟糕的多太多了。

桑普生和我遲疑半晌，我們馬上就要踏入兇手幾個小時前才剛剛蹂躪過的所在。

「他就在這個地方，」我說，「他是從廚房闖進來的，他就站在這裡，就在我們現在站的這塊地板上。」

「別這樣子講話嘛！艾利克斯，」桑普生說，「口氣聽起來眞像珍妮．狄克遜（譯註：珍妮．狄克遜，美國二十世紀著名的占星家、特異功能者及女預言家），讓人雞皮疙瘩掉滿地。」

不論閱歷再豐富、看過再多大風大浪的人，要一次又一次地面對這種駭人場面，從來不會是件輕鬆的事。沒有人會樂意進去那裡面，也沒有人願意自己的一生總是在目睹慘絕人寰的夢魘中度過。

「屍體在樓上。」那個留著小鬍子的警官說。他跟我們說明受害者是桑德斯家的成員，死者是兩個女人和一個小男孩。

鬍子警官的夥伴是一名身材短小、體格結實的黑人，名字叫布奇．戴克思，他到目前爲止一句話也沒說。布奇是我看過的警界人員中，相當敏銳的一位年輕警察。

我們四個人各自深吸一口氣，一同走進了死亡之屋。桑普生輕輕地拍了拍我的肩膀，他知道孩童兇殺現場會令我顫慄難安。

那三具屍體倒在樓上前方的臥房裡，就在樓梯最高階梯不遠之處。

死者之一是母親郡恩．普兒．桑德斯，今年三十二歲。即使已經失去了生命，她的臉龐依然攝人心魄。她有一雙水汪汪的大棕眼、高起的顴骨，和已然發紫的豐滿嘴唇。她大張著嘴巴，顯然死前曾厲聲尖叫過。

普兒的女兒，蘇澤特．桑德斯，芳年十四歲。雖然還只是個黃毛丫頭，卻已經出落得比母親還美麗。她爲自己的辮子繫了一條淡紫色的絲帶，耳垂上戴著一對小小的耳環，來證明自己已經長大成人。一條深藍色的褲襪塞在蘇澤特的嘴巴裡。

桑德斯家還在襁褓中的三歲兒子，馬斯塔夫・桑德斯，小臉朝天躺在地板上，幼小的臉頰彷彿留有淚痕。他身上穿著一件連身睡衣，款式跟我家孩子穿的一模一樣。

就像娜娜媽媽說的，某些害群之馬會把我們居住的城市變成罪惡之城，這眞是一種不幸。這對母女被綁在黃銅床柱上。兇殘的歹徒用緞子內衣、黑色和紅色的網襪，以及有花卉圖案的床單綁住她們。

我取出隨身攜帶的口袋錄音機，將親眼目擊到的慘狀記錄下來。「兇殺案編號第H234914至916號，死者分別是母親、十幾歲的女兒和一名小男童。兩位女性死者被人用某種極爲尖銳之物刺擊致死，兇器很可能是一把刮鬍刀。」

「兇手切下了女人的乳房，現場找不到一點蹤跡。這對母女的陰毛也被剃掉，陰部有多處病理學家稱之爲『暴虐模式』的刺傷，同時也有大量的滲血和排尿。我想這兩個女人都是娼妓，我曾在附近看過她們當街攬客。」

我的聲音竟然變得嗡嗡低沉起來，我懷疑之後再聽這份錄音檔時，還能理解自己在說些什麼嗎？

「這個小男孩的屍體顯然是被隨意扔在一旁。馬斯塔夫・桑德斯身上穿了一件繪有Care Bears玩具熊的廉價睡衣。馬斯塔夫是如此幼小，彷彿只不過是這個房間的陪襯品。」當我俯視著這個小男孩，看著他瞪向我的那雙悲傷、無生氣的眼睛，我實在無法克制內心的傷痛。我的頭轟隆作響，心痛如刀割，不管這個小男孩是誰，小馬斯塔夫的遭遇不管誰見了都會鼻酸。

「我不敢相信他對這個小男童竟然下得了手。」我對桑普生說。「他或她。」

「或者是**它**，」桑普生搖搖頭，「我說是**它**，兇手根本不是人，它是個**怪物**，是這週一開始就幹掉康頓・泰倫斯的同一個**怪物**。」

03

打從瑪姬・蘿絲・鄧尼三、四歲起，她就一直是萬衆矚目的焦點人物。到了九歲，瑪姬對別人投注在她身上的異樣眼光早就習以爲常；甚至有些陌生人看到她，會露出像是看到**剪刀手瑪姬**或**女科學怪人**那樣目瞪口呆的表情，她也從來不以爲意。

那個清晨她照例又被人偷窺了，不過她一點也沒注意到。這一次，瑪姬・蘿絲是應該要在意的；獨獨只有這一次，對她事關重大。

瑪姬・蘿絲就讀於喬治城的華盛頓私立學校，她很努力想融入由一百三十個學生所組成的團體中。這個時候，所有的學生正聚集在一起興高采烈地唱著歌。

對瑪姬・蘿絲來說，儘管她有多麼渴望想和大夥兒打成一片，要適應這個團體還是相當不容易，畢竟她是大名鼎鼎的凱薩琳・蘿絲的九歲獨生女。瑪姬每次經過購物中心的影音出租店，就一定會看見自己媽媽的劇照。她母親所主演的電影，似乎每隔兩三天就會在電視上看到一次。甚至，她媽媽被提名奧斯卡金像獎的次數，比多數女演員上《人物》雜誌的頻率還高。

由於這種種原因，瑪姬．蘿絲經常獨自跑到木門後面躲起來。那天早上，瑪姬穿了一件前後都破了洞的破爛Fido Dido運動衫，配上一條髒兮兮的Guess皺摺牛仔褲出門。她腳上穿的是老舊的粉紅色Reebok運動鞋——那是她最「忠心耿耿」的老夥伴，她當然也沒忘記她的壓箱寶貝——Fido半筒襪。她每次要上學前，都刻意不去梳洗她那頭秀長的金髮。

當凱薩琳看到自己女兒那身打扮，她的眼睛會透露著煩惱。她說：「妳眞是丟人現眼喔！」不過無論如何，她還是讓瑪姬穿那樣去上課。瑪姬的媽媽非常酷，她眞的能體諒小瑪姬所必須承受的艱苦。

擠在大會堂的孩子們，不分一到六年級，同聲唱和著崔西．查普曼（譯註：美國知名創作型才女歌手）的著名單曲《快車》。卡蜜思基女士撫著禮堂那臺閃爍著黑色光芒的史坦威鋼琴，在準備彈奏那首民謠／搖滾之前，她先向小朋友們解釋歌詞的涵義。

「這首觸動人心的歌曲，是由一個來自麻州的年輕黑人女子所寫，詞中訴盡了在全世界最富裕的國家做為低下窮人的無盡悲哀，也寫出了九〇年代身為黑人的百般無奈。」

這位身材嬌小、骨瘦如柴的音樂兼視覺藝術老師總是滿腔熱情。她覺得在聲譽卓著的華盛頓私立小學，一個稱職的良師不只有傳遞訊息的責任，更擔負著說服、影響幼小心靈的重要使命。

孩子們很喜歡卡蜜思基女士，他們極盡所能，想像著老師口中所描述的窮人和弱勢族群的困境。對於一年學費一萬二千美元的華盛頓私立學校的貴族子弟而言，要體會貧困的確需要用點想像力。

「快車來了，」小學生跟著卡蜜思基女士以及她的鋼琴唱和著。

「我想到一個讓我們離開此處的辦法。」

當小瑪姬哼著《快車》時，她眞的很認眞在想像過著貧窮生活的情景。她已經看過太多窮人睡在寒冷的華盛頓街頭。只要她集中精神，喬治城和都彭圓環那些可怕的一景一幕，彷彿歷歷在目。每個號誌燈口，都會有人帶著骯髒毛毯刷洗擋風玻璃。瑪姬的媽媽總是會賞給那些可憐人一塊錢小費，有時候給更多。有些行乞者認出她媽媽後狂熱起來，他們就像遇上女神般微笑著。而凱薩琳．蘿絲總是會對他們說些友善的話。

「快車來了，」瑪姬．蘿絲大聲唱著。她眞的很想讓自己的聲音傳到快車上。

「但它的速度能快到讓我們飛起來嗎？」

「我們得決定——」

「今晚離開？或就這樣老死？」

這首歌最後在大會堂所有孩子的如雷掌聲和喝采下結束。卡蜜思基女士在她的鋼琴前微微做了一個古怪的躬身禮。

「可眞是沉重的負荷啊。」麥可．郭德堡在一旁嘀咕著。麥可就站在小瑪姬旁邊，他是瑪姬在華盛頓最好的朋友。小瑪姬不到一年前才剛剛跟著父母從洛杉磯搬來此地。

麥可講話總愛冷嘲熱諷的，只要遇到不夠聰明的人，他就會用東岸的方式和對方打交道——那也就是說，幾乎自由世界的每個人都會被他嘲弄一番。

瑪姬十分瞭解麥可．郭德堡。麥可是個勤勉好學的聰明人。他飽讀群書，喜歡收集各種怪誕誇張的玩意兒，是個說幹就幹的行動派，如果他喜歡你，他會是個有趣的人。不過，他還只是個「憂慮的孩子」，而且身材也還沒長高長壯，因此周遭朋友給他起了個綽號叫「小蝦米」，這個綽號多少能把麥可從高高在上的天才寶座拉下來一點。

瑪姬和麥可幾乎每天早上都會一起坐車到學校。那天早晨他們搭的是一輛貨眞價實的秘勤特派車。麥可的父親是財政部長。就如同在財政部服務的衆多能人異士。在華盛頓私立學校就讀的貴冑子弟，沒有一個是眞正的「平凡人」，每個孩子的身分都大有來頭，只不過他們是各顯神通想辦法融入整個大環境。

當學生們從早會堂魚貫而出，他們會被一一詢問下課後誰會來接。在華盛頓私立學校，學童安全是至爲重要的事。

「狄凡先生——」瑪姬告訴站在大會堂門口的導護老師。那個老師名字叫賈斯提，是在學校負責教包括法文、俄文和中文的語言老師。他有一個小名叫「李平」。

「還有喬立．裘利．伽克立，」麥可．郭德堡幫瑪姬講完，「是編號第十九號特勤幹員，會開林肯 town car 過來，車牌號碼是 SC–59，車子會停在培爾漢大樓的北門出口。他們被派來接我們，是因爲我老爸接到哥倫比亞卡特爾組織的死亡恐嚇。非常感謝，再見！」

這段訊息登錄在十二月二十一日的校方記錄裡：**麥克．郭德堡和瑪姬．蘿絲．鄧尼——秘勤特派車接送、培爾漢大樓、北門、下午三點。**

「走吧！淘氣蠢蛋。」麥克．郭德堡戳戳瑪姬．蘿絲的肋骨說。「我有一輛快車，嗯嗯！而且我已經計畫好要怎麼讓咱們離開這兒了。」

也難怪自己會喜歡他，瑪姬心裡在想。這世上還有誰會叫她蠢蛋呢？除了小蝦米．郭德堡，還有誰會這麼叫她？

當他們走出大會堂，這對兩小無猜已經被人盯上了。他們兩個人誰也沒注意到任何不對勁、任何失常的地方。他們也不應該料想得到。這就是全盤計畫的妙處，是大師級的計畫。

04

那天早上九點整，薇薇安．金女士已經安排好，要在華盛頓私立學校讓水門案重現課堂。她對這件歷史事件一輩子也無法忘懷。薇薇安．金不僅冰雪聰明、丰采迷人，同時也是一位很能鼓舞人心的美國史老師，她的課是學生的最愛之一。金女士每週有兩次會在課堂演出歷史短劇，偶爾她也會讓孩子們自行準備表演題材。學生們實在是很有表演天賦，她可以拍胸脯保證，上她的課絕對不無聊。

這個特別的早晨，薇薇安．金的講課題目是水門案。瑪姬．蘿絲．鄧尼和麥可．郭德堡也在她三年級的班級裡。事實上，這間教室早就被人盯上了。

薇薇安．金一人分飾多角，扮演了參謀總長海格、H．R．荷德曼、亨利．季辛吉、G．高登．李迪、尼克森總統、約翰和瑪莎．密契爾，以及約翰和毛令．迪安。薇薇安是個模仿高手，她相當擅於模仿李迪、尼克森、海格，尤其當她學密契爾和毛令．迪安時更是唯妙唯肖。

「當尼克森總統對著全國電視觀眾發表年度國情諮文時，」金女士告訴孩子們，「很多人都覺得他在騙我們。當一個高層級的政府官員撒謊時，他便犯下了滔天大罪。人民之所以會信任一個人，憑藉的是他端正的言詞和正直。」

「去！」「噓！」課堂上有幾個孩子相當投入。在合理的範圍內，薇薇安．金是很鼓勵這種形式的參與。

「『噓』他是理所當然的，」薇薇安說，「『去』他也很對。總之，在歷史上的這一刻，尼克森先生站在全國人民面前，就像這樣站在你我之前。」薇薇安．金編排著動作，彷彿是她本人站在演講臺前似的，然後她開始對著全班同學表演起薇薇安版本的理查．尼克森。

金女士的表情忽爾邪惡陰沉起來。她左右晃動著腦袋說：「我希望你們瞭解……無論如何，我都不想擅離美國人民選擇我為美利堅共和國的子民服務的崗位。」薇薇安．金重現尼克森當年那段舉世聞名的演說，說到這她停頓了一下，就像一場拙劣但撼動人心的歌劇中，一小段轉折的音節。

班上二十四個學生全場鴉雀無聲，薇薇安此刻已經完全贏得孩子們的注意力。也許這一刻不過是曇花一現，但這確實是為人師表至高無上的快樂。「太好了！」薇薇安心裡想著。

這時，教室門口那頭的玻璃窗格突然傳來尖銳的叩門聲——**叩！叩！叩！叩！三響**。魔力的一刻被摧毀了。

「去！噓！」薇薇安．金低聲嘀咕著。「請進？是誰在門口？哈囉？是誰啊？」

磨得發亮的桃木鑲玻璃門緩緩打開。有個孩子正哼著《半夜鬼上床》的調子。桑傑先生猶豫著，幾近害羞地踏進教室裡。班上每個孩子一看到桑傑先生，立即笑逐顏開了起來。

「有人在家嗎？」桑傑先生拉起細尖嗓子對著學生說，孩子們被他逗得哄堂大笑。「哎呀！你看看，每個人都在家。」他說。

蓋瑞・桑傑在學校教數學和電腦——他的電腦課甚至比薇薇安・金的歷史課還要受歡迎。蓋瑞已經開始禿頭，蓄著頹喪的小鬍子，臉上還戴著一副英式學生眼鏡。他的外表看起來並不像那種會受女粉絲崇拜的男偶像明星，不過蓋瑞在學校確實很受女學生崇拜。桑傑先生除了是名很能鼓舞人心的老師之外，他還是任天堂的超級玩家。

他受歡迎的程度，以及是個電腦高手的事實，爲他贏得了一個封號叫「晶片先生」。

當桑傑先生快速走向金女士的講桌時，他匆匆和其中幾個學生打了招呼。

之後這兩個老師在講臺前竊竊私語起來。金女士背對著學生，她頻頻點頭，話並不多。她站在超過六呎高的桑傑先生旁邊，似乎顯得很瘦小。

過了一會兒，金女士終於轉過身來。「瑪姬・蘿絲，還有麥可・郭德堡在嗎？能不能請你們兩位到前面來？可以的話，順便把東西收拾一下。」

瑪姬・蘿絲和麥可・郭德堡互換了茫然的一眼。這究竟是怎麼一回事呢？他們收好自己的隨身用品，走向講臺前方尋求答案。班上其他孩子忍不住開始竊竊私語，甚至在課堂上大聲喧嚷起來。

「各位同學，稍安勿躁，還沒下課呢。」金老師要學生們安靜下來。「我們還在上課中。請大家尊重一下這裡的規矩。」

瑪姬和麥可走到教室前方之後，桑傑先生彎下腰來和兩個小傢伙講了悄悄話。小蝦米・郭德堡比瑪姬・蘿絲矮了至少四吋。

「我們遇上一點小麻煩了，不過沒什麼好擔心的。」桑傑先生非常冷靜而和藹地對孩子們說。「基本上一切都還好，只不過有一點點小差錯，就這樣而已。一切都沒事的。」

「我可不覺得。」麥可・郭德堡搖著頭回應桑傑先生。「你所謂的『小差錯』到底是什麼？」

瑪姬・蘿絲到現在一句話也沒說。不知道爲什麼她突然害怕起來。肯定發生什麼事了，一定有某件事不對勁，她從自己翻騰的胃感覺得到。瑪姬的母親總是說她想像力太豐富，所以小瑪姬總是努力讓自己看起來冷靜、佯裝冷靜、強迫冷靜。

「我們剛剛接到從特勤局打來的電話，」金女士說，「他們遭到了恐嚇，你和瑪姬都可能會有危險。也許那只不過是通惡作劇電話罷了，不過無論如何我們得愼重其事，盡快送你們兩個回家。那是爲了安全起見，你們倆應該都瞭解這些程序的。」

「我保證會讓你們在中午前安全返家。」桑傑先生補充說，儘管他的聲音聽起來不太有說服力。

「是什麼樣的威脅？」瑪姬・蘿絲詢問桑傑先生。「是對麥可的父親嗎？還是跟我媽媽有關？」

桑傑先生拍拍瑪姬的臂膀，私立學校的老師們又再度透過小瑪姬見識到這裡的孩子有多麼早熟。

「嗯，是我們經常會接到的那種威脅電話，總是吹牛的多，通常不會眞的有所行動。只不過是有些無聊混蛋想引起注意，這點我很確定，那些討厭鬼。」桑傑先生做了一個誇張的表情，他流露了恰如其分的關懷，但他讓孩子們很有安全感。

「那爲什麼我們非得回去波多馬克的家不可？好回家大哭一場嗎？」麥可．郭德堡扮起鬼臉，比手畫腳起來，他活脫像個縮小版的法庭律師。事實上，他在很多方面已經有他名人老爸——財政部長的影子。

「只是要你們待在安全的地方，這樣可以嗎？好啦，我們說的夠多了，我可不想和你辯論，麥可。我們準備出發了嗎？」桑傑先生人很好，不過態度非常果決。

「還沒。」麥可繼續皺著眉、搖著頭說：「休想，荷西坎塞哥。說眞的，桑傑先生，這一點也不公平啊！也沒道理啊！特勤局的人爲什麼不過來這裡，保護我們直到下課？」（譯註：荷西坎塞哥是美國職棒大聯盟明星球員，為美國職棒史上第一位四十全壘打—四十盜壘的全能球員。）

「那不是他們的作業方式。」桑傑先生說。「規矩並不是我訂的。」

「我想我們可以走了。」瑪姬說。「走啦！麥可，別再耍嘴皮子了。這件事已經決定好了。」

「是已經決定好了。」金女士善意的一笑。「我會請人把今天的作業帶給你們。」

瑪姬．蘿絲和麥可都笑了起來。「謝謝妳，金女士！」兩個孩子異口同聲地說。

教室外的走廊幾近無人，一片寂然。當這三個人走出教學大樓時，只有一個名叫埃曼．

艾福特的黑人清潔工看見他們離開。

艾福特先生斜倚在他的掃帚上，看著桑傑先生和兩個小孩走完那條狹長的走廊。他是最後一個目擊他們三人身影的人。

出了大樓之後，他們匆匆穿越學校的鵝卵石停車場，這個停車場四周滿是雅緻的白樺樹和灌木。麥可的鞋子在石塊上發出卡嗒—卡嗒—的聲音。

「什麼蠢鞋嘛！」瑪姬．蘿絲緊緊靠著麥可，開了個玩笑。「它呀，不管是看起來、動起來或是聽起來，都是蠢鞋一雙。」

麥可並沒有反擊回去，他還能說什麼呢？他的爸媽還是很喜歡帶他去Brooks Brothers買衣服。「那我**應該**穿什麼才好？Miss Gloria Vanderbilt嗎？還是粉紅色的運動鞋？」他有氣無力地回答。

「嗯——**粉紅**色的運動鞋滿不錯的。」瑪姬眉開眼笑地說。「或者萊姆綠的充氣鞋也可以啊！但就是不要穿喪禮專用的鞋嘛，小蝦米。」

桑傑先生領著孩子們走向一輛新型的藍色廂型車，車子停在榆樹和橡樹下，那些樹從行政大樓和學校體育館一路延伸到停車場。體育館裡面不時傳來籃球運球的迴音。

「你們兩個可以從後面跳上車。我們要離開囉！」桑傑先生說。這個數學老師把孩子們舉起來，好讓他們進到車裡。他的太陽眼鏡一直滑到他的鼻樑上，終於，他準備好要帶兩個孩子出發了。

「你要開車送我們回家嗎？」麥可問桑傑先生。

「我知道這輛車沒有賓士那麼舒適，不過就稍微將就一下吧！麥可先生。我只不過是根據電話的指令奉命行事，我跟一位伽克立先生談過。」

「是喬立・裘利。」麥可爲這位特勤局探員取了一個小名。

桑傑先生自己也跳上這輛藍色的廂型車，他「砰」的一聲把車門拉上。

「等我一下，你們倆自己找位置坐。」

廂型車前方堆著幾個硬紙箱，桑傑不知在那些箱子裡翻找什麼。這輛小貨車裡面一團混亂，完全是有條不紊的對照版，東西幾乎是劃分成一區區堆放，頗符合數學老師的風格。

「孩子，你們隨便坐。」他口中一邊說話，手上不停地在找某件東西。

當蓋瑞・桑傑再次轉過頭來，臉上多了一張嚇人、看起來像橡膠製的黑色面具，手上握著某種金屬工具在胸前晃動，那個東西看起來像是微型的滅火器，只不過它比尋常的滅火器感覺更科幻一些。

「桑傑先生？」瑪姬・蘿絲開口叫他，她提高了聲調說：「桑傑先生！」她猛揮著雙手說：「你嚇到我們了，別開這種玩笑！」

桑傑把那支小型的金屬噴嘴對準瑪姬・蘿絲和麥可，然後奮力而堅定地頂著他那雙黑色的橡膠短靴快速移向他們。

「那是什麼東西？」麥可說，他甚至不確定自己爲什麼這麼問。

「嘿，我可不想知道。吸一口看看，天才兒童，你倒是給我答案。」

桑傑用一種三氯甲烷噴液攻擊他們，他將手指扣緊扳機整整有十秒之久。當兩個孩子倒在貨車後座時，他們的周圍籠罩著一片迷霧。

「離開吧！亮光。」桑傑先生用最輕柔的聲音喃喃唸著，「永遠也不會有人知道。」那就是美妙之處，沒有人會發現眞相。

桑傑爬回駕駛座，發動了藍色廂型車。當他從停車場駛離時，口中哼著「何許人合唱團」的《神奇巴士》。他今天的心情好得很，正密謀成爲全美第一個連續綁匪，並且策動各種計畫。

05

約末十點四十五分左右，我在桑德斯之家接到一通「緊急電話」。這時的我，實在不想再跟任何有緊急事件的人講話了。

我才剛剛花了十分鐘跟新聞界的朋友交談過，不少負責跑兇殺案的記者都是我的好兄弟。我是個不折不扣的媒體寵兒，《華盛頓郵報》的週末雜誌版甚至還爲我寫過特別報導。我在那篇專文中再度談論到黑人在華府的被謀殺比率。光是過去一年來，我們的國家首都就有將近五百件謀殺案，其中只有十八名受害者是白人。事實上，有幾名記者已經注意到這件事，是比以前進步多了。

我從一個精明年輕的特調組警探——雷金．包威爾的手中接過電話。這時的我正心不在焉地把玩著一顆迷你籃球，我想它肯定是馬斯塔夫的玩具。這顆球給我一種奇特的感覺：爲什麼兇手要謀殺那麼漂亮的小男孩呢？我實在想不出一個合理的解釋，總之目前我還找不出答案。

「是局長傑飛打來的。」雷金蹙著眉說。「他顯得憂心忡忡的。」

「我是克羅斯。」我用桑德斯的家用電話對著話筒另一頭說。我的腦袋仍舊一陣天旋地轉，眞想用最快速度結束這段對話。

話筒傳來一股廉價的麝香香水味，這個味道不是普兒的就是蘇澤特的，也許她們母女兩人都用這種香水。電話左邊有一張桌子擺著一個心形的相框，裡面放的是馬斯塔夫的照片，看到小馬斯塔夫不禁讓我想起我那兩個孩子。

「我是皮特曼局長，那邊的情況如何？」

「我認爲兇手是連續殺人狂，這次的死者是母親、女兒和一個小男孩。這是不到一個禮拜第二個家庭受害。整個屋子的電力都被切斷，那傢伙喜歡摸黑幹活。」接著我向皮特曼報告了幾個血腥殘忍的命案細節，通常他聽到這幾個重點就夠了。局長會放手交給我來處理此案，華府東南方的殺人案件，對總是有更多要事得煩惱的局長，根本就是小事一樁。

我簡述完命案現場之後，隨之而來的是令人心神不安的數秒沉默。我看見電視房裡高高立著桑德斯家的聖誕樹，它顯然被這一家人精心裝飾過：金屬絲、來自一角商店的閃亮裝飾品、一串串的小紅莓和爆米花，樹的頂端還放了一個手工製的錫箔小天使。

「我聽說是一家毒販遭到襲擊，毒販和兩個妓女。」傑飛說。

「不對，那不是事實。」我對皮特曼說。「這家人家裡擺了一棵漂亮的耶誕樹。」

「我很肯定他們的身分，別唬我了，艾利克斯。我今天和現在都沒時間聽你鬼扯。」

如果皮特曼的本意就是想惹惱我的話，那他已經成功了。

「有一個死者是穿著睡衣的三歲小男孩。也許他眞的有販毒也不一定，我會調查清楚的。」

我實在不該那麼說，我說了很多不該說的事。我覺得這陣子的自己正瀕臨爆裂的邊緣。我所謂的「這陣子」，指的是最近這三年來的日子。

「你和約翰・桑普生立即火速趕到華盛頓私立學校去。」皮特曼說。「那裡一切都亂了套，我沒跟你開玩笑。」

「我也很認眞，」我回應局長，努力壓低嗓門，「我很確定我們要抓的是個狠角色。這裡的情況很糟，街上的人群痛哭失聲，而且聖誕節也快到了。」

不過無論如何，皮特曼局長還是指示我們馬上趕到喬治城的華盛頓私立學校。他不斷強調：那裡一切都亂了套……

在我動身前往華盛頓私立學校之前，我先是聯絡了本部門的連續殺人偵辦小組，接著撥了通電話給聯邦調查局位於匡堤科總部的「霹靂」小組。聯邦調查局保存著過去所有連續殺人案件的電腦檔案，同時也能找到兇手完整的精神病學側寫記錄，那些資料記載著很多未經公開的連續殺人案件細節。我要找的，是符合有毀容分屍罪行的兇犯，我希望能取得這類殺人犯的年齡和性別特徵。

當我準備離開桑德斯家的屋子時，有一個技術人員遞來一份文件要我簽名。按照過去的習慣，我在那份文件上畫了一個十字架——**克羅斯**。

沒錯，我就是一個來自嚴酷之城的硬漢。

06

對桑普生和我而言，華盛頓私立學校美侖美奐的校園環境還眞有點壓迫感。東南方一帶的人文景觀與此地相比，簡直有天壤之別。

在學校的大廳裡，我和桑普生成爲少數的黑佬。原本聽說這所私立學校有幾個外交官之子——非洲裔的學童在此就讀，不過我一個黑人小孩也沒瞧見。此刻正映入我眼簾的盡是一批批震驚的老師、小孩、家長和警察。從前方的草坪到學校的正廳，處處可聞人們哭泣的聲音。

兩個小朋友、兩個小寶貝，竟然在華盛頓最負盛名的私立學校裡公然遭到綁架。我能理解今天對每個有干係的人來說，都是悲傷而不幸的一天。**別去想這件事**，我告訴自己，**做好你的工作就好了**。

既然我們幹的是警察這行，就得努力壓抑心中的憤怒情緒。不過顯然這並非易事，因爲直到現在，我還能看見小馬斯塔夫．桑德斯那雙哀傷的眼神。一個制服警官指引我們到校長室去，皮特曼局長正在那個辦公室等著我們。

「你冷靜點，」桑普生提醒我，「留著體力改日再和他鬥。」皮特曼執勤時通常會穿灰色或藍色系的西裝服。他偏好條紋襯衫，搭配條紋花樣的銀藍相間領帶。同時，他也是強森與莫非品牌鞋款和皮帶的愛用者。他灰色的頭髮總是整齊地梳向後面，好配合他那顆像綳緊安全帽的子彈頭。他的綽號五花八門：傑飛、太上皇、大頭目、小皮、喬治・波吉……

我想我大概知道自己和皮特曼局長的嫌隙是從什麼時候開始的。那就是自從《華盛頓郵報》在週末雜誌版寫了我的故事之後。那篇報導詳細描述我是如何成爲心理學家，後來卻在華府的「兇殺暨重案組」服務的歷程。我還告訴記者自己何以會繼續在東南方一帶定居。「住在這個地方讓我感覺很愉快，因爲從來不會有人把我從自己家裡趕出來。」

事實上，我認爲是那篇文章下的標題觸怒了皮特曼局長（以及局裡一些人）。《華盛頓郵報》那名年輕記者爲了要研究我的背景，還訪問了我的奶奶。娜娜過去曾擔任過英文老師，這點頗令那個敏感的作者買帳，讓娜娜得以成功地把她的觀念灌輸到記者的腦袋。娜娜認爲黑人基本上都是傳統教義派，因此理論上黑人會是南方最後一個放棄宗教信仰、道德觀甚至於修養的種族。她說我是貨眞價實的南方之子，出生於北卡羅萊納。她還質疑這個社會何以要崇拜電影、電視劇、書刊、和報紙文字裡那些幾近瘋狂的偵探。

《華盛頓郵報》那篇專文報導的標題，就印在我那張狀似沉思的照片上：「**南方最後一個紳士**。」那個故事在我們極爲保守的部門引起很大的風波，皮特曼局長尤其著惱。雖然我沒有證據，不過相信那篇報導是被市長辦公室某個有心人士呈給皮特曼看的。

到了辦公室門口，我先是敲了門板三次，然後桑普生和我並肩走了進去。我什麼都還沒說，皮特曼就舉起他的右手道：「克羅斯，你只管聽我說，」他一邊發言，一邊向我們走來，「這間學校發生了一件綁架案，是一宗情節重大的綁架……」

「那眞慘。」皮特曼的話都還沒說完，我就立即打斷他。「很不幸的，有個魔頭也才襲擊了康敦街和藍格立一帶。這個殺手已經犯了兩次案，到目前有六個人**身首異處**。桑普生和我是這件案子的資深專家，基本上，我們兩個正在著手偵辦此案。」

「康敦和藍格立住宅區的狀況我早就瞭然於胸。我已經想好應變方案了，這件事自然有人會處理的。」皮特曼說。

「今天凌晨兩個黑人女子的乳房被兇手割掉，她們被綁在床腳，陰毛被人給硬生生剃下，這些你都瞭若指掌嗎？」我反問他。「還有一個穿著睡衣的三歲小男孩被殺害，你也都知道嗎？」我忍不住又咆哮了起來。我偷瞄桑普生一眼，只見他頻頻搖頭。

辦公室有一群老師朝我們的方向望來。「兩個花樣年華的黑人女子，乳房被割下來了！」我爲這些老師再複述一遍。「今天早晨某個人在華府遊蕩時，口袋裡就裝著那對被害母女的乳房。」

皮特曼局長手指向校長室裡面，他希望我們兩人進去再談。我搖頭拒絕，我就是要有人見證我和他的對話內容。

「我知道你在想什麼，克羅斯。」他放低音量，貼近我的臉說，一股烏煙瘴氣的香菸味猛然向我襲來。「你認爲我是特地來阻撓你的，然而我不是。我心裡明白你是個好警察，我也知道你的心經常放在對的地方。」

「不，你是不會懂我的想法的。讓我來告訴你！目前已經有六個黑人被殺，而那個瘋狂、嗜血的殺人魔王卻逍遙法外，此刻的他正殺紅了眼、磨刀霍霍準備大幹一場。再加上這裡又有兩個白人小孩被綁架，這是多麼嚇人的事件。不過再怎麼可怕，這個去他媽的案子我是管定了！」

皮特曼突然用他的食指戳我，臉紅脖子粗地說：「搞清楚，是**我**決定你負責什麼案子！由**我**決定的！你的專長是人質談判，因爲你是個心理學家。藍格立和康敦那邊會派別人去，更何況，蒙瑞市長有特別任務要交給你辦。」

就是這樣，現在一切都明白了，原來我們市長已經出面干涉此案，一切都跟我有關。

「那桑普生怎麼辦？至少得讓他偵辦這件謀殺案吧。」我對局長說。

「你有任何不滿，就去跟市長發牢騷。你們兩個就負責調查綁架案，我要說的就這麼多了。」

皮特曼轉身背對著我們，頭也不回地離開了。不管喜不喜歡，我和桑普生都得追查鄧尼和郭德堡兩個孩子的綁票案。我們兩個當然是百般不願意。

「也許我們應該直接回桑德斯之家。」我對桑普生說。

「這裡沒有人會想我們的。」桑普生也同意我的看法。

07

一輛閃閃發光的黑色BMW K—1重型摩托車，穿梭過華盛頓私立學校的矮粗石柵門，在一條通往一棟棟灰色學校建築的狹長馬路減速行駛著，時間是上午十一點鐘。

接下來的幾秒鐘，那輛BMW K—1將油門猛催到六十英里，一路飆到行政大樓前，然後摩托車輕鬆而流暢地煞了車，幾乎沒揚起半點灰塵。機車騎士將車子停在一輛淡灰色的Mercedes豪華轎車後面，那輛車是屬於外交部的，車牌號碼是DP-101。

潔西·佛萊娜根騎在摩托車上，脫下黑色安全帽露出她那頭長髮飄逸的金髮。她的外表看起來只有二十八、九歲，不過其實她那個夏天已經三十二歲了。歲月對她毫不留情地飛逝而過，她覺得現在的自己不過是個作古的空殼子。她剛剛才從她那間湖邊小屋直奔華盛頓私立學校，更別提這是她二十九個月來首度休假了。

由於潔西正在休假中，這或許可以解釋她那天早上何以會那身打扮：皮夾克、附暖腿套的褪色黑牛仔褲、粗厚大腰帶、方格子衫，配上一雙長筒靴。

兩名華府警察一左一右急忙奔向她兩側。「別緊張，警官，」潔西說，「這是我的身分證。」看到那張識別證後，那兩名警官立即退開，變得熱忱起來。「妳可以直接進去，」其中一個警員說，「在那些高大的樹籬附近有一個側門，佛萊娜根女士。」

潔西·佛萊娜根擠了一個友善的笑容給這兩個看起來很焦慮的警察。「我今天並不是來辦事的，這我清楚的很，我還在休假中，我是騎機車一路飆來這裡的。」

潔西·佛萊娜根走上一條小路，穿過微微被薄霜籠罩的清新草坪，很快她就在學校的行政大樓裡消失不見。

直到佛萊娜根的身影沒入大樓之前，那兩位華府警官任誰也無法將目光從她身上移開。

她金色的長髮就像緞帶在凜冽的冬風中飄逸著。即使她只不過是穿著骯髒的牛仔褲和靴子，她的美貌依然豔驚四座。更何況，她還有一份極富權威的工作，這點警官們在查看她的身分證時就已經知道了。她是個玩家。

正當佛萊娜根要穿過大廳時，有個人一把扣住她，那個人抓住潔西・佛萊娜根身上一角，在華府這種事對她來說根本就見怪不見。

維特・舒明特勾住她的手臂。不論是過去、還是現在，潔西都很難想像這種畫面。維特過去曾經是她的工作夥伴，事實上也是她生平第一個搭擋。維特現在被分派到華盛頓私立學校，負責其中一個學生的保安工作。

維特身材短小，已經開始禿頭。他的穿著很有《GQ》雜誌那種風格，全身充滿莫名其妙的自信。潔西總是覺得把維特擺在特勤局是種錯誤，他應該更適合被安置在比較低階的外交使節團。

「潔西，近來如何呀？」維特說的話有一半含在嘴裡，像是在喃喃自語。她想起維特是那種似乎永遠也無法認同任何事的人，過去他這個特質總是令她著惱不已。

潔西・佛萊娜根被惹毛了。她很快就意識到，剛才舒明特攔住她時，她早就已經在發火的邊緣了。她根本不需要任何理由就該大發雷霆，特別是今天早上、面臨此刻這種局面的時候。

「維特，你知道有兩個孩子在這間學校被人帶走，說不定被綁票了嗎？」潔西厲聲說道。「其中一個是財政部長的兒子，另一個是凱薩琳・蘿絲的小女兒，就是那個知名女星凱薩琳・蘿絲・鄧尼的女兒。你以爲我很好過嗎？我的胃有點不適，我很生氣，而且這件事讓我震驚得很。」

「我只不過是跟妳問個好罷了，意思是說：『哈囉，潔西？』，我很明白這裡發生什麼鬼事啊！」

不過維特這句話還沒說完，潔西・佛萊娜根早就走開了，最少她已經避開他，免得再浪費唇舌在維特身上。她的確神經緊繃，而且感到虛弱，有更多部分的她，該死的竟然亢奮不已。她一點也沒有心情在這個人聲沸騰的學校大廳尋找熟悉的面孔，不巧的是前方又出現了兩個熟人！

那兩個人是她手下的探員：查理・伽克立和麥克・狄凡。由於小麥可・郭德堡以及瑪姬・蘿絲・鄧尼平常都一起上下學，因此她指派這兩個探員負責保護兩個孩子的安全。

「怎麼可能會發生這種事？」她大聲吼著，她才不在乎旁邊的人都已經停止交談，所有的人都盯著她瞧。現場就像有個黑洞闖進吵嚷而混亂的學校大廳。然後她放低了音量，小聲詢問著探員事件發生的經過。她安靜聽著探員的解釋，不過她顯然很不滿意他們倆的說詞。

「給我滾開這裡，」她再度大動肝火，「馬上給我滾！離開我的視線！」

「當時我們也不能做什麼啊。」查理・伽克立試著辯解。「我們能怎麼辦呢？老天！」

丟下這句話之後，他和狄凡窩囊地離開。

那些熟悉潔西・佛萊娜根的人也許能理解她的情緒反應：兩個孩子竟然在她的監督下失蹤了。她是特勤局探員的直屬主管，除了總統之外，所有關鍵人物幾乎都受到特勤局探員的保護：主要的內閣成員及其家庭、大約六名的參議員，包括泰德·甘迺迪也在內。潔西必須向財政部長本人報告維安狀況。

潔西一直孜孜不倦地工作著，她以不可思議的勤奮程度贏得了信任和責任，而她確實相當盡忠職守。她每週工作一百小時，過著年復一年全年無休的日子，根本就毫無生活可言。

在發生這件事之前，她早就聽過這種謠言：她手下兩個探員會捅個超級大簍子，接著上級就會展開調查——那種老式的政治迫害伎倆，而潔西·佛萊娜根剛好就坐在那張電椅上。正因爲她是第一個爬上這個位子的女性，假如她失足掉下來的話，她會跌得更深、更痛苦，而且肯定會搞得衆所周知。

最後，她終於找到她在人群中一直在搜尋的人了——不過這個人卻是她但願永遠也別找到的人。財政部長傑若德·郭德堡已經抵達他兒子的學校了。

站在財政部長旁邊的是卡爾·蒙瑞市長、一名她認識的聯邦調查局特別探員——羅傑·葛拉漢，還有兩位她沒能馬上認出來的黑人。這兩個黑人都人高馬大，尤其他們當中有一個人的塊頭更是**龐大**。

潔西·佛萊娜根深吸了一口氣，快速迎向郭德堡部長以及其他人。

「我深感歉疚，傑若德，」當她走近衆人時，她小聲說道，「我向您保證，我們會找到孩子們的。」

「老師」是傑若德·郭德堡唯一能擠出來的一個字詞。他搖了搖那理著極短的白捲髮頭，眼眶濡濕，泛著淚光。「一個爲人師表，帶走那麼幼小的孩子，怎麼會這樣？」

傑若德・郭德堡顯然心都碎了。這位財政部長雖然只有四十九歲，看起來卻比實際年齡還老十歲。他的臉就跟學校的灰泥牆一樣蒼白。

在搬來華盛頓之前，傑若德・郭德堡原本任職於華爾街的Salomon Brothers所羅門兄弟國際。他在繁榮、瘋狂的一九八〇年代賺了兩、三千萬美元。傑若德是個聰明、世故、足智多謀的人，同時爲人也相當務實。

然而，今天的他，只不過是遭到綁架的小男孩之父。現在的他看起來脆弱極了。

08

當那位特勤局長官——潔西・佛萊娜根加入我們時，我正同聯邦調查局的羅傑・葛拉漢交談。她盡力說了些話來安撫郭德堡部長。之後我們的談話焦點迅即繞回這宗綁架案，以及接下來該採取的行動。

「我們百分之百確定是這名數學老師帶走孩子的嗎？」葛拉漢詢問大家的意見。羅傑・葛拉漢以前曾和我密切合作過，他不但絕頂聰穎，也是聯邦調查局裡多年來的明星級探員。葛拉漢曾和別人共同撰寫過一本書，內容是探討如何鏟除紐澤西的組織型犯罪，後來這本書還被拍成賣座電影。我和葛拉漢彼此敬重並欣賞對方，這種事在聯邦調查局和當地警察之間是很罕見的。當我太太在華盛頓被殺身亡時，羅傑還曾出馬調動聯邦調查局的人參與偵查行動。他給我的支持，比我自己服務的單位還多。

我決定要試著回答羅傑・葛拉漢丟出來的問題。這時的我已經冷靜多了，足以發表客觀的意見，我告訴大家桑普生和我目前爲止所掌握的情報。

「他們三人絕對是一起離開學校的，」我說，「有一個工友看見他們。那位數學老師——桑傑先生，跑到金女士的班上。他向她撒謊，謊稱有一通恐嚇電話，說他有責任要帶兩個孩子到校長室，再讓人護送他們回家。另外，他還提到特勤局並沒有具體指出歹徒的威脅是會對男孩或女孩不利，他只是不斷催促小孩子跟他一起走，孩子們出於對他的信任，就跟著他離開了。」

「這種知名學府，怎麼可能會讓一個有動機的綁匪成爲學校的教職人員？」特別探員葛拉漢又發問了，一副太陽眼鏡從他西裝的胸前口袋探出頭來，是那種冬天專用的墨鏡。在電影裡，哈里遜・福特曾扮演過葛拉漢在他那本著作中的角色。那部電影卡司選得眞的還不賴。桑普生給葛拉漢取了個綽號叫「大銀幕」。

「關於這一點我們還不是很清楚，」我回答葛拉漢，「不過很快就會有答案的。」

最後，蒙瑞市長引見桑普生和我給郭德堡部長，蒙瑞說了一些我們兩個如何成爲華府授動最多的警探團隊之一那類的客套話。然後市長陪同部長進去校長室，特別探員葛拉漢跟在他們後面。葛拉漢對著桑普生和我轉了轉眼珠子，他要我們知道，在這兒他並不是主角。

潔西・佛萊娜根在最後面。「我聽過你的大名，克羅斯警探，我想起來了，你就是那位心理學家。《華盛頓郵報》有一篇你的報導。」她給我一個怡人的笑容，一個淺淺的微笑。

我並沒有用笑容回報她。「妳也知道那些文章報導，」我告訴她，「通常都是半眞半假，以那篇報導來說，那絕對有部分是誇大不實的。」

「這點我可不確定喔。」她說。「無論如何，很高興認識你。」說完她就跟著郭德堡部長、市長以及調查局的明星探員，走進校長辦公室。沒有人邀請我這個雜誌上名噪一時的心理學警探進去，也沒有人邀請桑普生進去。

蒙瑞倒是有探出頭來說：「你們兩位別走開，千萬別想太多、也別著惱。我們這兒需要你們，我需要跟你談一下，艾利克斯。請留下來，別生氣。」

桑普生和我都很努力想當個好警察，我們在校長室門口足足站了十分鐘。最後，決定離開了那個罰站崗位，我們兩個都被惹毛了。

我的腦海還是一直浮現小馬斯塔夫·桑德斯的臉。又有誰會去揪出殺害他的兇手呢？沒有人。馬斯塔夫早就被遺忘了，而我知道，同樣的事絕不會發生在那兩個私立學校的孩童身上。

那天早上稍後，桑普生和我跟著幾個孩子，一塊兒躺在私立學校「遊戲室」的純天然松木地板上。

我們和露易莎、強納森、史都華、瑪莉貝瑞以及她的「大」姐姐布莉吉姐在一起。到目前爲止，還沒有人來接這些孩子，他們都嚇壞了。學校裡有些孩子尿濕了褲子，甚至還有一個出現嚴重嘔吐的狀況。這很有可能是危機創傷的症狀，我之前有些許治療的經驗。

薇薇安·金老師也和我們一起躺在磨亮的地板上。我們一直很想跟金老師談談桑傑到她班上拜訪的過程，也想藉此探聽關於桑傑此人的事蹟。

「我們兩個是你們學校新來的小孩。」桑普生跟孩子鬧著玩說。雖然我並不是很確定桑普生是否有必要這麼做，不過他老早就把太陽眼鏡取下來了。通常小孩子都很喜歡桑普生，因爲他符合孩子們心目中「友善怪獸」的形象。

「才怪！你才不是小孩呢！」瑪莉貝瑞說。桑普生早就逗得她笑容滿面，這是個好兆頭。

「沒錯，我們是如假包換的警察喔。」我跟孩子們說。「我們來這裡是要確定大家都平安無事。嗯——我的意思是，唷！多棒的早晨呀！」

金女士在地板另一頭對著我微笑示意，她知道我在努力給孩子們建立安全感，向他們保證警察叔叔就在這裡，一切又安全了。現在再也沒人能傷害他們，秩序已經恢復了。

「那你是好警察嗎？」強納森問我。對一個這麼小的男孩來說，他顯得格外嚴肅認眞。

「是的，我是個好警察，我身邊這個夥伴——桑普生警探也是唷！」

「你們塊頭好大呀！你們非常大耶！」露易莎說。「就跟我家的房子一樣大！」

「這樣我們才更有能力保護大家啊！」桑普生回應這個小女生。他很快就能理解孩子的童言童語。

「你自己有小孩嗎？」布莉吉妲問我。她在發言之前，事先很仔細地觀察我和桑普生。布莉吉妲有一雙美妙的明亮雙眸，我馬上就喜歡上這個孩子了。

「我有兩個孩子，」我說，「是一個男生和女生。」

「他們叫什麼名字啊？」布莉吉妲問我。她巧妙地反串起我們的角色。

「珍妮和戴蒙。」我告訴布莉吉妲。「珍妮今年四歲，戴蒙六歲了。」

「那你太太的名字呢？」這回換史都華發問。

「我沒有太太。」我回答他。

「哇——天哪！這位羅傑斯先生。」桑普生吐著氣說。

「那你離婚了嗎？」瑪莉貝瑞追問我。「是因爲那樣嗎？」

金女士朗聲笑道：「怎麼好意思問我們好朋友這種問題，瑪莉。」

「壞人會傷害瑪姬．蘿絲和麥可．郭德堡嗎？」嚴肅的強納森想要知道。這是個很好的問題，值得好好回答。

「我但願他們不會，強納森。不過我可以很肯定地告訴你一件事：有桑普生警探和我在，沒有人會傷害你，我們會保護你的。」

「我們可是很強悍的唷！就怕你看不出來。」桑普生露齒而笑。「嘎！沒有人會傷害你們這些孩子的，嘎！」

幾分鐘後露易莎哭了起來，她是個可愛的孩子，我眞想抱抱她，但是我不能。

「怎麼啦，露易莎？」金女士問道。「你的爹地媽咪很快就會來了。」

「才不，他們才不會來。」小女孩猛搖著頭說。「爹地媽咪是不會來的，他們從來沒有到學校接過我。」

「有人會來接妳的。」我柔聲說道。「而且到了明天，一切都會沒事的。」

這時，突然有人緩緩推開遊戲室大門，我的眼神從孩子身上掃向門口，出現的是卡爾．

蒙瑞市長先生，他特意來拜訪全華盛頓市占盡優勢的私立小學。

「你躲掉麻煩了嗎？艾利克斯？」當市長先生走進和他極不相襯的遊戲室時，他點頭微笑著說。蒙瑞今年四十五歲左右，外表有種粗獷的俊俏。他髮量極多，臉上還蓄著濃密的黑鬍子。他穿著海軍藍西裝、白襯衫，搭配一條亮黃色的領帶，看上去十分幹練。

「哦，是啊！我只是想利用我在這裡的空閒時間，做些有價值的事，桑普生和我都是這樣想。」

蒙瑞給我一個市長式的輕笑。「看來你已經成功了。走吧！咱們去兜兜風，跟我一塊來，艾利克斯。我們有幾件事得好好商量一下。」

我向孩子們以及金女士告別，跟著蒙瑞步出了校園。或許我馬上就可以瞭解到底出了什麼事，以及爲什麼我得負責偵辦綁架案，而非我專責的兇殺案。還有，究竟我有任何選擇的籌碼嗎？

「你開自己的車來的嗎？艾利克斯？」當我們輕晃著身子步下學校的臺階時，蒙瑞問我。

「車子是我的，也是HFC貸款公司的。」我說。

「那我們搭你的車好了。特調組幹得如何？這個概念挺強的。」當我們一路走向停車場時，他一邊跟我說。他顯然早就讓他的專屬司機和轎車在前面等著，眞不愧是我們的市長大人——人民的男人。

「特調組的正確概念到底是什麼？」我問他。我一直在反覆思考自己眼前的工作狀況，尤其是我和喬治・皮特曼的互動關係。

卡爾・蒙瑞笑逐顏開。他是那種八面玲瓏的人，而且事實上他非常精明。他總是表現出一副宅心仁厚、很有愛心的樣子，也許他內心眞是如此也不一定。有必要的時候，他甚至能專心聆聽對方。

「我最主要的想法，是希望保障我們大都會警力中，最強的黑人男性和女性升到頂尖的位子。他們本來就應該被拔擢，而不該只是做個小兵，艾利克斯。不過這種機會在過去可不常見。」

「我想就算沒有太多保障弱勢族群的平權措施，我們黑人也一樣沒問題的。你聽說發生在康敦街和藍格立街的兇殺案了嗎？」我問蒙瑞。

蒙瑞點點頭，不過他對這件連續謀殺案並沒有多說什麼，這件事並未列入市長今天的優先處理事項內。

「死者是母親、女兒，還有一個年僅三歲的小男孩。」我窮追不捨地說下去，心裡又開始憤怒起來。「根本沒有人鳥他們。」

「那又怎麼樣，艾利克斯？他們活著時沒有人在乎，又有誰會關心他們的死？」

我們走近我那輛曾見證過往美好時光的七四年份保時捷。老舊的車門發出軋軋的聲音，車裡還微微留著過去幾天快餐食物的味道。我過去在私人診所服務的三年，一直就是開這輛車。我和蒙瑞一起上了車。

「艾利克斯，你知道嗎？柯林・鮑威爾目前是參謀聯席會議首長，而路易斯・蘇利文則是健康與人類服務部的秘書長。是傑西．傑克遜幫助我坐上這個位子的。」

蒙瑞對我透露，這時車子正開進運河路，朝市區方向駛去。他說話時，眼睛一直盯著自己反射在邊窗的身影。

「那麼你現在是在幫我囉？」我回應他。「我甚至都沒開口拜託過你，你可眞是太好心、太周到了。」

「你說的沒錯。」他同意我的說法。「你的反應眞是敏捷極了，艾利克斯。」

「既然如此，**幫我**一個忙。我希望能破藍格立街和康敦街的兇殺案。我對那兩個白人小孩的事也是深感遺憾，不過他們這件綁架案不會需要我的注意或協助。事實上，就是因爲各界的援助實在是太多了，反而會衍生出問題。」

「正如你所說的，這點我們都很清楚。」蒙瑞點頭表示同意我的說法。「那些愚蠢的笨蛋會互相牽絆，讓彼此綁手綁腳。聽我說，艾利克斯，你能不能好好聽我說？」

當卡爾．蒙瑞想要從你身上得到某個東西時，只要他有需要，就一定能用他那三寸不爛之舌把你說服得妥妥貼貼。我以前就見識過他舌燦蓮花的功夫，現在他又開始想把這招用在我身上。

「艾利克斯．克羅斯可是位響噹噹的傳奇人物，可是這樣的你卻一貧如洗。」

「我過得很好啊。」我說。「我家裡天花板有屋頂，餐桌上也有食物，還有什麼不好？」

「可是你到現在還住在東南角那一帶，本來你是有能力輕易搬離那個鬼地方的。」他像播放錄音帶一樣，鍥而不捨地重複著我以前就聽過的陳腔濫調。「你還在聖安東尼醫院工作嗎？」

「是啊，提供心靈雞湯之類的服務，還有一些免費的心理療程，算是黑人版的撒馬利亞人吧！」（譯註：意指行善的人。）

「你知道嗎？我有一次在聖安東尼看到你的戲劇演出，發現你還很有表演的細胞，你眞的是架勢十足。」

「我表演的那齣戲碼是富加德的作品《血緣》。」（譯註：富加德是南非劇作家、演員兼導演，曾寫過兩部劇本。《血緣》是一部為他贏得國際聲譽，深入剖析種族隔離問題的作品。）我依然記得那段時光，那時瑪麗亞還引誘我加入她的戲劇小組。「那個劇本本身就很有爆發力，它能讓每個劇中角色的詮釋看起來都挺有模有樣的。」

「你有聽懂我在說什麼嗎？你到底有沒有在聽我說？」

「我知道啊！你想娶我囉。」我對著蒙瑞狂笑不已。「不過呢，在娶我之前，你想先跟我約會。」

「好啦，差不多是類似的想法。」蒙瑞大笑著回應我。

「你的做法很好喔，卡爾。我喜歡在上床前，先和情人來段情話綿綿。」

蒙瑞又笑了起來，這次甚至逾越了他本人平時的尺度，笑聲更放得開了。他是可以先跟你成爲兄弟，然後下次見面就能一眼把你看穿的那種人。我部門裡的同事有些人戲稱他爲「椰子」，我就是其中之一。「外殼是褐色的，內在卻是白的。」我覺得他實際上是個寂寞的男人，到現在我還是很納悶：他究竟想要我做什麼？

蒙瑞安靜了片刻，當車子轉進白丘高速公路時，他才又再度打破沉默。路上交通壅塞不已，泥濘如斯的街道一點也無法紓緩車流量。

「我們面對的，是一個悲慘無比的局面，而且這宗綁票案對我們極爲重要。不管任誰破了案，他都會成爲大人物。我希望由你來協助辦案，擔當此案的一員大將。我希望你能藉由此案建立你個人的威望。」

「我才不希罕什麼威望，」我直截了當地回覆蒙瑞，「我也不想成爲去他媽的什麼大將。」

「我知道你並不希罕這些，而那正是你應該建立聲望的理由之一。我坦白跟你說吧！你比我們都聰明得多，而且有一天你絕對會成爲這個城市的重要人物。你就別再耍固執了，卸下你的心防吧！」

「我不同意，這非關我是否幫得上忙，也非關我是否有能力插手此案。你對成功的想法和我南轅北轍。」

「唔——我知道有件事是正確的，對我們兩個人都好。」他說。這次卡爾．蒙瑞的臉上一點笑容也沒有。「你得讓我知道此案的最新進展，你跟我攜手合作，艾利克斯。這是個有機會功成名就的大案子。」

我對蒙瑞點點頭。**這還用他說嗎**，我思索著。「是誰功成名就，卡爾？」

我將車子停在花圃修整別緻的市長官邸前，蒙瑞跨出座位下了車，他從車門外俯視著我說：「這件案子至爲重要，艾利克斯，是你的功成名就。」

「我不需要，謝謝。」我說。

然而蒙瑞早就走了。

09

十點二十五分，就跟他原先在華盛頓演練時設定好的時程一樣，蓋瑞·桑傑將他的廂型車開到一條不知名的車道上。這條偏僻小路到處是坑洞，蔓生著濃鬱的雜草堆。路肩兩側長滿了黑莓刺藤。

從這條主幹道望出去不到五十英里處，除了泥巴路和一堆堆凌亂突出的灌木叢之外，他什麼也瞧不見。從公路那頭望過來，也沒有人能看見他的小貨車。

那輛廂型車顛簸著駛過一間搖搖欲墜、顏色黯淡的白色農舍。那棟屋子看起來彷彿正在萎縮，隨時都會倒塌成瓦礫堆的模樣。越過農舍不到四十碼之處，是一間歷經歲月摧殘後苟延存活下來、和主屋一樣破爛的穀倉。

桑傑將車開進穀倉。他辦到了，他的計畫已經圓滿地展開。

穀倉裡停放著一輛一九八五年份的黑色Ｓａａｂ。一反這個廢棄農場一貫的蕭索，這間穀倉似乎有人居住。

穀倉的地板污穢不堪，秣草棚裡三塊破損的窗格貼著稀鬆的薄棉布。倉庫裡並沒有生鏽的拖拉機或其他農用機。整個穀倉瀰漫著一股濕泥土和汽油的味道。

蓋瑞・桑傑從乘客座的冰桶抓了兩罐可樂出來。他大口灌下兩瓶汽水，在喝完第二罐冰涼的可樂後，他放任自己打了一個快意的嗝。

「你們有沒有人要喝可樂？」他大聲喚著那兩個被迷昏的小朋友。「不要？那好吧，不過你們很快就會叫渴了。」

人生本來就沒有什麼事是絕對的，他陷入一陣思緒，不過他實在想像不到有任何警察有機會逮到他。這樣自信滿滿會不會太愚蠢、太危險了？他不禁納悶起來。不會的，因為他也有判斷現實情勢的能力。**此時此刻不可能有人追蹤得到他**。他們連一條清查的線索也沒有。

長久以來，他就一直密謀著要綁架名人。這個肉票該是誰，令他一而再、再而三地改變主意，不過在他腦海中始終未出現一個明確的主要下手目標。他已經在華盛頓私立學校任職好幾個月了，此刻，終於讓他感到耗費在學校的每一分鐘，算是值得的了。

「晶片先生。」他想起自己在學校的綽號。晶片先生！他的演出多麼精采，簡直有奧斯卡演員的水準。一切就跟他看過勞勃狄尼洛所主演的《喜劇之王》裡的情節一般順利。那部電影的表演實在是經典之作，現實生活中的勞勃狄尼洛準是個精神病患者。

終於，蓋瑞・桑傑拉開廂型車門，該是回到工作崗位，拚命幹活兒的時候了。

他要把孩子一個接一個從車子拖出來，將他們堆放在穀倉裡。首先出來的是瑪姬・蘿絲・鄧尼，接著是小男孩郭德堡。他讓意識不清的小男生和女生並肩躺在骯髒的地板上。然後他逐一脫掉小孩的衣服，讓他們只剩下內褲。他仔細地準備著巴比妥納藥劑，心裡思忖著：我只不過是你們友善的本地藥劑師，辛勤忙碌的藥物專家。這種藥劑介於安眠藥和醫院的麻醉劑之間，它的效力能持續大約十二個小時之久。

他取出預先裝好，一種稱爲Tubex的針筒。這是一種封閉式的注射系統，藥劑和針筒完整包裝成一套。他著手準備好兩個止血帶，這次他得格外謹慎才行，小孩子該打多少劑量可是很難拿捏的。

接著，他把那輛黑色的Ｓａａｂ往前挪了將近兩碼。車子移開後的穀倉地板，露出一個五乘四呎的小塊土地。

他在前幾次造訪這棟廢棄農舍時，就已經挖好了洞。在這個空曠的洞穴裡有一個粗糙的木製隔間，看起來類似某種防空洞，洞裡還配備自成一格的氧氣供給槽。此處萬事俱備，只欠一個可以收看重播節目的彩色電視機。

桑傑先將小男孩郭德堡安置在那個木頭隔間。麥可·郭德堡在蓋瑞·桑傑的臂膀裡簡直輕如鴻毛，這就是他對男孩的感覺——無關痛癢。再來就是那個有些傲慢又快樂的小公主，瑪姬·蘿絲·鄧尼，她原本就是從洛杉磯這個歡樂之城來的。

他把Tubex針筒分別插入這對小孩的手臂，然後小心謹慎地將藥劑緩緩注入孩子的體內，這個過程大概花了他三分鐘的時間。

這種藥劑是依據體重來定劑量的，人體每公斤只能注射〇·二五毫克。他探了探兩個孩子的鼻息：他們睡得正酣呢，我親愛的百萬寶貝。

蓋瑞·桑傑砰的一聲關上地板門。就在這個廢棄的穀倉裡，就在此處被神遺忘的馬里蘭農業縣正中央，他用半呎高的新鮮軟土把木頭隔間給掩埋起來。就跟小查爾斯·林白六十年前被人活埋的情景一模一樣。

沒有人找得到他們的，除非他想讓他們被發現。只有當他願意讓那些人找到他們的時候，他們三人的行蹤才會被找到。

蓋瑞・桑傑步履維艱地踏著爛泥路，朝那棟年代久遠的農舍走去。他想要洗滌全身。他想開始好好享受這一切，他甚至還帶了一臺手提式電視，來觀賞自己上電視的樣子。

10

大約每隔十五分鐘，電視螢幕的新聞快報就會更新一次。蓋瑞・桑傑這個名字，就這麼出現在如此重要又具有強大影響力的電視影像上。他在每節新聞重點都能看見「晶片先生」的大頭照，只不過新聞報導對於眞相，並沒能拼湊出半點蛛絲馬跡。

這就是所謂的名氣！是享受成名的滋味。他喜歡這種感覺。這麼多年來他精心籌備，一切都是爲了今天。「嗨，媽咪！妳看誰上電視了，就是我這個壞小子！」

整個下午的活動就只有一個小瑕疵，都是聯邦調查局舉行記者會捅的簍子。有一個叫做羅傑・葛拉漢的探員一直在高談闊論，葛拉漢探員顯然認爲自己是炙手可熱的狗屎，他本身無非就是個沽名釣譽之輩。「你以爲這是你主演的電影嗎，葛拉漢？你大錯特錯了，寶貝！」

蓋瑞・桑傑對著電視機大肆咆哮說：「我才是這部影片裡唯一的大明星！」

桑傑在這間農舍逗留了好幾個小時，看著屋外夜幕慢慢地低垂下來。當夜色覆蓋農舍之後，他感受到的是黑夜的另一面觸感。現在是晚上七點鐘，該是執行計畫的時候了。「動手吧！」在農舍裡的他雀躍不能自已，活像迫不及待想進入下一回合比賽的拳擊手一般。「來啊！上吧！」

他的思緒沉浸在他對查爾斯・林白和安妮・摩洛・林白的記憶裡，那是他一輩子最喜愛的夫婦，想到他們就能令他稍稍冷靜下來。他也想起那個襁褓中的嬰孩小查爾斯，還有那個可憐的笨蛋布魯諾・理查・豪夫曼，那傢伙出色的犯罪行動顯然是遭人陷害。蓋瑞・桑傑深信林白血案是本世紀最高境界的犯罪，不只是因為這個案子始終懸而未決——這世上破不了的刑案何止一二——正因為林白事件是**重量級的懸案**，才會備受萬人矚目。

桑傑是很有自信而務實的人，最重要的是，他有能力評估自己的行為和實際狀況。永遠都有可能被條子「僥倖矇中」，或者他們走了狗屎運，抓到什麼蛛絲馬跡。取贖金的過程最難處理，一旦要出面取錢，就表示得對外接觸，而接觸一向是生命中相當危險的一件事。

據見多識廣的他所瞭解，當代還沒有一個綁匪能成功解決贖金交換的問題。那些匪徒並非人人都是想為自己的辛勞取得報償。現在他需要做的是：為他價值數百萬的金童，定下一個轟轟烈烈的贖款日。

讓他們等著瞧我開的價碼。

一想到這，他的嘴角揚起一抹微笑，想當然爾，迷倒眾生的鄧尼和權傾一時的郭德堡，不僅有能力付這筆贖金，他們也願意付。桑傑之所以會選中這兩個家庭，可不是毫無來由的——他看準的正是鄧尼和郭德堡家中嬌生慣養的小傢伙，還有他們取之不盡的財富和權力。

桑傑取出一枝放在夾克口袋的白蠟燭將之點燃，他用力吸了一口令人愉悅的蜜蠟香氣，然後朝著通向廚房的一間小浴室走去。

他憶起「議院兄弟合唱團」的一首老歌《時機》。是時候了……是時候將每個人腳下的毛毯抽走。是時候了……是他送出第一次驚喜的時候了。是時候了……是時候開始建構屬於他個人的傳奇，這部電影將由他來領銜主演。

從房間到整棟屋子，在十二月末顯得寒氣格外逼人。當蓋瑞．桑傑在浴室忙著布置時，他都可以看見自己嘴巴吐出的縷縷白煙。

幸運的是，這棟廢棄屋有充足的水源，浴室的水龍頭還有水可用，不過是相當冰冷的水就是了。蓋瑞．桑傑點起一些蠟燭，讓自己忙碌了起來，要完成這個工作會花他整整半小時的時間。

首先，他把那頂深褐色的半禿頭假髮取下來，那是他三年前在紐約市一間專賣戲服的商店買的。那天晚上，他還跑去看《歌劇魅影》，他一直都很喜歡百老匯音樂劇。他把魅影看得太清楚了，搞得連自己都嚇了一跳。這齣表演也引發他去讀原著小說的興趣，他把法文版讀完後，又去讀英文版。

「唷！這個人是誰？」他對著鏡中的自己說話。

洗掉膠水之後，鏡中露出一頭金色的頭髮，是那種又長又捲的波浪金髮。

「桑傑先生？晶片先生？是你嗎，夥計？」

事實上，他長得還不賴。有前程似錦的未來？也許他有開創新頁的能力？沒錯，他確實是在開創新頁。

但一點也不是像晶片先生這樣的人生，也不是像我們桑傑先生的人生！

他將自己從抵達華盛頓私立學校參加面試那天起，就一直讓蓋瑞・桑傑貼著的濃密鬍子給撕去。接著他逐一取下隱形眼鏡，他的眼珠立刻從綠色變回褐色。

蓋瑞・桑傑舉起逐漸微弱的燭光，照著那面昏暗而破裂的澡堂鏡子。他用身上穿的那件夾克袖子將玻璃一角擦拭乾淨。

「瞧，你看看，你看看自己的樣子。每一個細節都是天才之作啊！」

原本華盛頓私立學校那個無趣的笨蛋，那個懦弱無能、不切實際的社會改革家，幾乎完全人間蒸發。晶片先生已經永遠地死去了。

多麼荒唐、多麼大膽的行動方案，計畫執行得多麼成功。永遠也不會有人知道事情的眞相，實在令人遺憾，不過這個秘密他又能跟誰講？

蓋瑞・桑傑大約晚間十一點三十分離開農舍，跟他計畫的時間一致。他邁開大步向屋子北方一間獨立的車庫走去。

他在車庫某個特異的位置藏了一筆五千元儲蓄，一個秘密貯藏箱，那是他這些年來偷得的錢財。那些也都是計畫的一部分，是他長久以來的想法。

接著他走向穀倉和他的車。他一進入穀倉，立即再次檢查兩個孩子的狀況，目前爲止，一切都好極了。

小傢伙們一句牢騷也發不出來。

Saab引擎瞬間啓動，他只微微開了小燈，駕著車到主幹道上。車子開抵公路之後，他扭開車前大燈。今晚還有工作要忙，大師級的戲碼還在熱映中。眞酷的垃圾。

11

聯邦調查局特別探員羅傑．葛拉漢住在馬那薩公園，那是位於華盛頓和匡堤科聯邦調查局總部的中途。葛拉漢個子高大、體格剽悍，留著一頭剪短的黃棕色頭髮。他之前已經偵辦過好幾件重大綁架案，不過沒有一宗案子比眼前的夢魘更令人心煩。

那天凌晨一點多，葛拉漢終於返家了。他的房子是不規則型的殖民風格建築：六房三衛，再加上一個將近兩英畝的超大後院，就位於馬那薩公園一條尋常的街道上。

不幸的是，那個日子一點也不尋常。葛拉漢早就被折磨得筋疲力盡、疲憊不已了。他時常在想，自己何不安頓下來，咬筆桿過日子呢？早點從聯邦調查局退休，這樣他就能趁著三個孩子還沒離開這個家之前，多瞭解他們一點。

馬那薩公園的街上杳無人煙。家家戶戶的門廊燈火沿路亮著，一眼望去是一幕令人舒服而親切的景象。這時從葛拉漢那輛福特野馬的後視鏡裡出現了燈光。

有另一輛車停在他家門前的街上，那輛車子的車前燈頻頻閃爍不停。一個男人推開車門出來，猛揮著一本緊抓在他手上的筆記本。

「是葛拉漢探員嗎？我是《紐約時報》的馬丁．拜爾。」那個人一邊走上車道，一邊喊著，然後亮出他的記者證來。

我的老天啊！又是臭婊子《紐約時報》，葛拉漢心想著。那名記者身穿深色西裝、細條紋襯衫，打著一條稜紋領帶。他基本上是屬於那種新嶄露頭角的紐約雅痞客。對葛拉漢來說，這些從《紐約時報》和《華盛頓郵報》來的混蛋看起來都一樣。他們當中再也沒有人有資格稱得上是眞正的記者。

「你這個時間還跑一趟這麼遠的路來找我，只會換來一句『無可奉告』，拜爾先生，我很抱歉。」羅傑．葛拉漢對他說道。「我不能透露那件綁架案的任何情報給你，而且坦白說，我眞的沒有任何消息可以提供。」

葛拉漢並非眞的歉疚，但是誰願意在《紐約時報》樹敵呢？那些混帳東西只要動動他們的毒筆，就能隨便判人死刑。

「請讓我問一題，只要一個問題就好了。我明白你並沒有回答的義務，但是這對我太重要了，這是我之所以凌晨一點鐘就來此處的理由。」

「那好吧！就一題，你的問題是什麼？」葛拉漢下了車，關上那輛野馬的車門，仔細把車子鎖好，然後轉動車鑰匙，將鑰匙一把握在手上。

「你們**所有人**都是如此愚不可及嗎？」蓋瑞．桑傑問他。「那就是我的問題，葛拉漢吹牛王。」

一把長柄尖刀突如其來地在葛拉漢面前一閃而過，然後又是一閃。刀鋒來來回回劃過羅傑・葛拉漢的喉嚨。

第一回合的猛烈攻擊，將葛拉漢的身體釘死在他的福特野馬上；第二回則直接刺穿他的頸動脈。葛拉漢就這樣倒在自己的私人車道上，沒有一點閃躲、逃命，甚或是禱告的間隙。

「你命中註定要成爲**怪異之星**的，羅傑。你本來就一直想出名，不是嗎？不過我看不出來你有什麼成名的條件。你一點本事也沒有！」桑傑對著葛拉漢的屍體說。「你的表現應該更好才對，我的對手必須是最優秀、最聰明的。」

桑傑彎下腰，在葛拉漢探員白色襯衫的胸前口袋塞了一張小卡片。他輕拍那個死屍的胸膛說：「現在，《紐約時報》的記者眞的在凌晨一點來過這裡，你這個傲慢自大的混帳東西。爲了什麼？就爲了跟你這個白癡談話嗎？」

說完桑傑駕車駛離命案現場。葛拉漢探員之死對他而言根本無足輕重，這眞的算不了什麼。在此之前他已經謀殺超過兩百個人，早就熟能生巧了。今晚也不會是他最後一次動手。

不過殺了這傢伙會驚動每個人，他只希望他們當中能出現更厲害的對手。否則這一切還有樂趣嗎？還有挑戰性嗎？到底要怎麼做才能將此案搞得比林白血案還轟動呢？

12

我的情感早就與被綁架的孩子繫在一起。那天晚上，我焦躁難眠、激動不能自已。惡夢中，我又重新回到學校看見幾個悲慘的景象。我不斷夢見馬斯塔夫・桑德斯，他悲傷的眼睛直盯著我，要我幫忙，但我卻什麼也沒做。

我從睡夢中驚醒，發現我的兩個寶貝睡在我身邊。到了一大清早，他們肯定早就溜之大吉，這是我那兩個鬼靈精最愛玩的花樣之一，是他們對我這個「大老爹」開的小玩笑。

戴蒙和珍妮躺在那件縫著補丁的被褥上，沒三兩下就進入夢鄉。我們三個人躺在一起的畫面，看起來肯定很像兩個安眠的小天使——再加上一頭從天而降的大蠻牛。

戴蒙是六歲的漂亮小男生，他總是會讓我想起他的媽媽有多特別，他繼承了瑪麗亞一雙迷人的眼睛。珍妮在我眼中則是另一顆小蘋果，她今年四歲多，就快要五歲了。她老愛叫我「大老爹」，因爲這個發音聽起來有種她自創的黑人俚語味道。說不定她上輩子認識足球明星「大老爹」利普斯空呢！

我的床鋪上還放了一本威廉・史泰龍陷入低潮時期的作品《看得見的黑暗》（譯註：威廉・史泰龍是美國著名小說家，作品原名為*Darkness Visible*），我最近一直在讀這本書，就是希望從中得到一些啓發，幫助我克服憂鬱——自從瑪麗亞被謀殺之後，我就一直意志消沉，久久無法平復。雖然這件事已過了三年，卻活像二十年的折磨似的。

事實上，那天早晨喚醒我的，是從百葉窗射進的刺眼大頭燈。我聽見車門砰的一聲關上，接著傳來急切踩過車道礫石地面、發出嘎扎嘎扎的腳步聲。我小心翼翼不吵醒孩子，溜到了臥室窗邊。

我凝神注視著窗外車道的動靜，發現我的古董保時捷後面停了兩輛華盛頓市巡邏車。外頭看起來冷得令人難受，我們才剛要進入華府一年中最沉悶的冬天。

「饒了我吧！」我抿著嘴唇向冷颼颼的窗簾咕噥著：「走開！」

桑普生朝我家廚房的後門走來，床鋪旁邊的時鐘指著四點四十分，是該起床幹活兒了。

大清早還不到五點，桑普生和我已經在喬治城一棟戰前時期蓋的、早就殘破不堪的赤褐色砂石建築前停妥車，那是位於M街以西的一區。我們決定要自行檢查桑傑的公寓。唯一能立即把事情辦好的方法，就是自己來。

「屋裡燈火通明，看來有人在家。」我們下車時，桑普生說。「那會是誰呢？」

「我猜有三種可能性，前兩個不算數。」我含糊地應道。到現在我還飽受著大清早起床的暈眩之苦，尤其一大早就要直搗人魔的老巢，那可眞是夠忙啊！

「是聯邦調查局的人，也許小埃弗雷姆．津巴利斯特也在這兒吧！」桑普生猜測。「搞不好他們正在拍FBI記錄片哩！」

「咱們瞧瞧去。」

我們進入大樓後，順著一個狹窄迂迴的手扶梯向上走。到了二樓，犯罪現場專用的黃色膠帶早已經交叉成十字狀，把桑傑的公寓入口給封了起來。這個地方看起來一點也不像「晶片先生」的居所，反而比較像是理查．拉米瑞茲或綠河殺手會住的地方。（譯註：兩人都是美國史上著名的連續殺人魔。）

滿目瘡痍的木板門是開著的，我一眼就可以望見裡頭有兩位聯邦調查局的技術人員在幹活兒。地板上有臺收音機傳來本地DJ尖銳刺耳的聲音，那個廣播員的名字叫做油仔。

「嘿，皮特，最近混得如何？」我對著屋內的工作人員打招呼，其中一個忙碌中的技術人員我認識，他叫皮特．舒威澤，那個人轉過頭，朝我出聲之處望過來。

「喲，快瞧是誰來了，歡迎來到內在聖堂。」

「我們過來打擾你，看看進展如何。」桑普生說。我們兩個以前都和皮特．舒威澤共事過，他是聯邦調查局裡一個人緣佳、信譽好的探員。

「快進來，就把桑傑的家當自己家，一切請自便。這位是我的夥伴——陶德．涂海——負責蒐集蛛絲馬跡兼物證裝袋等工作，陶德喜歡在早晨聽油仔的節目。小陶，這兩位跟我們一樣，都是對兇案面不改色的鐵男子。」

「是最棒的鐵男子。」我告訴陶德．涂海。我開始四處打探著這間公寓。我對這裡的一切再度產生一種不眞實感。在腦海裡有一塊寒冷而潮濕的地帶，令人不禁背脊發涼起來。

這間小小的套房一團混亂，裡面並沒有擺設多少家具——地板上僅有一頂陽春床墊、一張茶几、一盞燈，還有一組看起來像是從街上撿回來的破沙發——不過地面上倒是堆滿了各種物事。

在舉目望去的凌亂中，大部分是皺巴巴的床單、毛巾和內衣褲，大約有兩、三籃子的乾洗衣物散置在地板上。不過，會讓這個套房紊亂不堪的最主要兇手，是大量的書籍和雜誌。這個小房間堆滿了數百本的書，雜誌的數量也不遑多讓。

「目前爲止，有沒有發現什麼有趣的玩意兒？」我問舒威澤。「你仔細查過他的藏書了嗎？」

舒威澤正在爲一堆書拍去灰塵，他頭也不抬地對我說：「他每件東西都很有意思，你來看看這整排牆的書就知道了。還有，在我們這位神通廣大的朋友落跑之前，他早就先把整間可惡的寓所給擦拭乾淨了。」

「以你專業的標準來衡量，他湮滅證據的功力很高明嗎？」

「簡直是一流，即使是我也沒辦法超越他，我們連一小部分的指紋也採不到，我甚至一本本驗過這些該死的書，卻什麼也沒找到。」

「也許他閱讀時都戴著塑膠手套吧。」我提出猜測。

「我想有這個可能，我呸！最好別是這樣！這地方已經被專家清理乾淨了，艾利克斯。」

此刻的我蹲在好幾疊書旁，一一閱覽著印刷在書背上的書名，這些書大部分是五年前左右的非小說類作品。

「這傢伙是貨眞價實的犯罪迷。」我說。

「一大堆跟綁架有關的著作物。」舒威澤呼應我。他抬頭上望，用手指著說：「床舖的右手邊、靠檯燈附近，是綁架專區。」

我走過去查看那些書籍，發現書大多是從喬治城的圖書館偷出來的。我猜想他一定有一張識別證能進入藏書區。他會是以前的學生嗎？或者是教授呢？

有幾份電腦列印資料就貼在桑傑私人綁架圖書館的裸牆上。我低頭細讀著他所列的清單。

阿多莫洛，在羅馬被綁，劫持事件發生時五名保鏢被殺，阿多莫洛的屍體在一輛汽車行李箱被人發現。

傑克・泰希，交付七十五萬贖金之後被釋放。

J・列吉那・莫菲，亞特蘭大憲法主編，交付七十萬贖金之後被釋放。

J・保羅・蓋提三世，交付兩百八十萬贖金之後在南義大利被釋放。

明尼阿波里斯的維吉尼亞・派柏女士，在她先生交付一百萬贖金之後被釋放。

維特・E・山繆森，交付一千四百二十萬贖金之後在阿根廷被釋放。

我看過桑傑名單上所列舉的金額後，忍不住吹了一聲口哨，他對瑪姬・蘿絲・鄧尼和麥可・郭德堡會要求多少錢呢？

這個地方眞的很小，桑傑需要清除指紋的空間並不大。到目前爲止，舒威澤仍然表示桑傑並沒留下半點線索。我不禁懷疑桑傑有沒有可能是個警察？那是他密謀犯罪的好掩護，也許那樣還能提高機率讓自己不被逮到。

「過來這邊一下。」桑普生的聲音從浴室傳來，那間浴室位於小套房的一個小角落。浴室牆上貼滿了從雜誌、報刊、唱片、書套剪下的照片。

桑傑最後留了一個驚喜給我們，他家並沒有指紋，不過他倒是潦草地寫下一個訊息。他在鏡面上方，留了一行印刷字樣的大標，上面寫著：

我要成為大人物！

整面牆壁是他的展覽區。我看見瑞凡·菲尼克斯（譯註：好萊塢傳奇明星）以及麥特·狄倫的照片（譯註：美國知名演員）。從赫爾穆特·牛頓（譯註：攝影大師）的攝影集中剪下的作品。我認出其中有約翰·藍儂的謀殺者——馬克·大衛·查普曼，「槍與玫瑰」主唱阿克希爾·羅斯，還有彼德·羅斯（譯註：美國大聯盟明星三壘手，是史上打出最多安打的球員）也在那面牆上。另外像尼恩·迪恩·桑德斯（譯註：知名棒球選手）、韋恩·威廉（譯註：亞特蘭大連續殺童案兇手）的照片，都是桑傑的收藏品。除此之外，牆上還貼了許多新聞報導：發生在紐約市的歡樂天地社交俱樂部的那場大火、《紐約時報》的林白綁票案報導、著名酒商集團西格蘭姆公司繼承人山繆·布朗夫曼的綁架案報導，還有一則新聞是報導失蹤的小孩伊藤·帕茲。

我的腦海出現綁匪桑傑孤身一人待在這間淒涼公寓的畫面。他早就小心翼翼地將每一吋可能留下指紋的地方給擦拭乾淨了。這個房間是如此袖珍、如此具有修士味。他是個讀書人，或者至少他喜歡身邊放著書。他還有一個攝影藝廊，這告訴我們什麼呢？會是某種線索嗎？還是一種誤導呢？

我站在一面洗臉槽上方的鏡子前，模擬著桑傑已經做過無數次的動作：盯著鏡中的自己。我應該看見什麼呢？蓋瑞．桑傑看到的又是什麼？

「這裡就是放**他自己**照片的所在——你瞧這張鏡中臉，」我向桑普生提出一個理論，「這就是他照片館裡最關鍵的一張照片，最中間的一張。他想要成爲所有人當中的明星。」

桑普生倚著其中一面貼滿照片和新聞報導的牆說：「他爲什麼不留下指紋呢？佛洛依德博士？」

「他一定知道我們在某個地方存有他的指紋檔，這讓我想到他很有可能是經過僞裝後才到學校去的。也許他到學校前先在這裡上妝，搞不好他是個舞臺劇演員。我不認爲我們見過他的盧山眞面目。」

「我認爲這老弟想大幹一場，他絕對想成名。」桑普生說。

我要成為大人物！

13

瑪姬．蘿絲．鄧尼剛剛從她一生中最奇怪的夢境裡醒來，她做了一場可怕萬分、難以形容的惡夢。

她覺得自己四周的一切彷彿正以慢動作移動著。她口乾舌燥，非常急著想上廁所。

媽咪，我今天早上好疲倦。求求妳！我不想起床，我今天不想上學。求妳，媽媽。我覺得很不舒服，是真的，我真的很不舒服，媽咪……

瑪姬．蘿絲睜開雙眼，至少她以爲自己已經張開眼睛了，然而卻什麼也看不見，眼前一片漆黑。

「媽咪！媽咪！媽咪！」瑪姬終於忍不住尖叫起來，再也停止不了。

最少過了一個小時之後，瑪姬陷入一陣時而清醒、時而昏迷的循環裡。她覺得全身虛弱，感覺自己就像一片漂浮在巨大河流的葉子，任由水流將她帶往任何地方。

她想起了媽媽，媽媽知道小瑪姬不見了嗎？媽媽有沒有在找她？媽咪一定在找她的。

也許她的手腳已經被人砍斷了，她感覺不到它們的存在，這肯定是很久之前的事了。

這裡伸手不見五指，她一定是被埋在地底下，現在的她八成正在腐爛，她就要變成一堆骸骨了。那就是她之所以感覺不到自己四肢的原因嗎？

我會一輩子這樣嗎？她在忍無可忍下，又啜泣了起來。現在的她相當迷惑，她一點也無法思考。

事實上，瑪姬．蘿絲是能夠開闔雙眼的。最少她認為自己辦的到。只不過不管她的眼睛是打開或閉上，一點也沒有差別。不論怎樣，眼前總是一切漆黑。

假如她一直重複這個動作，非常迅速地打開又閉上眼睛，她可以看見顏色。

此刻，身陷於黑暗中的她，能看見一閃而過的光影，大部分是紅色和亮黃色。

瑪姬懷疑自己是否被人捆綁或是用繩索束縛著。那就是當你在棺材裡人們實際上會對你做的事嗎？他們會將你捆綁起來嗎？他們為什麼要那麼做？好阻止你從地面下爬出來嗎？好將你的靈魂生生世世都鎖在土壤底下嗎？

猛然間，她記起了某事——桑傑先生。一直纏著她打轉的迷惑感有一瞬間突然消失。是桑傑先生帶她離開學校的。這是什麼時候發生的事呢？為什麼會這樣？桑傑先生現在在哪裡？

還有麥可！麥可怎麼樣了？他們是一塊兒離開學校的，瑪姬就記得這麼多了。

接著她動了一下，然後最不可思議的事發生了：她發現**自己的身體還能翻轉**。

於是瑪姬．蘿絲這麼做了，她翻轉身體，然後突然間她碰撞到某個東西。

她又再度感受到自己的身體。她還能感覺到身體，現在她很確定身體還在，自己並不是骷髏。

然後瑪姬放聲尖叫起來！

她撞上**某個人**或**某個東西**。

還有另一個人跟她一起在這個黑窖裡。

會是麥可嗎？

一定是麥可。

「麥可？」瑪姬的聲音絲若蚊聲，幾乎只是一聲低語。「麥可？是你嗎？」

她等著對方回應。

「麥可？」這次她大聲了一點。

「麥可，拜託你，跟我說話。」

不管那人是誰，他一點反應也沒有。這遠比自己孤零零一人還要嚇人。

「麥可……是我啊……你別怕……是瑪姬……麥可，求求你快醒過來。」

「噢，麥可，求求你……小蝦米。你那雙蠢鞋的事，我只是開玩笑的。拜託你，麥可，跟我說話，小蝦米，是淘氣蠢蛋啊！」

14

鄧尼之家是那種當地的房地產專家看到，可能會稱之為魯琴斯（譯註：英國名建築師）風格的新伊莉莎白式建築。桑普生和我在華盛頓東南方都沒見過太多這類的房子。

走進屋內，這間房子散發出一種寧靜和多元的氣息，我猜想這在富人之家可能是相當常見的。屋裡有許多昂貴的「物品」：裝飾藝術的徽章、東方風格的屏風、一個法式日晷、土耳其地毯、一張看起來像是中式或和式的祭壇桌。我記得畢卡索曾說過一句話：「你只要給我一座博物館，我就會塡滿它。」

其中一個布置井然的客廳旁邊有一間小盥洗室。在我抵達鄧尼家沒幾分鐘，喬治·皮特曼局長就抓著我，把我拉到那裡面去。現在才早上八點左右，要聽他嘮叨實在是太早了。

「你以爲你在做什麼？」他問我。「你在瞎忙什麼，克羅斯？」

盥洗室空間眞的是太擠了，根本裝不下我們這兩個體積龐大的成年男子。不過這也不是一般的廁所，此處的地板可是鋪著威廉．摩里斯毛毯，角落還端坐著一張設計師名椅。

「我想我會先喝點咖啡，然後去聽取早會報告。」我回答皮特曼。我眞是太渴望逃離這間盥洗室了。

「你可別想耍我。」他的音調上揚。「你甭想玩弄我。」

哎呀，別這樣嘛，我眞想對他說，**別在這裡難看了**。我很想把他的頭壓到馬桶裡，好讓他閉上嘴巴。

「小聲一點，否則我走了。」我說。我多數時候都很努力想展現出理智而體諒的態度，那是我性格上的缺點之一。

「別想叫我放低音量。昨天晚上是哪個混蛋叫你回家的？你還有桑普生兩個都一樣。還有是誰要你們今天早上去調查桑傑公寓？」

「那就是你要跟我說的話嗎？那就是我們一起擠在這裡的原因嗎？」我問。

「你猜對了。負責指揮調查的是我，意思就是說，即使你只是想綁個鞋帶，也要先跟我知會一聲！」

我露齒大笑，實在是忍不住了。「你是從哪裡學到這句話的？妻．高思在《軍官與紳士》有說過嗎？」

「你以爲這樣很有趣，我在跟你玩遊戲嗎？克羅斯？」

「沒有啊，我並不認爲這很有趣。**你**馬上給我滾離我面前，否則你連這點趣味也不會有。」我警告他。

我走出盥洗室，皮特曼局長並沒有跟著我。**沒錯**，我是會被激怒的。千不該萬不該，那個垃圾就是不該挑釁我。

八點多，人質救援小組終於在寬廣、裝飾精緻的大廳集合完畢。我直覺有某件事不對勁。肯定發生什麼事了。

來自特勤局的潔西・佛萊娜根負責指揮這個樓面。我記起我們那天早上曾在華盛頓私立小學照過面。她站在生了火的壁爐前方。

壁爐架上掛著冬青大樹枝、小型的白色燈光，以及耶誕卡片。有幾張非傳統的卡片，顯然是鄧尼家的加州友人寄來的——精心裝飾過的棕櫚樹、馳騁於麻里布海灘天空的聖誕雪橇等。在湯瑪士・鄧尼接下紅十字會總裁的職務之後，鄧尼家最近才剛剛搬到華盛頓來。

潔西・佛萊娜根這次的打扮，比上回我在學校看到她時正式多了。她穿著一件寬鬆的灰襯衫、黑色高領毛衣，再配上小巧的金色耳環。她看起來十足像名華盛頓律師，魅力四射、成就不凡的那一型。

「桑傑於昨晚午夜和我們聯絡了，第二通電話大約是在凌晨一點鐘。我們沒預期他會這麼快就和我們接觸，沒有人料想得到。」她開始陳述狀況。

「最初那通電話是從阿靈頓那一帶打來的，桑傑很清楚表示他對小孩子的事無可奉告，他只透露瑪姬・鄧尼和麥可・郭德堡兩個都很好。他有可能有別的說法嗎？他不讓我們跟任何一個孩子說話，所以我們也不敢肯定小孩是否真的安然無恙。他講話的思路清楚，情緒相當穩定。」

「錄音帶的聲音送去分析了嗎？」皮特曼坐在靠前方的座位上發問。假如桑普生和我是看熱鬧的局外人，知道皮特曼和大夥兒同在，事實上是好事一樁。不過很顯然，並沒有人要接他的話。

「已經送去分析了。」佛萊娜根很客氣地回答問題。我覺得她給了這個問題恰如其分的重視，而且沒有一點傲慢。她對自我控制真的頗有一套。

「他待在線上多久？」司法律師理查．葛列塔丟出下一個問題。

「不幸的是，沒有很久，精確地說有三十四秒。」佛萊娜根用相同程度的禮貌措詞回答他。她的話音沉著冷靜，不過聽了足以令人愉快。漂亮！

我仔細研究著她，她在人群面前顯然一派輕鬆自在。我聽說她過去幾年在特勤局有一些顯赫的功績，也就是說，她曾經贏得許多榮譽。

「當我們趕到阿靈頓的付費話亭時，他已經離開很久了。我們沒能這麼快就有好運降臨。」她表示。說到這，佛萊娜根微微笑了一下，我注意到客廳裡好幾個男人都面露微笑回報她。

「妳憑什麼認定是他撥的電話？」美國法院執行官從客廳的後面發問。他是個有啤酒肚的禿頭，嘴巴刁著一根菸斗。

佛萊娜根嘆口氣說：「請你們讓我說下去。不幸的是，除了那通電話之外，還發生了更多事。桑傑昨晚謀殺了聯邦調查局探員羅傑．葛拉漢。整起事件就發生在葛拉漢位於維吉尼亞的家門口，就在他的私人車道上。」

要讓聚集在鄧尼家這樣一組經驗豐富的成員震驚，是件相當不容易的事。不過羅傑．葛拉漢的死訊辦到了。我聽到這個消息之後，整個人緊緊抓住自己的膝蓋。羅傑和我在過去幾年曾經密切共事過，每次我和他合作，我總會感覺自己再無後顧之憂。我並不是需要再找一個理由激勵我抓到蓋瑞．桑傑，不過無論如何，那混蛋已經給我充分的理由了。

我不禁懷疑桑傑是否早就知道這一點，如果他眞的知道，又代表什麼意義？身爲一個心理學家，這個兇手讓我的心充斥著一種畏懼感。我的直覺告訴我，桑傑是有條不紊、自信滿滿地在玩弄我們；而且他樂於殺戮。這對瑪姬．蘿絲．鄧尼和麥可．郭德堡並不是好兆頭。

「他留下非常明確的訊息給我們，」佛萊娜根繼續說下去，「他把訊息印在一張索引卡上，或者說，是一張看起來像小型圖書證的卡片。那個訊息是給我們所有人，上面寫著：**『羅傑．葛拉漢吹牛王自以為有多了不起。唉呀！他顯然並不怎麼樣。如果你們辦這個案子，你們會陷於重大的危險中！』**……這個訊息末尾留下了簽名，署名的人自稱**林白之子**。」

15

這件綁架案的新聞馬上就傳開，而且報導的角度相當令人難堪，其中一份早報的頭版標題寫著：「**特勤局探員翹班喝咖啡。**」記者還沒得到調查局探員羅傑．葛拉漢遇刺的消息，我們想把這件事暫時先壓下來。

那天早上的新聞八卦，談的都是特勤局探員查理．伽克立和麥克．狄凡如何怠忽職守，擅離他們在華盛頓私立學校的工作崗位。事實上，他們兩個是在課堂開始後才外出買早餐的，對負責貼身護衛的人員來說，這種事稀鬆平常。只不過，這次的小憩代價昂貴，一杯咖啡很可能會賠上伽克立和狄凡兩人的工作，甚或是他們的職業生命。

另一方面，皮特曼到目前為止還是沒讓桑普生和我有太多用武之地，這樣的情況持續了兩天。於是桑普生和我靠自己的力量，專注於追查蓋瑞．桑傑所留下的蛛絲馬跡。我負責調查這一帶可能買得到化妝品和特殊面具的商家，桑普生則跑了一趟喬治城圖書館。然而這些地方都沒人見過桑傑，圖書館的人甚至不曉得他們架上的書已經被人偷走了。

桑傑就這樣成功消失了。更讓人心神不寧的是，這個人在接下華盛頓私立學校的工作之前，**似乎從來就沒存在過**。

毫無意外，他的工作經驗和好幾封推薦信也是捏造的。他專業的偽裝手法，和我們所見過的詐騙詐欺案同樣高明，沒有露出一點痕跡。

桑傑是以厚顏無恥的手段和極為自負的方式，得到華盛頓私立學校這份工作。一位校方信以為真的桑傑前任雇主（當然是虛構人物），曾主動和校方聯繫，並且極力推薦桑傑，當時他正好要搬到華盛頓一帶定居。還有更多推薦信是來自賓州大學的傳眞信函，大學部和研究所都有。校方對桑傑經過兩次印象深刻的面談之後，就非常想聘用這位能力強又熱心的老師。（而且當時學校方面也被誤導他們正和華盛頓其他的私立學校搶人。）就這樣，華盛頓私立學校錄取了蓋瑞．桑傑。

「我們從來就沒後悔雇用了他，直到現在還是如此。」副校長向我坦承。「他的表現，比他自誇自擂的宣傳還棒。如果他來我們這裡之前，並非眞正的數學老師，那我可就要大感驚奇了。那種情況，我只能以他的演技實在一流來解釋。」

第三天下午稍晚，我接到唐・曼寧的任務，他是皮特曼身邊其中一個職務代理長官。我的責任是對凱薩琳・蘿絲・鄧尼和她先生展開評估調查。其實我之前早就試過想花些時間和鄧尼家的人相處，只不過那時一直被他們拒於門外。

我和凱薩琳以及湯瑪士・鄧尼相約在他們家的後院相見。院子裡一個十呎來高的灰石牆，還有一整排的巨大菩提樹，恰到好處地隔開外面的世界。事實上，這座後院是由好幾個花園所組成，每個花園都用石砌牆以及蜿蜒的小溪來作區隔。這些花圃擁有專屬的園丁，那是一對來自波多馬克的年輕夫妻，這對夫婦顯然靠著在市區照料庭院，就有一筆優渥的收入。我相信這兩個園丁賺的錢肯定比我還多。

凱薩琳・蘿絲一身牛仔褲以及V領毛衣的打扮，外面匆匆套了一件舊式的駱駝絨休閒外套。她不管穿任何類型的衣服都很亮麗，當我們在外頭散步時，我不禁這樣想著。

最近我在讀到某篇文章後得知，凱薩琳・蘿絲至今仍然被公認爲世界上最美麗的女人之一。自從她生下瑪姬・蘿絲之後，她只接拍了少數幾部電影，儘管如此，我所看到的她，卻一點也沒有失去迷人的丰采。即便是在她陷入最焦慮的一刻，她的美也未曾稍減半分。

凱薩琳・蘿絲的先生——湯瑪士・鄧尼，自他們兩個相遇開始，就一直是洛杉磯娛樂界聲譽卓著的律師。他在加州有參與「綠色和平」和「拯救地球」等公益組織。在湯瑪士接下美國紅十字會總裁一職之後，鄧尼家才舉家搬到華盛頓來。

「你以前參與過其他的綁架案嗎？警探？」湯瑪士．鄧尼想知道我的背景，他試著想瞭解我擅長什麼。我這個人夠分量嗎？我有辦法救他們的小女兒嗎？事實上他這麼做有一點無禮，不過在這種情況下我想我並不怪他。

「大概幾十次吧。」我回答他。「你能告訴我一些瑪姬的事嗎？這會很有幫助，我們知道的愈多，找到瑪姬的機會就愈多。」

凱薩琳．蘿絲點點頭說：「我們當然會竭盡所能告知，克羅斯警探。我們一直盡力用普通的方式扶養瑪姬。」她說。「那是我們最後決定要搬到東岸的原因之一。」

「我不知道我是否會把華盛頓稱之爲適合成長的正常地方，這裡可一點也不像 *Mayberry R.F.D.* 片中所描述的那樣。」（譯註：*Mayberry R.F.D.*是哥倫比亞廣播公司所製作的一部情境喜劇片。）我對著鄧尼夫婦莞爾一笑，不知怎麼的，那句話竟讓我們從此打開了話匣子。

「跟比佛利山莊比較起來，這裡算是相當正常了。」湯瑪士．鄧尼回答。「相信我，眞的是這樣。」

「我甚至再也不確定『正常』是什麼意思。」凱薩琳說。她的眼珠泛著灰藍色的光彩，當你靠近她，那雙眼睛會一眼將你看穿。「我猜想，所謂的『正常』，對湯瑪士和我來說，是反應我們內心深處一些保守的印象。瑪姬並沒有被我們慣壞，她不是那種動不動就會跟我們吵著『蘇瑞有這個』或『凱西的爸媽買給她那個』的小孩。她也不會傲慢自大，是這種程度的『正常』。她只不過是個小女孩罷了，警探。」

當凱薩琳．蘿絲滿臉愛意地談論著她的女兒時，我發現我也不由自主想起我自己的孩子，特別是珍妮。珍妮也是個『正常』的小孩，我的意思是說，她絕對不是嬌嬌女，身心發展十分均衡，而且各方面都很討人喜歡。當我發現我們兩家女兒的共同點後，我益發仔細聆聽鄧尼夫婦談論瑪姬・蘿絲的事。

「瑪姬跟凱薩琳很像。」湯瑪士・鄧尼提出一個他認爲有必要讓我知道的重點。「凱薩琳是我遇過最不會以自我爲中心的人。相信我，這對鎮日生活在諂媚奉承的環境、接觸諸多陋習、然後還得做自己的好萊塢明星而言，是非常難能可貴的。」

「那妳女兒何以會被喚做瑪姬・蘿絲呢？」我詢問凱薩琳・蘿絲。

「那是我給她取的。」湯瑪士・鄧尼的眼珠子轉了一下，我看得出來他很喜歡代表他太太發言。「那是我突發奇想給她的小名，從我第一次在醫院看見她們母女倆的身影時，我就開始這樣叫她了。」

「阿湯管我們兩個叫『蘿絲女孩』、『蘿絲姐妹』，我們現在站的這個地方是『蘿絲花園』。當瑪姬和我起爭執就是『蘿絲戰爭』，情況就是這樣。」

鄧尼夫婦深愛他們的小女孩，我能夠從他們談論瑪姬的隻字片語感受得到。

桑傑，不論這傢伙的眞名到底是什麼，他實在很會挑人，這又是他下的另一著絕妙好棋。他早就事先做過功課，才會找上鼎鼎大名的電影明星和受人敬重的律師，一對慈愛的雙親，財力雄厚、聲名遠播的家庭。說不定他是她的影迷。我努力回想著，凱薩琳・蘿絲是否曾扮演過任何可能啓發他這次行動的角色。我記得沒在桑傑的公寓看過凱薩琳的照片。

「你說你想瞭解瑪姬在遭遇可怕的情勢時，可能會有什麼反應？」凱薩琳接著說，「爲什麼呢？克羅斯警探？」

「跟瑪姬的師長談過之後，我們知道瑪姬是品行端正的好學生，那有可能是桑傑選中她的原因之一。」我向他們直言。「你們還想到別的嗎？請你們盡可能隨意聯想。」

「瑪姬的腦袋似乎時而嚴謹——非常嚴肅和守規矩——時而充滿幻想，是能交互切換的。」凱薩琳說。「你有小孩嗎？」她反問我。

我退縮了一下，再度同時想起珍妮和戴蒙。「我有兩個小孩，也在社區做一些兒童服務的工作。」我回答。「瑪姬在學校有很多朋友嗎？」

「她朋友一大堆。」瑪姬的父親說。「她喜歡有很多點子、但又不會太自我中心的人。只有麥可除外，那孩子極度專注自我。」

「告訴我瑪姬和麥可他們兩個的事。」

凱薩琳．蘿絲笑了起來，這是我們談話至今她頭一次露出微笑。這種感覺眞奇妙，我已經在電影裡多次看過這種笑容，如今卻是面對面親眼看到她的笑，我被震懾住了，並對自己居然會有那種反應覺得有點發窘。

「自從我們搬來這裡，他們就一直是最要好的朋友。這兩個小傢伙是最古怪的一對，不過又形影不離。」她娓娓道著。「有時候我們會叫他們歐斯卡和費利克斯。」（譯註：美國七〇年代電視喜劇 *The Odd Couple*《難兄難弟》中的主角人物。）

「你們認爲麥可碰到不利的情勢會怎麼反應？」我問。

「很難說。」湯瑪士．鄧尼搖搖頭，感覺上他似乎是非常沒耐性的人。或許他太習慣於要什麼有什麼的優勢。「麥可是那種凡事都要『計畫』的人，他的生活非常有秩序和規律。」

「他的身體有什麼問題嗎？」麥可是「青紫嬰兒」（譯註：心臟先天性缺陷者），這點我知道，他還有輕微心律不整的毛病。

凱薩琳．蘿絲聳了聳肩，顯然這不是主要的問題。「他有時候容易疲倦，和同齡的人相比，他的身材是小了些，瑪姬比麥可還要高大。」

「朋友們叫他小蝦米，我想他很喜歡這個綽號，這個名字令他有點混幫派那種感覺。」湯瑪士．鄧尼說。「基本上，他是神童那一型的，瑪姬叫他高智者，對麥可而言是相當恰當的描述。」

「麥可絕對是個高智者。」

「他累的時候會怎樣？」我把話題拉回凱薩琳剛剛說過的話，這件事也許很重要。「他會暴躁易怒嗎？」

在回答我的問題前，凱薩琳想了一下。「他只是容易筋疲力盡，偶爾會打個小盹。我記得有一次看到他們兩人在游泳池邊睡著。這一對古怪的小傢伙就這樣大鵬展翅地躺在草地上，眞是兩個小朋友。」

她用她那雙灰色的眼睛盯著我，然後啜泣了起來。她一直很努力克制自己，但終究還是得讓情緒發洩出來。

不管起初我有多麼猶豫，如今對這件可怕的案子是愈來愈熱血沸騰了。我能體會鄧尼和郭德堡家的感受。我早就將瑪姬．蘿絲和我的孩子聯結在一起，用一種不見得有幫助的方式讓自己和這件案子牽扯上去。我對藍格立街那個兇手的憤怒，已經轉到綁架這兩個無辜孩子的綁匪身上……桑傑先生……晶片先生。

我眞想伸出手，告訴他們一切都會平安無事，眞想說服我自己一切都會沒事，但是連我自己都不確定。

16

瑪姬・蘿絲仍然相信她置身在自己的墳墓裡，光是用毛骨悚然和陰森已經不足以形容此處給她的感覺。瑪姬知道自己的想像力很豐富，她可以隨心所欲地嚇倒或震驚她的朋友，而這個地方比她幻想過的任何夢魘還要惡劣一百萬倍。

現在是晚上？還是白天呢？

「麥可？」她虛弱地呻吟著。整個嘴巴，尤其是舌頭的部分，就像很多棉花棒黏在上面的感覺。她的嘴難以置信的乾涸，她的口好渴，有時候甚至會被舌頭噎到，讓她一直想像自己已經吞下了舌頭。以前從來沒有人口渴若此，即使在伊拉克和科威特沙漠也不曾見過。

瑪姬・蘿絲不斷漂浮在半夢半醒之間，她一直持續在做夢，另一個夢境才剛剛開始。

有個人在附近猛烈敲擊著一扇厚實的木門。

不知道是誰呼喚著她的名字：「瑪姬・蘿絲……瑪姬・蘿絲，跟我說話！」

瑪姬不確定這究竟是夢還是眞。眞的有個人在那裡。

有人要闖進她的墓穴裡嗎？是她的媽咪和爹地嗎？還是警察終於找到她了呢？

突然之間上頭的燈光刺得她睜不開眼！瑪姬·蘿絲很確定那眞的是光線。

這感覺好像她直視著一百個閃光燈泡，這些燈是瞬間亮起來的。

瑪姬·蘿絲的心跳是如此劇烈、如此快速，她知道自己必然還活著，只不過身處在某個很可怕、很可怕的地方。是某個人把她丟到那裡去的。

瑪姬·蘿絲對著光源輕聲低語著：「你是誰？是誰在那裡？現在是誰在那裡？**我看到一張臉！**」

那個光線實在太亮，實際上瑪姬·蘿絲什麼也看不見。

這是第二次——或第三次，她所在的地方，從漆黑一片變成令人目眩的慘白。

接著，光暈勾畫出某個人的身形，瑪姬還是看不見是誰在那裡，光線在那人背後散開來。

瑪姬緊緊閉上眼睛，然後張開，她不斷重複這個動作。

她其實什麼也看不見，無法聚精會神看清楚是什麼人或什麼東西在那裡。她必須一直眨眼睛。不管是誰在那，一定看得到她在眨眼睛，一定知道她還活著。

「桑傑先生？請救我。」她試著呼叫。然而喉嚨實在是太乾了，聲音聽起來十分粗糙，連她自己都認不出來。

「**閉嘴！閉嘴！**」上面那個聲音咆哮道。

此刻有個人正在上頭！有個人眞的在上面，可以救她出去。

那聲音聽起來像是……一個非常老的女人聲音。

「請救救我，求你。」瑪姬哀求道。

一隻手飛下來，用力摑了她一個耳光。

瑪姬哭了出來，此時她驚嚇的程度遠超過疼痛，不過那個巴掌也的確打得很痛。她以前從來沒挨過耳光，那巴掌打得她腦袋轟然作響。

「不准哭！」那個古怪的聲音更近了。

然後那個人爬下墳墓，現在就站在她面前。瑪姬可以聞到那人強烈的體味和口臭。此刻的她被釘死在地上，然而她的身體太虛弱，一點反擊的能力也沒有。

「別反抗我，妳這個小雜種！**永遠**也別想和我作對！妳以爲自己是誰？妳這個小雜種！」

「絕對不要用手指我！妳聽見了沒？絕對不准！」

求求您，老天爺，發生什麼事了？

「妳就是那有名的瑪姬・蘿絲，是嘛？那個有錢、嬌生慣養的小傢伙！嗯，讓我告訴妳一個秘密，**是我們之間的秘密**。妳就要死啦，小富家女，**妳的死期到啦！**」

17

隔天就是聖誕夜，卻一點也感受不到這一季的歡樂，而且在聖誕節之前，一切情勢是每下愈況。我們之中沒有人能陪著家人一起爲佳節張羅準備。今年的聖誕節只是令人質救援小組的緊繃神經更拉緊，也突顯了這件令人喪氣的任務有多麼悲慘。假如桑傑眞是爲了這個理由而選在假日季節動手，那他可眞是太會選了，他已經達到目的，把每個人的聖誕節變成不幸的一天。

早上約十點，我沿著栗色大道朝郭德堡家走去。與此同時，桑普生偷偷溜去調查發生在東南角的謀殺案。我們計畫大約中午會合，交換彼此所蒐集到的恐怖故事。

我跟郭德堡家人的會談超過一個小時，他們對我並沒有語帶保留。在很多方面，他們甚至比凱薩琳和湯瑪士．鄧尼更樂意回答問題。郭德堡夫婦是比鄧尼夫婦還嚴厲的父母，不過傑若德和蘿拉．郭德堡確實深愛著他們的兒子。十一年前，蘿拉．郭德堡被醫生告知她的子宮有傷，無法生育，因此當她發現自己懷了麥可，那對郭德堡夫婦來說眞是個奇蹟。桑傑知悉這件事嗎？我納悶著。他挑選受害者的過程到底有多仔細？爲什麼是瑪姫．蘿絲和麥可．郭德堡？

郭德堡家人允許我去看看麥可的房間，讓我獨自待在他房裡一會兒。我把房門關上，靜靜坐著好幾分鐘。我在鄧尼家也同樣如此探訪過瑪姫的房間。

男孩的臥房令人嘆爲觀止，整個房間堆滿了最先進的電腦軟硬體——麥金塔、任天堂、Prodigy（譯註：一種收費的電腦網路服務）、Windows。連AT&T研究室的設備都比麥可．郭德堡少得多了。

牆壁上貼著凱薩琳．蘿絲《禁忌》和《蜜月》的電影劇照。床鋪上方正中央有一張史奇洛合唱團（譯註：活躍於八〇年代的重金屬搖滾樂團）主唱薩巴斯欽．巴哈的海報。一張照片是留著淡紫色龐客頭的阿伯特．愛因斯坦，從麥可的私人浴室對著房內凝神注視。還有一張是《滾石》雜誌的封面，上面標題寫著：「**是誰殺了皮威．赫曼？**」（譯註：皮威．赫曼是美國知名兒童節目主持人。）

小男孩書桌上立著一張鑲上相框的麥可和瑪姬．蘿絲的合照。兩個孩子手勾著手，他們倆看來就像是世界上最要好的朋友。到底是什麼事激起桑傑的行動？跟孩子們的特別友誼有關係嗎？

郭德堡夫婦都沒有見過桑傑先生，儘管麥可曾經提到許多跟他有關的事。桑傑是不分大人或小孩，唯一曾在任天堂遊戲像「創世紀」和「超級瑪莉兄弟」擊敗過麥可的人。這暗示桑傑本身可能就是個高智者，另一個神童，但正因為這個理由，所以他不願意讓一個九歲的小孩在電腦遊戲中打敗他。他不甘願輸掉任何一場遊戲。

我踱步回到郭德堡的書房，凝望著窗外，綁架案已經完全而永久地陷入瘋狂。

我看見桑普生從鄧尼家一路狂奔而來，他的每一步幅幾乎覆蓋了三分之一條街。當桑普生跑到草坪上時，我也同時奔出郭德堡家的前門。桑普生邁開大步的動作，很像舊金山四九人隊（譯註：著名的美式足球隊）傑瑞．萊斯進入球門區的感覺。

「他又打來了嗎？」

桑普生搖著頭：「沒有！不過是有進展沒錯，出事了，艾利克斯。聯邦調查局並沒公開此事，」接著說，「他們找到某個人了，跟我來。」

警方路障已經在栗色大道不遠處，位於臨近培德里橋巷的盡頭處架好。那六個木製拒馬圍成的路障很有效，它們成功阻止新聞媒體跟蹤那天下午兩點才剛離開鄧尼家的車輛。桑普生和我搭的是第三輛車。

七十分鐘後，三輛轎車在馬里蘭州靠近索爾茲伯里的矮丘上疾駛著。車子繞著一條蜿蜒的馬路迂迴而下，駛向位於厚松林裡的一個工業園區。

一棟看起來頗有現代感的綜合建築物被遺棄在平安夜裡，現場寂靜得嚇人。沿著被雪花覆蓋的草地走，會通向三個各自獨立的白石辦公大樓。不少當地警車和救護車早已經抵達這個神秘的地方。

幾條原本應該全數注入確斯爾匹克海灣的次要支流，在群聚的辦公大樓後面流動著。河水是褐紅色的，看起來已經被污染了。大樓上掛著略帶紅色的深藍色標牌，上面寫著：J．凱德製造公司，雷瑟爾／畢騰集團，科技圈。

到目前爲止，我還是沒有一點頭緒，也沒聽到任何人提起這個工業園區究竟出了什麼事。

桑普生和我加入大夥兒朝河岸走去，河邊又多了四名聯邦調查局探員，他們個個掛著憂心的表情。

在工業園區和水域之間有一小塊稀疏、淡黃色的雜草，然後是一片三十到四十碼的不毛之地。頂上的天空出現硬邦邦的灰白色，預示著稍晚會降更多雪。

在其中一個泥濘的河岸邊，警長的副手們正在傾倒混合物，想採集一些腳印。蓋瑞．桑傑來過這裡嗎？

「他們跟妳透露過什麼嗎？」我詢問潔西．佛萊娜根，那時我們正一起橫著腳步，朝陡峭而滿是爛泥的河堤走去。她的靴子已經毀了，不過她似乎沒注意到。

「沒有，還沒有，他們什麼也沒說！」她跟桑普生和我一樣沮喪。這是「特調組」頭一次出現不同調的情況，本來聯邦調查局是有機會可以和大夥兒協力合作的，不過他們已經搞砸了。這並不是個好徵兆，也不是充滿希望的開始。

「拜託別是那兩個孩子。」當我們抵達比較平坦的地面時，潔西．佛萊娜根低聲嘀咕著。

兩位聯邦探員，雷利和傑瑞．史考斯站在河邊。天空輕輕降下小雪，一股冰冷的風吹過暗藍灰色的水面，氣味聞起來就像燒焦的亞麻油。

我的心緊揪在喉嚨，忐忑不能自已，河岸線發生什麼事我一點也看不見。

史考斯探員發表了簡短的聲明，我想他的用意無非是希望緩和一下我們的情緒。「聽著，我們之所以採取這樣『保密到家』的方式，跟你們一點關係也沒有。由於這個案子受到廣大新聞界的關注，我們才會被要求——事實上是被命令——在全體人員抵達這裡之前不能透露任何訊息，直到我們自己親眼看見爲止。」

「看見什麼？」桑普生詢問那名聯邦調查局特別探員。「你到底要不要告訴我們究竟出了什麼事？我們就別再咬文嚼字了。」

史考斯向其中一個聯邦探員打手勢，和那個人簡單說了幾句話。這個探員的名字叫麥高伊，隸屬於華盛頓局長辦公室，我知道他一直在鄧尼家忙進忙出。我們都認爲他是羅傑・葛拉漢的接班人，不過此事尚未被證實。

麥高伊對史考斯交代的話頻頻點頭，然後向前站了一步。他是那種看來很正經八百的胖子，有著一口大牙和一頭極短的白人式平頭。看起來像是準備要退休的老軍人。

「本地警察在今天大約一點，發現一名小孩漂浮在河流上，」麥高伊向衆人宣布，「他們無法判斷這是否就是其中一個被綁架的孩童。」

接著麥高伊探員領著我們向前走七十碼，朝泥濘的河岸邊而去，我們在經過一處滿是苔蘚和香蒲的小圓丘停下來。現場噤若寒蟬，只有凜冽的寒風呼嘯過水面的聲音。

我們終於明白爲什麼麥高伊要帶我們到此處。一個小小的屍體已經被人蓋上急救車帶來的灰色羊毛毯。那是全世界最瘦小、最孤獨的身影。

其中一名本地警探被指示提供進一步的詳情給我們，當他開始說話時，聲音模糊而顫抖。

「我是愛德華・馬荷尼少尉，服務於索爾茲伯里的部隊。大約一個小時二十分鐘前，一名雷瑟爾／畢騰集團的警衛在這裡發現小孩的屍體。」

我們往毛毯覆蓋處又靠了一步。屍體躺在一個長滿草地的土石堆上，那個土墩呈緩緩傾斜狀，後面是氣味難聞的河水。越過草地再往左邊走，是一個黑漆漆的落葉松沼澤。

愛德華・馬荷尼少尉在小屍體的一側跪下，膝蓋深深陷入濕泥巴裡。片片雪花飄落在他的臉上，紛紛附著在他的髮梢和臉頰。

他幾近恭敬地將羊毛毯子拉開，彷彿就像孩子的父親般，溫柔地喚著孩子大清早一起去釣魚。

幾個小時前，我才剛剛看過兩個被綁孩童的照片，我是第一個在這個被謀殺的小孩屍體旁開口說話的人。

「是麥可．郭德堡，」我用很低沉但清晰的聲音說，「我很遺憾，他就是麥可，是可憐的小蝦米。」

18

潔西．佛萊娜根直到聖誕節清晨才回到家。此刻的她腦袋天旋地轉，滿腦子想的都是綁架案。

她得讓那些擾人的影像暫停下來；必須關掉引擎，否則整個人就要爆炸了；她必須趕緊卸下警察的身分。她很清楚自己跟其他員警最大的差別，就是她有能力停下來。

潔西和母親一起住在阿靈頓，她們在臨近水晶市地下鐵那一帶，共同擁有一間狹窄的小公寓。潔西認爲那個空間是「自殺式公寓」，屋裡的擺設和陳列都應該只是暫時的，雖然這麼說，自從她和丹尼斯．凱勒賀離婚之後，她在那也住了快一年。

討厭鬼丹尼斯這幾天都在北澤西，他仍舊努力想找門路進《紐約時報》。潔西打從心底知道，憑那傢伙的料是不可能有所成就的。丹尼斯唯一擅長的事，就是讓潔西懷疑自己。丹尼斯在局裡是一直都很傑出沒錯，不過到最後，潔西實在不願讓他擊敗她。

她在特勤局無止盡地拚命工作，讓她找不出時間搬出她媽媽的公寓，至少她是這樣洗腦自己。她沒有時間享受生活，爲了進行某種重大而意義深遠的人生改變，她一直在存錢。每個禮拜至少會計算幾次自己有多少存款。她現在全部積蓄有二萬四千元，這就是她的一切。今年的她三十二歲，她知道自己長得不錯，幾乎可以說很漂亮——就跟丹尼斯．凱勒賀幾乎是好作家一樣的道理。

潔西本來可以一直競爭下去，她時常在想這個問題，過去就是這樣走過來的。不過現在需要的是好好休息，她終於明白自己必須停下腳步，她已經許下承諾了。

她啜飲著Smithwich，那眞是Old Sod上等的麥芽酒。Smitty一向是她父親在這世上最愛的酒精品牌。她小口咬著新鮮的乾酪切片，然後去淋浴時又喝了第二杯麥芽酒，這次她選擇將令人鬱悶的Hallway Number One一飲而盡。麥可．郭德堡的小臉蛋再次在她面前一閃而過。

她再也不會容許郭德堡男孩的影像回來纏著她，她不要有任何罪惡感，即使她現在其實正飽受著煎熬……

這兩個孩子是在她的監視下被擄的，那就是一切事端的開始……惱人的影像別再來！現在就立刻停下來。

愛玲．佛萊娜根在睡夢中咳嗽著，潔西的媽媽已經在C&P電話公司工作了三十九年，她擁有水晶市這棟公寓，而且還是個殺手級的橋牌高手。關於愛玲的事就只有這些了。

潔西的父親在華府幹了二十七年的警察，泰瑞．佛萊娜根是在他所熱愛的勤務上結束生命的——他在人潮衆多的聯合車站心臟病發——身邊數百位陌生人就這樣看著他死去，沒有人眞的在乎。不論如何，潔西總是這樣描述她爸爸病逝的過程。

潔西再次決定，這是她第一千次下定決心，不論如何一定得搬出她媽媽的住所。再也不准有不中用的藉口來推託。要就搬走，否則就等著認輸，女孩。前進！前進！妳的生活得往前進才行。

她完全不曉得自己已經被蓮蓬頭淋了多久，她把空盪盪的酒瓶抓在身側，用冰冷的玻璃磨擦著大腿。「妳這個絕望的酒鬼，」她對自己嘀咕著，「那可眞是痛苦啊！」她已經在浴室淋得夠久，足夠把那瓶Smithwich解決掉，然後又發渴想再來一瓶。不知道爲什麼她一直口乾舌燥。

她已經暫時忘掉郭德堡男孩的事了，不過也不盡然，她怎麼可能忘掉小麥可．郭德堡呢？

確實，潔西．佛萊娜根過去這幾年已經學會遺忘的本事——她會不惜任何代價避免痛苦。如果你有能力避開，讓自己身陷痛苦是愚不可及的。

當然，遺忘也代表要避免親密關係，甚至避免接近愛情、避免大部分人類情感的自然變化。很公平啊，這應該是可接受的一種交易。她已經發現自己的生命中沒有愛也能生存，聽起來很可怕，不過這是事實。

沒錯，當下——特別是此時此刻，這樣的交易是相當値得的，潔西思忖著。這樣能幫助她度過每個白晝和黑夜的危機，總之能幫助她挨到喝酒的時刻。

她應付得很好，她擁有所有恰當的生存工具。假如連女警的角色都能勝任，她就能成就任何事。在特勤局服務的其他探員都說潔西很帶種，他們認爲這是對潔西的一種恭維，所以她也大方接受。更何況，他們都被矇騙了——她是眞的很有種，就算偶爾當她心生怯意時，她也會聰明地僞裝自己夠帶種。

凌晨一點鐘，潔西．佛萊娜根得騎她的BMW重型機車去兜風了。她必須離開這個令人窒息的環境，離開阿靈頓這間小到不行的公寓。

一定要出去透氣、一定要、一定要……

媽媽肯定有聽見她開門溜出玄關的聲音，她從臥房呼喚著潔西，說不定是睡夢中的囈語。

「潔西，這麼晚了妳要去哪裡？潔西？潔西，是妳嗎？」

「媽，我只是出去一下而已。」**聖誕節到購物中心血拚**，她腦中突然蹦出一句挖苦人的話。跟平常一樣，這句話她忍住沒講出來。其實她多希望聖誕節快點離開，她對明天充滿了恐懼。

然後她跨上BMW K—1消失在夜色中——要不是在逃避，就是在追逐個人的夢魘、她的撒旦。

現在是聖誕節了，麥可．郭德堡是因爲我們的罪過而死嗎？一切就是如此嗎？她思考著這個問題。

她拒絕讓自己承擔所有的罪惡感，今天是聖誕節，耶穌早就為大家的罪過犧牲了生命，祂甚至連潔西・佛萊娜根的罪也一併承受。她覺得自己有一點瘋狂，不，她覺得自己非常瘋狂，不過她還能控制得了。她總是能控制得宜，那就是她現在要做的事。

她飆著時速一一〇英里的速度，馳騁在通往華盛頓的空曠公路上，口中哼著《冬季仙境》這首曲子。她一向是天不怕地不怕的個性，不過這次她真的怕了。

19

聖誕節早晨，華盛頓部分市鎮以及馬里蘭和維吉尼亞的臨近郊區，正如火如荼展開挨家挨戶的搜索行動。警方專用的藍白車巡視著鬧區大街，他們透過擴音系統高聲廣播著如下的訊息：

> 我們正在找瑪姬・蘿絲・鄧尼。瑪姬今年九歲，有一頭金色長髮，身高四呎三，體重七十二磅。只要有人能提供任何訊息，協助瑪姬安全歸來，我們將會支付高額獎金。

屋子裡，六名聯邦調查局探員跟鄧尼夫婦之間的合作比以前更加密切了。凱薩琳・蘿絲和湯瑪士・鄧尼聽聞麥可的死訊後，雙雙震驚不已，凱薩琳看起來更是瞬間老了十歲。所有人都在等待桑傑的下一通電話。

我突然想到蓋瑞・桑傑將會在聖誕節當天和鄧尼家聯絡。我開始覺得自己彷彿有一點瞭解這個人。我眞希望他打來；眞希望他有所行動、然後犯下第一個大錯；我實在很想逮到這傢伙。

聖誕節早上大約十一點，人質救援小組在倉促間被傳喚到鄧尼家的正式客廳集合。目前我們動員的警力將近有二十人，這一切都是爲了聽取聯邦調查局大發慈悲願意釋出來的重要情報。整屋子的人紛紛議論著：**林白之子究竟幹了什麼好事？**

到目前爲止我們還是沒得到多少資訊。只知道鄧尼家收到一份電報，不過這份電文並不像之前的古怪留言得不到多少注意，這次如此愼重其事地召集衆人，發電報的人一定是桑傑。

聯邦調查局利用十五分鐘獨佔了整間屋子的電話線。史考斯特別探員在十一點半之前返抵鄧尼家，他大概才短暫陪伴自己家人度過聖誕夜，就隨即回歸工作崗位。五分鐘之後，皮特曼局長也像一陣風般地急奔而來，連警界長官都接到了集會通知。

「一切眞是糟透了，咱們一直被矇在鼓裡。」桑普生整個人沒精打采地靠在壁爐上，桑普生把身子縮在一塊，看起來只剩下六呎七。「調查局的黃牛探員老是不信任我們，現在我們比起剛開始時，更不能相信他們了。」

「我們打從開始就沒相信過聯邦調查局啊。」我提醒他。

「你說的對！」桑普生咧嘴而笑。在桑普生那雙流浪旅人的眼中，我看起來感覺好渺小，這令我不禁好奇是否從桑普生優越的長人身高來看，全世界都是這般微不足道。「這傢伙是在西聯匯款公司拍的電報嗎？」他問我。

「聯邦調查局是這樣想沒錯。也許那小子會選在今天和我們聯繫，是向我們祝賀聖誕節快樂的方式，也許他很想要有家人的感覺。」

桑普生臉上那副深色眼鏡滑到鼻樑上，他一雙眼睛向我投射而來，說道：「眞謝謝你的解釋啊，佛洛依德博士。」

史考斯探員走向廳房前方，迎接皮特曼局長的大駕光臨，他們握手寒暄，兩人的工作關係可眞是好極了。

「我們收到疑似來自蓋瑞．桑傑的另一個訊息。」史考斯一回到我們面前，立刻向大家宣布。每當史考斯緊張時，他很習慣會出現一種伸展脖子、左右扭頭的特殊動作。他這個動作做了好幾次才開始發言。

「我把這封電報的內容唸給大家聽，信是寫給鄧尼夫婦的：『親愛的凱薩琳和湯瑪士……**一千萬如何？給我兩百萬現金，其餘等值證券和鑽石。**在邁阿密海灘交錢！瑪姬．蘿絲目前**很好，相信我。款券明天交出來……佳節愉快……林白之子。**』」

收到電報的十五分鐘內，調查人員已經追蹤到電文是從邁阿密海灘、位於柯林斯大道的西聯匯款辦公室發出的。聯邦調查局探員旋即直奔西聯匯款辦公室，訊問該公司的經理及職員。不過他們什麼也沒問出來——整件案子的調查到目前爲止仍舊陷入膠著。

我們別無選擇，只能即刻動身前往邁阿密。

20

人質救援小組在聖誕節下午四點三十分，抵達佛羅里達州的塔密亞米機場，傑若德·郭德堡部長特別安排我們乘坐由空軍支援的私人專機過去。

降落後，一位邁阿密警衛火速送我們到柯林斯大道的聯邦調查局辦公室，就位於楓丹白露和其他黃金海岸旅館附近。調查局辦公地點，距離桑傑發電報的西聯匯款辦公室，只短短相隔了六條街。

桑傑知悉此事嗎？也許他早就知道了，那似乎是他腦袋運作的方式。桑傑是克制型的怪胎，我一直保持習慣把對他的觀察心得給速記下來，在我的夾克裡有一本記載了二十頁的筆記本。目前我還沒準備好完成桑傑的側寫檔，因爲我對他的過去一無所知。不過我的筆記本已經滿滿記錄著準確的關鍵字：**組織力強**、**殘酷成性**、**有條不紊**、**控制得宜**、**可能患有輕躁狂**。

此刻的他正看著我們在邁阿密忙進忙出嗎？這個可能性極高。也許化妝成不同樣子混在人群中。他對麥可·郭德堡之死是否很後悔？或者他正進入一個暴怒的狀態呢？

負責緊急私人專線的電話接線人員，已經在聯邦調查局的辦公室嚴陣以待。我們無從得知桑傑在此地究竟會用何種方式和我們聯繫。目前已有好幾位邁阿密警官加入人質救援小組，再加上來自南佛州的兩百位聯邦調查局探員，陣容浩大。突然之間，一切都是趕！趕！趕！匆促行動，然後等待。

我不禁在想，蓋瑞．桑傑究竟知不知道隨著他指定限期的逼近，他給我們製造了多大的混亂。這也是他的計畫之一嗎？瑪姬．蘿絲．鄧尼眞的沒事嗎？她還活著嗎？

在同意進行最終交易之前，我們需要先看到證據。至少我們會向桑傑要求具體證明。**瑪姬．蘿絲目前很好，相信我**，他電文內提到。你當然會這麼說，蓋瑞。

壞消息隨著我們飛到了邁阿密海灘。

麥可．郭德堡的初步解剖報告已經傳眞到邁阿密的調查局辦公室。我們抵達後，聯邦調查局的危機處理室立即召開了一場簡報。會場的桌椅布置呈新月形，每個人的桌上都有一臺專屬的電視終端機和文字處理器。簡報室出乎尋常的安靜，沒有人眞的想聽這個小男孩的死亡細節。

調查局一位名叫哈洛德．佛萊曼的技術警官，被指定負責向衆人解釋解剖的檢查結果。佛萊曼這個人對調查局來說可眞是稀有動物，他是正統的東正教猶太人，卻有著邁阿密海灘男孩的身材和外貌。他在解剖簡報會議上戴了一頂彩色的圓頂小帽。

「我們有充分的理由確信，郭德堡小男孩是死於意外。」他用一種低沉、清楚有力的聲音說道：「我們發現他起先是中了三氯甲烷的噴液而陷入昏迷，在他的鼻道和喉嚨都殘留著三氯甲烷藥劑，接著大約兩小時之後，他又被注射短效巴比妥鹽。短效巴比妥鹽是一種強烈的麻醉劑，它同時也具有阻礙呼吸的特性。」

「那似乎就是這件命案的事件經過，男孩的呼吸應該是先變得不規律，然後他的心臟和呼吸功能同時停止。如果當時他是在睡眠狀態，是不會感覺到痛苦的。我猜想他當時是在睡覺，他是在睡眠中死亡的。」

「此外，男孩身上還有多處斷骨。」哈洛德・佛萊曼接著說。雖然他長得一副海灘男孩臉，在簡報中卻表情嚴肅，顯得十分睿智。「我們認為小男孩有遭人拳打腳踢地施暴，可能有數十次之多，只是這跟他的死因無關。他身上的斷骨和皮膚上的『凹痕』，是在男孩死後被毆打造成的。你們應該知道在男孩死後，他還遭到性虐待，且在受性侵害的過程中被人雞姦。桑傑的人格是異常變態的那一型。」佛萊曼最後一句話表示了一點他個人的意見。

這也是我們目前對蓋瑞・桑傑的病態所能掌握的少數具體實證之一。顯然，當他發現麥可・郭德堡死亡時，立即轉入盛怒的情緒中。或許，麥可之死讓他原本天衣無縫的部分計畫再也不完美了吧！

探員和警官輪流交換座位觀看簡報圖片。我在想，桑傑在對麥可・郭德堡發洩過他的狂怒之後，接下來會更冷靜、還是會更激動呢？瑪姬・蘿絲活下來的機率是益發令人擔心了。

我們住宿的旅館，就在調查局分局辦公處的正對街。它並不太具有邁阿密海灘黃金級度假飯店的水準，不過幸好還有一個靠海灣的大型露臺游泳池聊表安慰。

大約十一點，我們多數人已經收工準備休息。即使入夜，氣溫還是有華氏八十多度。天空掛滿星斗，間或伴隨著幾架從北方飛來的噴射客機。

桑普生和我沿著柯林斯大道散步，街上人們一定以為湖人隊球員進城準備和邁阿密熱火隊展開賽程吧！

「想先吃點什麼嗎？還是要去喝個痛快，讓自己醉到不醒人事？」走到半路時，桑普生問起。

「我早就不醒人事了。」我告訴桑普生。「我想去游泳，咱們什麼時候去邁阿密海灘晃晃？」

「你今晚是別妄想能曬到邁阿密海灘的日光浴了。」他在兩片唇邊滾動著一支未點燃的香菸。

「所以就更有夜泳的理由啊！」

「我要去酒吧打發時間，」桑普生說著，我們兩個在飯店大廳分道揚鑣，「到時我會是那個把到漂亮美眉的人唷。」

「那就祝你好運囉。」我對他喊道。「今天是聖誕節，希望你釣到好禮物喔。」

我換上浴袍，信步朝飯店泳池走去。我愈來愈相信運動是維繫健康的關鍵，所以不管在哪裡，我總會保持每天運動的習慣。我也常常做伸展操，這種活動是不論何時何地都可以做的。

面向海灣的大游泳池已經關閉了，不過那一點也阻止不了我的計畫，警察本來就是惡名昭彰的喜歡橫越馬路、並排停車、不守規矩。這是我們唯一值得炫耀的事。

還有一個人的想法跟我一樣。泳池裡有個人一趟又一趟地來回游著，姿勢既流暢又沉靜，我一直到走過池邊的躺椅、感覺到腳下的冰涼和潮濕，才注意到那個人。

那個游泳好手是個女人，穿著黑色或深藍色的泳衣。她的身材纖細而健美，手腳修長。在令人不怎麼愉快的日子裡，她的身影似乎能讓世界看起來美麗許多。她划水的樣子看來毫不費力，卻又十分強勁而有韻律感。這個地方彷彿就像是她的私人泳池，我一點也不想打擾到她。

當她轉圈時，我看出那女子正是潔西．佛萊娜根，這讓我大吃一驚。這個游泳女子竟然就是那位精悍的特勤局主管，似乎太意想不到了。

最後我悄然無聲從泳池另一邊下水，開始我的第一圈。我的泳姿既不迷人，也缺乏律動感，不過我的游泳方式很有效率，而且通常能游很久。

我輕輕鬆鬆就游完三十五趟，這是我這幾天來頭一次感到放鬆，我心裡滿布的灰塵開始一掃而盡。也許再游個二十趟，然後回房休息。或是去找桑普生一起喝杯聖誕啤酒好呢？

當我停下來喘口氣時，潔西．佛萊娜根正坐在池邊休息。

她在光溜溜的肩膀上，隨意披了一件蓬鬆的白色旅館浴巾。在邁阿密月光下的她，顯得格外楚楚動人。她用那雙柔軟、明亮的藍眼睛凝視著我。

「五十圈了吧，克羅斯警探？」

她笑了起來，微笑的方式像是換了個人，跟幾天前我在執勤中所見過的她迥然不同。此刻的她看來放鬆多了。

「只有三十五圈，我可比不上妳。」我對她說。「應該說沒得比吧。我的泳技是在城裡學的。」

「可是你很有毅力，」潔西．佛萊娜根仍舊把甜美的笑容掛在嘴邊，「身材保持得挺不錯啊。」

「姑且不論我的泳姿叫做哪一型，今晚游過這幾趟之後確實感覺很好。被禁錮在那個小房間這麼久，那些四四方方打不開的小窗戶可眞令人窒息。」

「如果他們在房裡裝上大窗戶，大概所有人都會想逃到海邊去吧！那樣的話，大家在佛羅里達州就永遠也無法成就任何事了。」

「我們有完成什麼事嗎？」我問潔西。她笑著說：「我有個朋友對警察的工作有一套『盡人事、聽天命』的理論和信仰，我想在碰上難以應付的情勢時，我也是信奉這樣的信念——凡事盡力而爲吧！你呢？」

「我跟妳一樣，也會全力以赴去幹。」我回答。

「讚美主。」潔西．佛萊娜根興高采烈地高舉雙手喊著。她精力充沛的舉動令我訝異不已。看到這樣的她很有意思，笑一笑改變一下心情的感覺也很好。眞的很好，我們眞的很需要放鬆一下。

「在目前的情況下，我會全力以赴。」我補充說。

「在目前的情況下，讚美主吧！」潔西再次提高音量喊道。她是個有趣的人，要不就是現在太晚了，也或許是兩者都有吧！

「要不要去吃點什麼？」我問她。我很想聽聽看她對這個案子的想法，之前我還沒有機會眞的跟她好好聊聊。

「好啊，我想吃點東西。」她回答。「我今天已經錯過兩餐了。」

我們說好等會要在飯店的餐廳碰頭，地點選在這間旅館最頂樓的一家旋轉餐廳。

潔西大概五分鐘就換好了衣服，這點讓我印象很深刻。她再度出現時，穿的是寬鬆的鞣皮褲、一件V領T恤，搭配黑色的中式便鞋。金色的頭髮還是溼的，她把頭髮往後梳，那樣子看起來很漂亮。她脂粉未施，對她來說其實一點也沒有化妝的必要。現在的她看起來，似乎跟工作時判若兩人——此刻的她輕鬆自在多了。

「平心而論，我必須坦白告訴你一件事。」她笑了起來。

「什麼事？」

「呃，你是個優秀的泳將沒錯，就是身子實在笨重了些。不過話說回來，你著泳褲的樣子看起來挺不賴的。」

我們兩人都笑了，漫長一日的緊繃感開始宣洩。

在啤酒和點心的助陣下，我們很輕易就讓彼此卸下心防、互吐許多心事。當然之所以能聊得來，大部分是因爲我們共同面臨了同一個特殊案件，以及連續幾日來的壓力和緊張。同時，我的工作本來就是要幫助對方傾吐心事，我一向很喜歡這樣的挑戰。

潔西．佛萊娜根向我承認，她是昔日的華盛頓首府小姐，那是她十八歲那年的陳年往事了。她也曾參加維吉尼亞大學的女學生聯誼會，然而後來卻因爲她的「不當行爲」而被退學。嗯，這個詞我喜歡。

不過我很驚訝地發現，當我們交談時，我告訴她的事情，還遠遠超過原本我打算讓她知道的。她是個十分健談的人。

潔西問起我早期在華盛頓擔任心理學家的事。「那幾乎可以說是個錯誤。」儘管這件事直到現在仍令我憤憤不平，卻能心平氣和地解釋原因給她聽。「許多人並不想要黑人的精神科醫生，而太多黑人同胞卻又負擔不起看診的費用。在精神科醫生的沙發上，根本就沒有自由可言。」她也讓我聊起瑪麗亞的事，不過這部分我只談了一些。至於她則是和我分享在百分之九十都是大男人的特勤局裡，身爲女性探員的感受。「他們喜歡考驗我，嗯，大概一天一次吧。大家都叫我『男人婆』。」她說了一些和白宮有關的趣味戰爭故事，還說到她認識布希和雷根家族。不管怎麼說，總之，這愉快的一小時實在是過得太快了。

事實上，我們已經聊了超過一個小時，也許是兩小時。潔西最後注意到餐廳只剩下女服務生獨自一人在吧臺繞來繞去。「眞糟，我們已經是餐廳最後一桌客人了。」

結帳後，我們從最頂樓的旋轉餐廳搭乘慢速電梯下樓。潔西的房間位在比較高的樓層，從她的套房看出去，大概看得到海景吧！

「今晚眞的很愉快。」我在她將要跨出電梯時跟她說，我想那是出自諾爾·考華德一部戲劇的漂亮臺詞。「感謝妳的陪伴，聖誕節快樂。」

「聖誕節快樂，艾利克斯。」潔西微笑著說。她把一頭金髮束到耳後，我注意到那是她的習慣動作之一。「今晚是很愉快沒錯，可惜的是，明天怎麼樣就很難說了。」

潔西匆匆吻了一下我的臉頰，然後逕自走回她的房間。「我會夢見你穿泳褲的樣子喔。」當電梯門關上時她說。

再往下四個樓層才是我的房間，我獨自一人在聖誕節的旅店裡，洗了聖誕節的冷水澡。我想起潔西·佛萊娜根。這眞是在孤獨的邁阿密海灘客房，一種愚蠢的幻想。我們是絕對不會在一起的，不過我喜歡上她了，我覺得自己似乎可以跟她無所不談。直到萌生睡意之前，我又讀了一些威廉・史泰龍論述憂鬱症的著作。睡夢中，我做了一些和自己有關的夢。

21

小心點，千萬要小心行事，蓋瑞老弟。

蓋瑞・桑傑用他的左眼斜睨著眼前的胖女人。他看著這個笨蛋的樣子，就像用餐前的蜥蜴監視著牠的獵物一般。女人一點也不知道他正在細細觀察著自己。

她可以說是名女警，同時也是收費公路上第十二號出口的過橋費收費員，她正慢吞吞地數著零錢。她龐然大物的體型、像夜晚一樣漆黑的膚色，令人完全提不起興趣、昏昏欲睡。桑傑認爲她的樣子看起來很像艾瑞莎・弗蘭克林（譯註：號稱「靈魂歌后」或「靈魂樂第一夫人」），假如艾瑞莎五音不全，必須在現實的普通世界裡討生活，大概就是這個樣子吧！

在一成不變、百般無聊的假日車潮中，她對眼前駕車經過的人究竟是何方神聖一無所知。儘管她跟所有警界同事一樣，此刻正拚命在搜索他的蹤跡，也沒啥用。說了一堆什麼「布下天羅地網」和騙小孩的「全國大緝捕」的狗屁玩意兒，眞是令人失望和掃興透了。他們怎麼可能期望用眼前這種人在獵捕行動中抓到他呢？最少，他們應該要有能力試著對他表示些盤問的興趣吧！

偶爾，特別是像這種時候，蓋瑞・桑傑眞想向全世界大聲疾呼宇宙不可違逆的眞理。

大聲疾呼！聽著，妳這個邋遢懶散的婊子警察！妳知道我是何許人嗎？只不過是稍加偽裝，妳就被我愚弄了嗎？我就是過去三天妳在每節新聞報導都會看到的那個人。妳和全世界的人都在找我啊，艾瑞莎，寶貝。

大聲疾呼！我一手策畫和執行的世紀犯罪是如此完美無瑕。我已經超越約翰・韋恩・蓋西、傑佛列・達瑪、胡安・科羅納這些人的成就（譯註：上述三人是美國史上十分出名的連續殺人魔，手段殘暴、犯罪累累）。直到那個家財萬貫的小男孩生病之前，一切都是這麼無懈可擊……

大聲疾呼！妳可以再靠近一點，好好看看我啊！在妳的人生中當一次該死的英雄吧！除了在愛心高速公路上當個黑人女肥仔之外，做個了不起的人吧！妳要不要看看我啊！**看看我！**

她找了零錢給他。「聖誕節快樂，先生。」

蓋瑞・桑傑聳了聳肩回道：「妳也聖誕節快樂。」

當車子駛離閃著燈光的收費站時，他想起那個也曾掛著這種笑容、滿腦子都是祝你有個愉快一天的女警。他心想，整個國家到處都是這種滿臉堆歡的汽球臉。同樣的情況又再次發生了。

事實上，情況比《變形邪魔》這部影片還糟多了。只要一想到該影片的情節，就會令他抓狂，因此他儘量不去想它。這是個充斥微笑汽球頭的國家。他很喜愛史蒂芬・金，認同他的怪誕思想，也希望金能爲美國所有的微笑白癡出一本書。他腦中浮現金大師這本大作問世時的書套——書名就叫**汽球人**。

四十分鐘之後，桑傑在馬里蘭州的克里斯費德、第四一三號公路出口將那輛值得信賴的Saab駛下交流道。他在滿是車輪痕跡的泥土路上一路加速飛馳，趕回那間老農莊。此時此刻實在很難不令他發笑，他是如此徹底地愚弄、迷惑了那群人。他已經成功將事件反轉了。

目前為止，那群笨蛋還搞不清楚東南西北。他已經順利讓林白之子吸引大家的目光了，不是嗎？現在該是把這張墊檔的草蓆，從所有汽球人的座位下抽離的時候了。

22

絕對是好戲上場的時候了！就在十二月二十六日早上十點半之前，一位聯邦快遞的信差抵達聯邦調查局辦公室。他為我們捎來林白之子的最新訊息。

大夥兒被指示回到二樓的危機指揮室。所有的聯邦調查局探員似乎已然傾巢而出，他們全員的人力就是這麼多，這是每個人都知道的事。

幾分鐘之後，來自邁阿密的特別探員比爾·湯普生衝了進來，他手上揮舞著一個大家都很熟悉的快遞服務專用信封。湯普生在所有人面前，小心翼翼地拆著那個橘藍色的封皮。

「這傢伙每次都給我們看信，但就是不願意親自唸給我們聽。」特勤局的傑比·克萊勒在鼻下哼了一聲。桑普生和我，跟克萊勒還有潔西·佛萊娜根站在一塊。

「哦，他這次不會想獨自承受所有的壓力，」潔西猜測著，「這次他會和我們一塊分享。」

湯普生準備就緒後，往前站了一步說道：

「我手上這份是蓋瑞・桑傑傳來的訊息，信上內容是這樣的。」

「第一行寫著阿拉伯數字1。」湯普生唸著信上的訊息。

「後面用英文字母寫著**一千萬**。下一行寫著阿拉伯數字2，後面接著**迪士尼樂園，奧蘭多——魔術王國**。再下一行，阿拉伯數字3，**在布魯托第二十四區停車，搭今天下午十二點五十分的渡輪穿過七海礁湖，不准搭單軌電車。一點十五分之前完成以上指示**。最後一行，**由艾利克斯・克羅斯警探送贖金，單身前來**。署名是**林白之子**。」

比爾・湯普生立即抬起頭來，用眼神搜索著危機指揮室，他不費吹灰之力就在人群中發現我。我絕對可以保證，他的震驚和訝異跟我比起來，根本就是小巫見大巫。一股腎上腺素早就灌入我體內，搞什麼鬼，桑傑竟然會找上我？他是怎麼認識我的？他知道我有多麼想逮到他這混蛋嗎？

「這傢伙一點也不想談判！」史考斯特別探員抱怨起來。「桑傑就這樣認定我們一定會給他一千萬。」

「是這樣沒錯，」我發表意見，「而且他的想法是對的。最終我們還是得讓鄧尼家決定綁架贖金的支付方式和時機。」鄧尼夫婦已經指示我們，無條件付錢給桑傑，而桑傑可能老早就料到事情會這樣發展。無疑的，這也就是他當初選中瑪姬・蘿絲的主要理由。然而，他又何以會選上我呢？

桑普生站在我身邊，頻頻搖頭咕噥著說：「我的老天，他做事的方式眞令人猜不透。」

調查局大樓後面，有幾輛車早就在被太陽烤焦的停車場整裝待發。比爾·湯普生、潔西·佛萊娜根、克萊勒、我，還有桑普生，共乘一輛聯邦調查局的專用車。證券和鉅款都在我們身上。**由艾利克斯·克羅斯警探送贖金**。

贖金是在前一晚深夜準備妥當的。要在這麼短的時間內就迅速備妥這麼一大筆錢，過程是很複雜的，多虧花旗銀行和摩根史坦利的鼎力協助。鄧尼家和傑若德·郭德堡擁有極大的權勢，能取得他們所需的資源，當然也施加了很大的壓力。按照桑傑所要求的，贖金中有兩百萬的現金，其餘則是小鑽和等值證券。這樣的贖金議價空間很高，而且也相當便於攜帶，裝在American Tourister美國旅人的手提箱剛好。

從邁阿密海灘市中心到Opa Locka西部機場，大概是二十五分鐘的車程，加上飛行還需要四十分鐘的時間，算起來我們大約會在上午十一點四十五分抵達奧蘭多。時間非常緊湊。

「我們可以設法在克羅斯身上放個儀器。」我們聽著史考斯探員透過無線對講機對湯普生發話。「是那種可攜式的無線傳輸器。我們已經在飛機上裝好一個了。」

「我不是很喜歡，傑瑞。」湯普生說。

「我也不喜歡。」我從後座發表意見，我講話的方式零零落落，有點不著邊際。「不能裝竊聽器，那樣就出局了。」我仍然想瞭解桑傑是如何、還有爲什麼會挑上我。這一點道理也沒有。我猜想，他很可能在華盛頓有讀過關於我的新聞報導。他一定有某個好理由，這我知道，這點幾乎可以不用懷疑。

「園內的人潮會多到令人難以置信。」我們登上Cessna 310往奧蘭多的班機時比爾說，

「那顯然就是桑傑選上迪士尼樂園的理由。在魔術王國也會有很多父母帶著小孩在那兒，這樣一來他就能和瑪姬．鄧尼混雜在人群中，而且他很可能也會將瑪姬易容後才帶出來。」

「迪士尼樂園符合桑傑心目中既偉大又重要的圖騰。」我說。在我的筆記簿上有一個理論是說：桑傑本身極有可能自小就是個受虐兒。如果我的推論正確，那麼像迪士尼樂園這樣的地方對他來說，就只有憤怒和鄙視了——因爲這是個「好」孩子可以跟他們的「好」爹地和媽咪一起同歡的地方。

「我們已經取得園區地面和空中的監視權，」史考斯說道，「現在影像已經傳回華盛頓的危機指揮室。同時，我們也拍下明日世界和歡樂島的畫面，以防他耍一招臨時撤換地點這類的花樣。」

我能想像此時位於第十街聯邦調查局危機指揮室的景象。不計其數的重量級人士都會擠在那個房間，每個人有自己專屬的桌子和一臺閉路電視。所有的終端機，會即時播放迪士尼世界的空拍圖。房間的大型布告欄寫滿各種數據——那時候有多少探員和其他人力聚集在園區、出口的數量、每條公路的出入口、天候狀況、當天擁入人潮數、迪士尼警衛人數等。不過他們應該是沒有蓋瑞．桑傑或瑪姬．蘿絲的情報，否則我們早該知道了。

「我要去迪士尼樂園玩囉！」機上一位探員打趣著說，這個相當典型的條子玩笑引來一陣不安的笑聲。能打破緊繃的氣氛當然是好事，不過在當前艱險的情勢下，大夥兒是很難放鬆的。

要跟一個瘋子、還有遭到綁架的小女孩見面，並不是令人愉快的主意；再加上我們還得應付殘酷的事實：迪士尼樂園波濤洶湧的假日人潮正等著我們。據瞭解，目前在主題樂園內以及停車場一帶，已經湧進超過七萬人次的遊客。不管怎麼說，這是我們逮到桑傑的最佳機會，也極有可能是我們唯一一次的機會。

我們搭乘非常特別的車陣——閃著燈光和警笛的警衛隊——前往魔術王國。車隊飆上I—4公路之後，一路行駛路肩呼嘯而去，從機場湧進的尋常車潮被我們一一甩在後頭。被塞在休旅車和小卡車的人們，對我們這列飛馳前進的車隊亦或奚落嘲弄、亦或歡呼喝采。他們沒有人知道我們是誰，又或者我們何以要急奔迪士尼樂園。大概只是一群趕著要去看米奇和米妮的重要人物吧！

我們在26—A出口下交流道，然後沿著世界大道開到汽車廣場。抵達停車場時，已經過了下午十二點十五分多一點，行程相當緊湊，不過桑傑並沒有給我們時間好好安排。

爲什麼是迪士尼樂園呢？我一直設法想瞭解。是因爲這裡曾是蓋瑞．桑傑在孩提時代總是渴望能去、卻永遠也去不成的地方嗎？還是他很欣賞這座經營有道、效率驚人的樂園呢？對蓋瑞．桑傑來說，要混入迪士尼樂園是很簡單沒錯，不過他要怎麼出來呢？這將會是最令人好奇的問題了。

23

資深迪士尼引導員協助我們，將車子停在布魯托第二十四排車位。那裡有一輛玻璃纖維電車正候著我們去接駁渡輪。「你覺得桑傑爲什麼要指定你去交贖金？」當我們陸續下車時，比爾・湯普生提起這個問題。「有任何想法嗎？艾利克斯？」

「也許他在華盛頓的新聞報導上聽說過我這個人，」我回答，「也許他知道我是個心理學家，說不定是這點引起他的注意。等我看到他，我一定會記得問他的。」

「對付他別太著急，」湯普生給我一些建議，「我們所做的一切，無非是要小女孩平安歸來。」

「那也是我希望的。」我告訴他。我們當然希望瑪姬・蘿絲平安，不過也很想抓到桑傑。我們眞想就在迪士尼世界將他斬首示衆。

站在停車場時，湯普生把他的手臂搭在我的肩膀上，同事們在這次的交易行動中，給予我美好的友情和忠誠。桑普生，還有潔西・佛萊娜根，同聲祝我好運。聯邦調查局探員也對我表達了支持之意，至少當前這一刻他們是挺我的。

「你感覺怎樣？」桑普生暫時把我拉到一旁問道。「你對這次的狗屁任務沒問題吧？雖然他要求你去，不過你不一定要去。」

「我沒事，他不會傷害我的，我是很習慣和神經病相處的，記得嗎？」

「你自己就是個瘋子，我的老哥。」

我捧著內裝贖金的手提箱，獨自登上明亮的橘色電車。我牢牢抓著頭頂上方的金屬吊環，跟著列車前往魔術王國，我將在那兒用手上這筆錢換回瑪姬・蘿絲・鄧尼。

抵站時，手錶指著下午十二點四十四分，我早到了六分鐘。

當我從魔術王國的售票中心，跟著癱瘓的人潮擠向一整排的驗票亭和十字轉門時，根本沒有人對我多加注意。他們又有什麼理由該注意我呢？

那肯定是桑傑之所以選中這樣一個人聲鼎沸所在地的理由。我將手提袋抓得更牢了，覺得只要手上握有贖金，我就能掌握瑪姬・蘿絲的安全。

他膽敢把小女孩帶在身邊嗎？他會親自來嗎？或者，這一切只不過是在測試我們？此時此刻，任何事都有可能發生。

在迪士尼樂園裡，群衆的心情是無憂無慮、輕鬆自在的。園區裡絕大多數是來度假的一家人，在晴朗的矢車菊天空下嬉戲玩樂。空氣中傳來一個悅耳的廣播人員聲音：「請牽好小朋友的手，別忘了您的隨身行李，祝您在魔術王國有個愉快的一天。」

不論你有多疲憊不堪，幻想世界是個令人神魂顚倒的地方。這裡一切是如此乾淨、如此有安全感，令你不自覺產生一種完全受到保護的感受。這對我來說實在是該死的太詭異了。

米老鼠、高飛狗和白雪公主，在前門歡迎每個光臨的遊客，遊樂園裡一片純眞無瑕的氣氛。在某處修剪整齊的灌木叢裡，傳來巧妙隱匿的《勝利之歌》爽朗的曲調。

我可以感覺到我寬鬆的運動衫底下，心臟噗通跳動的聲音。此時此刻，我和所有後援警力是失聯的，這樣的情況會一直持續到我進入魔術王國內爲止。

我的手掌心滿是汗水，我抹抹褲管，將汗水擦乾。米老鼠就在我面前和遊客握手，這一切眞是瘋狂極了。

我剛剛踏進運輸中心和售票中心建築物所投射出來的陰影下，渡輪就在眼前了，那是一艘縮小版、沒有明輪翼的密西西比江輪。

一個身穿運動夾克、頭戴棒球帽的男子，悄無聲息地走向我，我不知道這個人是否就是桑傑。迪士尼樂園一向予人的安全感和受保護的感覺，在這一刻立即瓦解。

「計畫改變，艾利克斯，我現在就帶你去見瑪姬・蘿絲。請你保持眼睛直視前方的動作，你到目前爲止都做得很好，只需繼續維持現狀，我們就能平安回家。」

一個六呎高的灰姑娘走過我們身邊，朝反方向而去，不分大人和小孩都對著她哦哦啊啊、欣喜若狂地叫著。

「現在就轉身，艾利克斯。我們要順著你進來的原路回去，今天很適合到海邊走走，要不要隨便你，我的朋友。」

他極端冷靜，克制力極強，儼然就是桑傑在整宗綁架案的一貫作風，目前爲止，一切都還是由他占盡上風。他竟然稱呼我艾利克斯。我們開始逆著人潮走回去。

灰姑娘精心吹整過的金色捲髮，在我們前方輕快擺動著，當孩子們看見電影和卡通裡的女主角活生生地站在眼前，都興高采烈地笑開懷。

「我必須先看到瑪姬・蘿絲。」是我對棒球帽男子唯一回應的一句話。他會是喬裝過的桑傑嗎？我分辨不出來，我需要更仔細觀察他。

「那好，但是如果有人阻撓我們，我現在就可以告訴你，那女孩死定了。」棒球帽老實不客氣地撂下狠話，彷彿他將要爲陌生人行刑似的。

「沒人會攔我們的，」我向他保證，「我們唯一在意的是女孩的安全。」

但願所有偵查此案的有關人員，都會認同我說的這句話。那天早上我已經簡短會見過凱薩琳和湯瑪士．鄧尼夫婦，我很清楚他們心頭念茲在茲的，就是今晚能夠盼到他們的小女兒平安歸來。

我全身滲出涔涔汗水，這我完全控制不了。雖然目前氣溫只有華氏八十幾度，不過空氣中的濕度非常高。

我開始擔心一旦稍不小心，就可能會搞砸一切，在這種地方任何事都可能出錯。這次深入迪士尼樂園核心的行動，我們完全無法預先部署，而群衆難以預測的行爲也是個大難題。

「聽著，如果調查局看到我們走出去，可能會有人接近我們。」我決定告訴那男人。

「最好不要讓我碰到這種狀況，」他顯得不太耐煩、發出嘖嘖的聲音，然後左右搖著頭說，「那會嚴重破壞規矩。」

不論這個人是誰，他顯然臨危不亂得不近人情。他以前就幹過這種事嗎？讓我不禁起疑。看起來我們似乎正朝一列列橘色電車的方向退回，其中有一輛會再度載我們回到停車場。這就是他的計畫嗎？

這個男人體格過於魁梧，不太可能是桑傑，除非他用了某種高明的易容術，再塞入大量的襯墊來改變身材，我心想。我的腦中再度浮現演員理論。我向老天祈求這傢伙不會是冒充的，某個知道佛羅里達州發生什麼事，然後詐騙我們去交贖金的騙子。這種事在以前的綁架案曾經發生過。

「**聯邦調查局！手舉起來！**」我突然聽到一聲吆喝，情勢的變化就在迅雷不及掩耳的狀況下發生。我的心緊揪在喉嚨，他們在搞什麼鬼啊？他們到底在想什麼？

「聯邦調查局！」

停車場有六名探員將我們團團包圍，個個都已掏出左輪手槍蓄勢待發，其中有一個探員手上的來福槍瞄準了那個聯絡人，還有我。

比爾·湯普生探員跟大夥兒站在一起。**我們只想要小女孩平安回來**，幾分鐘前他才跟我說過這句話……

「快退開！快退後！」我失控地對著他們大吼。「離我們遠一點！離開這個地方！」

我定定瞧著眼前這位棒球帽男，他不可能是蓋瑞·桑傑，我幾乎可以確定。不管這個人是誰，他根本不在乎自己已經在奧蘭多被認出、甚至被拍下照片。

爲什麼會那樣？這傢伙怎麼能這麼冷靜？

「如果你們抓了我，那女孩就死定了。」他對圍住我們的聯邦調查局探員說。他冷酷如石，眼神木然。「再無其他辦法能挽救那女孩，我救不了她，你們也救不了，她死定了。」

「她還活著嗎？」湯普生向那男人靠近了一步，他看來似乎很想扁他，那是我們每個人都想做的事。

「她活著，我大概在兩小時前才見過她。她會平安回家的，除非你們想破壞我們原先的約定，現在你們已經快搞砸一切了。快給我退開，就照警探吩咐的去做，他媽的給我退開，老兄。」

「我們怎麼知道你是桑傑的同黨？」湯普生問道。

「第一、一千萬元；第二、迪士尼樂園，奧蘭多——魔術王國；第三、在布魯托第二十四區停車。」他流暢地背出那封贖金信的精確用詞。

湯普生堅持自己的立場，說道：「我們來談判釋放女孩的事，我是說談判，你得照我們的方式做。」

「什麼？**然後讓女孩被殺嗎？**」潔西・佛萊娜根從湯普生和其餘聯邦調查局的小組成員後面走出來。

「把槍放下，」她斬釘截鐵地說道，「讓克羅斯警探拿贖金去交換人質。如果你堅持用你的方式，而害死那女孩的話，我會把這件事告訴全國每位記者。我發誓我會的，湯普生，我對天發誓。」

「我也是。」我對那個聯邦調查局特別探員說。「我一定說到做到。」

「這個不是我們要找的人，他不是桑傑。」湯普生最後說道。他看看史考斯，臉露厭惡地搖了搖頭說：「讓他們走。」他下命令道。「克羅斯和贖金都交給桑傑，這是最後決定。」

那位冷酷如霜的聯絡人和我再度走將起來——我全身顫抖著。人們就這樣盯著我們步向橘色的電車。我覺得眼前這一切儼然是虛幻的。幾分鐘之後，我們已經進入其中一輛電車。兩人都坐了下來。

「混蛋，」聯絡人抱怨道，這是他第一次洩露出情緒，「他們差點就毀了一切。」

我們在唐老鴨區第六排車道、一輛新的日產車前停下腳步，車子是深藍色的，有著鐵灰色的玻璃窗。跑車裡沒有人。

棒球帽老兄發動引擎，再次駛向I—4公路。日正當中，幾乎沒有離開園區的車輛。他說過，今天是適合到海灘的日子。

我們朝奧蘭多國際機場的方向開去，偏東行。我一直設法想讓他講講話，不過他一句話也不肯說。

也許這個人並沒有那麼沉著冷靜，也許他剛才在迪士尼的停車場也被嚇到了。聯邦調查局差一點就壞了大事，不過那也不是第一次了。事實上，他們在園區的行動很可能不過是虛張聲勢罷了。我仔細思考後，明白那是他們最後的機會，要求和歹徒談判釋放瑪姬·蘿絲·鄧尼。

24

在我們進入離奧蘭多主要航站約幾英里遠的一處私人附屬機場之前，已經過了半個多小時。現在時刻剛過一點半。人質交換的地點，出乎意料不是在迪士尼樂園。

「依照原本的指示，我們應該會在一點十五分以前完成交換。」當我們下車時，我說道。一陣溫暖的熱帶微風越過機場向我們迎面吹來，空氣中有濃濃的柴油和烤焦的碎石味。

「那個指示是唬人的。」他回答。他又再度冷酷如冰。「那是我們要搭的飛機，現在這裡只有你和我兩個人，放聰明點，艾利克斯，這應該不會太難。」

「好好休息、放鬆心情，享受一下這趟旅程。」我們登機後他向我說道。「看來我也身兼你友善的飛行員，嗯，也許並沒那麼友善。」

他給我戴上手銬，銬在那輛四人座飛機其中一張座位的扶手上。我想他大概是把我當作另一個人質了。也許我現在就可以把這個金屬和塑膠製的扶手給扭斷，它脆弱得很。

那個聯絡人肯定就是這輛飛機的駕駛沒錯。他等地面淨空之後，讓Cessna開始在跑道上顛簸滑行，緩緩加速起來，最後它離地升空、轉向東南角，在奧蘭多以及聖彼得堡的東方領空飛行著。我很確定，到目前為止，我們一直都在聯邦調查局的監控範圍。不過，從這裡開始，一切後續發展，將由眼前這個聯絡人、還有依據桑傑的大計畫而改變。

升空後的頭幾分鐘，我們兩人默然無語。我讓自己安頓好，凝神觀察他的一舉一動，設法把上飛機迄今我看見的所有細節都記憶下來。他是個情緒控制得宜、辦事既有效率、又輕鬆自在的人。他看起來仍舊沒有壓力，自始至終他都是一派專業人士的模樣。

我腦中突然浮現一個奇怪的聯想。我們此刻在佛羅里達州，還要繼續往南飛。我記得最早曾有一個哥倫比亞的大毒梟，恐嚇過郭德堡部長一家人。那是個巧合嗎？我再也不願意相信巧合這種事了。

警方破案法則，特別是以我自身的辦案經驗來說，就是得來來回回反覆思索自己的腦袋，這是很重要的。整整有百分之九十五的犯罪案件之所以能偵破，都是因為人終究會犯錯。桑傑到目前為止還未曾失誤過，也沒留下任何線索給我們，現在是他犯錯的時候了。這次的交換行動將會讓他曝露於危險之下。

「整個過程都經過相當精確的計畫啊。」我對棒球帽老兄說。此刻飛機正飛越大西洋上方。目的地是哪裡呢？到底最終要交換瑪姬・蘿絲的地點會在哪兒呢？

「你說的對極了。一切行動都是盡可能經過縝密籌備的結果，你不會相信這裡頭的規畫有多複雜。」

「小女孩眞的沒事嗎？」我再度問他。

「我告訴過你了，我今天早上才見過她，絲毫沒受到損傷。」他說。「根本就毫髮無傷。」

「那眞令我難以置信。」我回答。我們發現麥可・郭德堡屍體的經過都還歷歷在目。

飛行員聳了聳他寬闊的肩膀說：「你高興相信什麼鬼話都隨便你。」他並不眞的在乎我的想法。

「麥可・郭德堡遭到了性侵害，我們有什麼理由相信那女孩毫髮未傷？」我說。

他轉頭瞧了我一眼。我的直覺告訴我，他並不知道郭德堡小男孩的狀況。在我看來，他似乎並不像是桑傑的黨羽。蓋瑞・桑傑是不會有眞正的同伴的。這個飛行員肯定只是個拿人錢財的傭兵，這也就是說，我們是有機會找到瑪姬・蘿絲的。

「麥可・郭德堡在**死後**還遭到毒打，」我告訴他，「而且那人還雞姦了他。讓你知道你捲入的是一個什麼樣的案件，還有你的同黨是何等人物。」

不知道爲什麼，我說這些話反倒令那聯絡人齜牙咧嘴地發笑起來。「夠啦，別再說些有的沒的，或是盡跟我問那些討厭的問題。我很感謝你的關心，你就好好享受飛行的樂趣吧。那女孩一沒被揍、二沒被性虐待，我以君子的名義向你保證。」

「這些就是你能說的嗎？總之，你也沒辦法知道吧。」我說。「今天一早以後你就沒見過她，你並不知道桑傑——管他叫什麼名字，究竟汲汲於什麼吧！」

「沒錯，我們都必須信任自己的夥伴。你給我安靜坐好、扣好安全帶。現在你也得相信我，這裡缺機組人員，所以機上不會有餐飲服務。」

他為什麼能如此沉得住氣？他實在是對自己太有自信了。

難道在此之前，他曾參與過其他的綁架案？也許他在某個地方也犯過類似的案子。最少這是值得追查的方向，如果這次行動結束之後，我還有機會辦案的話，一定得好好查一查。

我暫時將身子向後倚著，讓視線漫遊機身底下的世界，這時我們正在一片海洋的上方。我看看手錶——自奧蘭多起飛至今，已經超過三十幾分鐘了。儘管天氣晴朗和煦，海上的風浪彷彿頗大。偶有幾片雲朵在狀似冷酷的水面上投射出陰影來。機身搖曳的輪廓若隱若現。我們的飛機一定會出現在聯邦調查局追蹤的雷達上，若真如此，飛行員肯定也會知悉此事，只不過他看來一點也不在意。這真是一場可怕的貓追老鼠遊戲。這個聯絡人會有什麼反應呢？桑傑和瑪姬・蘿絲在哪裡？我們到底要到哪去交換人質？

「你是在哪裡學飛行的？」我問。「在越南嗎？」我對這件事一直很好奇。他的年齡正好符合越戰軍人的年代——三十五到四十歲左右。我曾治療過一些越南老兵，這些病患通常都有充分的憤世嫉俗特質，足以令他犯下綁架案。

他對這個問題並不著惱，不過他也沒有回答我。

實在是很怪異，他仍舊是一副不緊張或擔心的模樣。其中一個被綁的孩子已經死了，為什麼他能這麼泰然自若、自鳴得意呢？他知道什麼我不知道的事嗎？到底誰是蓋瑞・桑傑？我眼前這個人又是誰？他們之間又有什麼關係呢？

大約半個小時之後，Cessna開始降落到一個四面被白沙海灘環繞的小島上。我不知道我們身在何方。也許是在巴哈馬的某處嗎？聯邦調查局的人還跟著我們嗎？他們是否在空中追蹤著我們？或者，棒球帽男子早就把調查局的人給甩掉了呢？

「底下這座島叫什麼名字？我們現在在哪裡？在這個地方我什麼也不能做啊！」

「這裡是小阿巴可島，」他終於回答我的問題，「有人跟蹤我們嗎？是聯邦調查局的人嗎？用電子儀器追蹤？或是在你身上裝了竊聽器之類的東西？」

「沒有。」我說。「沒有竊聽器，我袖子裡什麼也沒有。」

「或者，他們在贖金上動了手腳？」他似乎對各種可能性瞭若指掌。「在紙鈔上加了螢光塵之類的物質？」

「就我所知是沒有。」我回答。我這麼說也沒錯，連我也無法保證，聯邦調查局不可能什麼事都讓我知道。

「最好是沒有。發生迪士尼樂園的事件之後，眞的很難讓我信任你們這些人。我們早就事先警告過你們了，居然還會搞得到處是條子和聯邦探員，現在這個時代喔，實在是誰都不可靠。」

他試著幽默了一下，不過他才不在乎我有沒有反應。這個人似乎對世間事絕望透頂、意志消沉，只有對金錢、對全世界最骯髒的一筆錢，有最後一絲的熱忱。

海灘上有一條狹窄的飛航跑道，堅硬的沙土綿延了好幾百碼之長。飛行員輕鬆又專業地讓飛機降落，俐落地做了個U型轉彎，然後直直滑進一整排的棕櫚樹。這似乎也是他計畫的一部分，鉅細靡遺的每一步都掌握得恰到好處，到目前為止整個過程是零缺點的。

這裡並沒有雅緻的海島小屋，我也看不出有任何小型的接待區。越過海洋另一邊的山丘是一片蒼翠茂密的熱帶植被。

此地杳無人煙。既沒有瑪姬．蘿絲．鄧尼，也不見桑傑的影子。

「小女孩在這兒嗎？」我問他。

「好問題。」他回答。「咱們走著瞧吧！我先觀察一下。」

他熄掉引擎，接著我們就在一片沉默與令人窒息的熱氣中等待，之後他就再也沒回答我的問題。我眞想撕裂這個礙眼的扶手，把這混蛋打得滿地找牙。我氣得咬牙切齒，由於用力過深，讓我頭都痛了起來。

他的眼睛直盯著飛航跑道上方那片晴朗無雲的天空。他注視著擋風玻璃有好幾分鐘之久。我在悶熱的空氣中逐漸呼吸困難起來。

小女孩在這裡嗎？瑪姬．蘿絲還活著嗎？去你的！

小蟲子賴在著色的玻璃上不走，鵜鶘從空中猛然飛撲下來啄食，這裡看起來眞是個孤寂的地方。除此之外，什麼事也沒發生。

機艙裡愈來愈熱了，就像一輛車在烈陽下曬久了的那種感覺，熱到令人受不了。飛行員對此似乎渾然不知，顯然他很習慣這種天氣。

這樣的狀況從幾分鐘延伸爲一個小時，然後是兩個小時。我全身被汗水濕透，口乾舌燥。我試著不去想艙裡的熱度，不過那是不可能的。我一直認爲聯邦調查局一定在空中監控著我們。我們就這樣陷入了僵局，誰有辦法解開呢？

「瑪姬・蘿絲・鄧尼在這裡嗎？」我又問了他好幾遍。這樣的僵局持續愈久，我愈爲小女孩擔心。

他沒有反應，甚至沒有任何動作表示聽到了我說的話。他也從來不看錶、不起身動一動，沒有一點坐立不安的跡象。難道他是進入某種恍神的狀態嗎？這個傢伙究竟是怎麼了？

我瞪著他用來給我扣上手銬的那個長扶手，在想這該是他們最接近犯錯的一次了。那個扶手很老舊，當我試著晃動時還會發出嘎嘎作響的聲音。我可能有辦法把它從托座給卸下來。如果那麼做，我知道我會有麻煩，不過必須試試看。這是唯一的辦法了。

說時遲那時快，就跟我們剛才降落時同樣的突然和意外，Cessna向後滑向海濱跑道，我們倏地又起飛了。

這次飛得很低，高度不到一千呎。冷氣灌入機艙，螺旋槳的呼嘯聲對我愈來愈有催眠的效果。

天色向晚，我看著太陽表演著每逢夜幕低垂時逐漸隱沒的戲碼，然後完全沒入我們眼前的地平線之下。這一幕眞美，不過在當前的情勢下卻透著一種異樣的感覺。我現在知道他在等什麼了──夜色。他想利用晚間工作，桑傑是喜歡暗夜的。

入夜後約未過了半小時，飛機又開始降低高度。在我們下方，閃著一點一點的亮光──

從空中鳥瞰，彷彿是一個小鎮的模樣。就是這裡了，已經到了攤牌的時刻。交換瑪姬・蘿絲的行動就要開始。

「你別問，因爲我是不會告訴你的。」他甚至沒轉過頭，直盯著儀表板對我說道。

「我早就知道你不肯講，那又有什麼好意外的？」我說。試著假裝我在座位上更換坐姿的樣子。我使勁拉扯扶手，感覺好像鬆了些。我很怕再用力一點就要扯壞椅子了。

這裡的降落跑道和航空站很小，不過再怎麼說它總算是個飛機場。我看見一座未上漆的機棚裡停了另外兩架小飛機。飛行員並沒有嘗試和地面上的任何人員進行無線電對談。我的心跳加速起來。

一個舊式的「飛翔的A」招牌，搖搖晃晃地立在建築物的屋頂上。當飛機顛簸著滑向停機棚時，我們一個人影也沒瞧見。這裡沒有蓋瑞・桑傑，也沒有瑪姬・蘿絲，總之，我誰都沒看到。

某個人把燈弄熄，我心想：他們到底在哪裡？

「這裡就是我們交換瑪姬・蘿絲的地方嗎？」我再次猛力扯著扶手，這次幾乎是用盡我吃奶的力氣了。

那個聯絡人從駕駛座站起，他擠在狹小的機艙經過我身邊，然後開始下飛機。手上還提著裝著一千萬的手提箱。

「後會有期，克羅斯警探，」他轉身對我說，「眞對不住，我得跑路了。等會兒別白費力氣搜索這個區域，小女孩不在這裡，甚至也不在附近。對了，我們回美國了，你現在在南卡羅萊納。」

「小女孩在哪？」我對他大吼，用力扯著繫在扶手的手銬。聯邦調查局的人呢？他們離我們有多遠？

我一定得做些什麼，現在得立刻行動才行。我站起身找到施力點，然後用全身的重量和力氣，去拉那個小飛機的扶手。我一次又一次地用力，現在塑膠和金屬的部分已經有一半被我扯離座位。我繼續施力，最後另一半的扶手發出一道撕裂聲後整個斷裂開來，那個聲音聽起來很像痛苦的拔牙聲。

我邁開兩個大步，衝到機門口。那個聯絡人已經下到地面，抱著手提箱準備走人。我縱身撲向他，必須在調查局的人趕來之前拖住他，而且我很想將這個狗雜種海扁一頓，讓他看看現在誰才是老大。

我就像隻禿鷹攻擊地鼠似的，猛K那個聯絡人。我們兩個都重重地摔到鋪滿柏油碎石的飛機跑道上，在空氣中發出低吠的聲音。機上那個座椅的扶手到現在還纏在我的手銬上，金屬塊掃過他的臉，劃出一道血痕。我用另外一隻自由手臂痛擊著他。

「瑪姬．蘿絲人在哪裡？她在哪裡？」我心肺俱裂地咆哮著。

在我的左手邊，一片漆黑的海洋上方，我看見有道光線射向我們，而且快速向我們靠近。一定是調查局的人馬到了，他們的偵察機正要趕來救援，他們一直跟在我們後面。

就在這時候，我的後頸猛吃了一記，偷襲的武器感覺像鉛管。我並沒有當場昏過去。**攻擊我的人是桑傑嗎？**我心中一個聲音尖叫著。第二記重擊對準我脆弱的後腦杓而來。這次，我幾秒內就倒下，是誰偷襲我、或這個人使用什麼武器襲擊我，我都來不及看到。

當我甦醒，南卡羅萊納這座小機場已然變得燈火通明、忙碌起來。聯邦調查局的警力，以及卡羅萊納當地的警察全員到齊。到處都是救護車和消防車。

只不過，那個聯絡人已經不見了，連帶一千萬贖金也不翼而飛。他之所以能成功全身而退，全靠桑傑又一次的完美計畫和行動。

「小女孩呢？瑪姬．蘿絲呢？」我詢問一位正在照料我頭上傷勢的禿頭急診醫生。

「沒見到，先生，」他拖著南方的緩慢聲調說，「小女孩仍然下落不明，我們在這一帶並沒有找到瑪姬．蘿絲．鄧尼。」

25

馬里蘭州的克里斯費德，天空一片陰鬱蒼白，幾乎一整天來，一直間間斷斷下著雨。一部尖嘯著警報器的警車，形單影隻地疾駛在天雨路滑的鄉村小路上。

警車裡的兩人是阿提．馬契爾和賈斯特．迪歐。迪歐今年二十六歲，整整比馬契爾小了二十歲。跟多數年輕的鄉下警察一樣，迪歐夢想有一天能離開這個地方——他從就讀哥倫比亞的王爾德湖濱高中起，這樣的理想和願望就一直沒變過。

然而如今他還在這裡，仍然待在克里斯費德。**雙峰**II，他喜歡這樣稱呼這個人口不到三千人的小鎮。

迪歐實際上非常渴望能成為馬里蘭州的州警，這是個相當具有挑戰性的目標，因為州警考試極為嚴苛，特別是數學。不過只要成為州警，他就能離開桑莫塞郡這個鬼地方，說不定還能出得了索爾茲伯里或是賈斯特鎮呢！

不論是迪歐或是脾氣格外溫和的阿提．馬契爾，對他們即將一夕爆紅的成名之路，都沒有心理準備。一個平凡的十二月三十日下午，他們位於老赫利路的警局接到一通報案電話。兩名獵人在西克里斯費德、往坦吉爾島營區的路上，看見可疑之物。獵人們發現了一部廢棄車，那是一輛藍色的Chevy廂型車。

過去幾天來，只要有一點點風吹草動，任何形跡可疑的事件，都會馬上被人和轟動一時的華盛頓綁架案聯想在一起，於是警局接到的假警報絡繹不絕。但不管怎樣，迪歐和馬契爾還是奉命前來查看這次的線報。那輛藍色的廂型車，就是把孩子從學校帶走的作案車。

當他們兩人抵達位於四一三號公路的農田時，已經快接近傍晚了。駛在那條充滿車輪痕跡的爛泥路上，甚至都令人有些毛骨悚然。

「我們要找的是個老農莊嗎？」迪歐詢問他的夥伴。迪歐負責開車，在泥濘不堪的馬路上保持十五英里的車速。阿提．馬契爾比較喜歡坐在副駕駛座。

「對啊，不過現在沒人住在這裡了。我懷疑我們在這能有什麼重大的發現，賈斯特。」

「那就是這份工作迷人之處啊。」賈斯特．迪歐回答。「你永遠不可能預先知道，某個地方總是有留名青史的機會等著你。」迪歐習慣把每件事情想成比實際情況還富有魅力，他對夢想以及很多偉大的理想相當執著。然而看在阿提．馬契爾眼裡，那些只不過是年輕人還不成熟的想法罷了。

他們倆抵達獵人在電話中所提到的那間破舊不堪的農莊。「咱們快點瞧瞧去吧！」馬契爾說，盡可能在言語中配合年輕警官的熱情。

賈斯特·迪歐輕快地跳下巡邏車，阿提·馬契爾的腳步雖然不若年輕人那般活潑，他還是緊跟在迪歐身後。他們走近一間嚴重掉漆的紅褐色穀倉，那是一棟低矮的建築，它看起來似乎已經陷下地面有幾呎深。獵人們那天下午稍早爲了躲避暴風雨，才在穀倉稍事停留。然後他們就報警了。

穀倉裡面相當幽暗而陰森，四面窗戶都被人用紗布給遮得不見天日。阿提·馬契爾扭開了他的手電筒。

「我們來點光看看。」他低聲嘀咕著，緊接著他大吼起來：「老天，這真是去他媽的！」沒錯，就是這裡了。骯髒的地板中央有一個大型的排水口，洞口旁邊停了一輛深藍色的廂型車。

「狗娘養的，阿提！」

賈斯特·迪歐掏出他的執勤配槍，他突然之間變得呼吸困難起來，甚至只是站在那兒都覺得困難重重。老實說，他並不想過去看那個大洞，他再也不想多待在老穀倉裡面一分一秒。也許他根本就沒做好當州警的準備。

「什麼人在那兒？」阿提·馬契爾用宏亮而清晰的聲音喊道。「現在就給我出來，我們是警察！我們是克里斯費德的警察！」

天啊！阿提比他行多了，迪歐心想。這個男人竟能勇於處理這種場面，無論如何，那總算讓賈斯特・迪歐的手腳重新有力氣動了起來。迪歐往穀倉裡再走近了一步——去看看此處是否就是他向萬能的天神祈禱著別是這裡的地方。

「把燈光指向這邊。」迪歐對他在犯罪偵辦現場的夥伴說。他們已經走到那個洞口旁邊。此刻的他幾乎無法呼吸了，他的胸口就像被止血帶束緊一般，兩個膝蓋都撞在一起。

「你還好嗎？阿提？」他問自己的夥伴。

馬契爾將手電筒射向伸手不見五指的深沉黑洞，他們倆都看到獵人們看過的東西了。

洞裡有一個小箱子……幾乎像是個**小棺材**，那個木頭盒，或者說木頭棺材是打開的，裡面空無一物。

「那是什麼鬼東西？」迪歐聽見自己問道。

阿提・馬契爾彎下腰，更近距離細看，他將手電筒的光線直直瞄準洞裡。他本能反應地四處張望了一番，先是背後，然後他的注意力才又回到那個黑洞。

有某個東西在洞底，某個看起來是亮粉色或紅色的怪東西。

馬契爾的心思快速飛馳著。**那是一隻鞋……老天！那一定是小女孩的鞋！這裡肯定就是他們藏匿瑪姬・蘿絲・鄧尼的所在。**

「這裡就是歹徒藏匿兩個孩子的地方，」他終於對自己的夥伴宣布道，「我們找到了，賈斯特。」

他們的確找到了。

他們捧著瑪姬・蘿絲其中一隻漂亮的粉紅色運動鞋離開。那雙老舊牢靠的 Reebok 運動鞋，本來是要幫助瑪姬打入華盛頓私立學校其他孩子的圈子裡。詭異的是，那隻運動鞋看起來彷彿是刻意被留在那兒要給人發現的。

第二部

林白之子

26

每當蓋瑞心煩意亂時，就會躲在自己最愛的童年故事和強有力的幻想裡。此刻的他煩躁異常，他的大計畫似乎正失控地加速發酵中，他甚至不想去思考這件事。

他口中唸唸有詞，不斷重複他記憶中具有魔力的那一段話：**「林白農莊閃爍著鮮艷奪目的橘紅色光線，它看來就像一座燃燒的城堡……可是現在，瑪姬・蘿絲的失蹤才是本世紀最偉大的犯罪，它才是！」**

他一直幻想林白綁架案是自己在小男孩時所犯下的，蓋瑞甚至已經將這件事烙印成為他記憶的一部分。

那就是一切事件的開始：他從十二歲開始就杜撰了這個故事。他總是不斷對自己重複述說這個情節，免得自己發瘋。只不過這是在他出生前二十五年的罪案，這是他的白日夢。

屋裡的地下室一團漆黑，他早就習慣與黑暗為伍，這會讓他有活著的感覺，這種感受甚至很棒。

這天是一月六日，星期三，下午六點十五分。他在德拉瓦州的威明頓。

蓋瑞正放任他的思緒漫遊，讓心智神馳。他腦中清晰浮現幸福的林白和安妮・摩洛・林白位於霍普威爾的農莊，每個環節都鉅細靡遺。長久以來，他一直為這宗轟動世界的綁架案深深著迷。那是自從他後母帶著她兩個嬌生慣養的混帳小孩進駐他家門、自從他第一次被關進地窖以後開始的事。**「壞孩子就活該被關到地窖去，反省他們所做的錯事。」**

他比任何活著的人都還要瞭解三〇年代的綁架案。襁褓中的小林白最後是在距離紐澤西莊園只有四英里的一處淺墓穴被人給挖掘出來的。**啊，然而那真的是小林白嗎？**他們發現的那具屍體身材太高了——足足有三十三吋長，小查爾斯身長只有二十九吋而已啊！

直至今日，仍然沒有人瞭解這起轟動社會、懸而未決的世紀綁架案。瑪姬・蘿絲・鄧尼和麥可・郭德堡的命運也會是如此。

我敢保證絕對沒有人能破得了案。

至今，他所犯下的其他謀殺案，還沒有任何人偵破不是嗎？約翰・韋恩・蓋西大開殺戒超過三十人次之後，在奇唐被捕；傑佛列・達瑪殺了十七個人，也在密爾瓦基市被抓；蓋瑞殺的人，早就超過這兩個魔頭加起來的總和，不過卻沒人知道他是誰、他藏匿在何處，或者他下一步計畫做什麼。

蓋瑞所隱身的地窖伸手不見五指，不過他很習慣這種黑暗。「地窖是一個會讓人逐漸上癮的地方。」他曾經這樣對他後母說，惹得她很生氣。地窖就像你死後的腦，如果你有一個眞正很棒的腦袋，它看起來會很精緻。無庸置疑的，蓋瑞當然擁有一個金頭腦。

蓋瑞思索著他的行動方案，他的想法很簡單：他們目前爲止並沒有眞正看到什麼。他們最好別太驚愕。

樓上，美希・默菲正盡力克制別對蓋瑞發太大脾氣。她正在爲他們的女兒——羅妮，還有社區裡的其他孩子烤餅乾。美希眞的很努力想**再一次**當個善解人意的好太太。

她一直嘗試著別去想蓋瑞的事。通常只要她烤餅乾，就能暫時拋開，不過這次就是不行。蓋瑞已經無可救藥了。可是他還是那麼討人喜歡、溫柔，而且就像一千瓦的燈泡那般耀眼。那就是她一開始之所以會被他吸引的原因。

美希是在德拉瓦大學的舞會上和蓋瑞相遇的。蓋瑞那時居住在德拉瓦的貧民區，他是從普林斯頓來的。在美希的生命中，從來沒遇過腦筋這麼好的人，即使是她學校裡的教授也沒蓋瑞聰明。

蓋瑞眞是太討人喜歡了，這就是她之所以會不顧衆人反對，在一九八二年下嫁於他的理由。她最好的朋友，蜜雪兒．羅威，很相信塔羅牌、輪迴轉世那類的玩意兒。她曾爲他們倆──蓋瑞和美希卜過卦。「離開他，美希，」她說，「妳沒看到他的眼神嗎？」然而美希還是獨排衆議、義無反顧地和蓋瑞舉行了婚禮。也許那就是她衣帶漸寬、日漸消瘦的原因了，她現在已經瘦到令大家都看不下去的程度。有時候，她似乎得忍受兩個蓋瑞：一個是蓋瑞本人，另一個是他那令人難以置信的腦力遊戲。

有件眞正嚴重的事發生了，當她把一整袋的佳餚翻倒時，她認眞思考著。蓋瑞隨時都會告訴她，自己已經被炒魷魚的壞消息，那個一再發生的可怕老問題又來了。

蓋瑞早就跟她說過，他在職場上「比任何人都聰明」（這點無庸置疑）；他告訴她，自己的才能「凌駕」於所有人之上；他跟她說，他的老闆很喜歡他（這點一開始也許是眞的）；他還說，公司很快就要升他爲區域業務經理（這絕對是蓋瑞杜撰的「故事」之一）。然後，麻煩就來了。蓋瑞說他的老闆開始嫉妒他，他一刻也待不下去（這點再眞實不過，他整個禮拜、還有某些週末根本就沒去上班）。危險的循環又開始出現。悲哀的是，如果他連現在這份工作、現在這個老闆都無法適應，他又怎麼可能適應任何地方呢？

美希・默菲很確定蓋瑞隨時就會回家，然後告訴她自己又被解雇了。他在大西洋暖氣公司擔任業務代表的日子，算來絕對是屈指可數。他之後又要到哪去找工作呢？還有誰可能比他現任老闆——她自己的哥哥馬提——更有同情心呢？

爲什麼日子總是那麼難熬？爲什麼她要給這個蓋瑞・默菲耍得團團轉呢？

美希・默菲在想，是否今晚就要攤牌了？蓋瑞又再次被開除了嗎？他今晚下班回到家，會告訴她這個消息嗎？如此聰明的男人，怎麼會是這樣的失敗者呢？實在令人不敢置信，她暗暗納悶著，一滴淚終於忍不住滑落到餅乾上，然後美希的眼淚就像尼加拉瓜瀑布般決堤而下。她的身體不禁開始顫抖、喘起氣來。

27

我對自己擔任警察或心理學家所碰到的挫折，從來都能一笑置之。這一次要邁開大步，排除那種挫敗感卻異常艱難。桑傑已經在南方，在佛羅里達州和卡羅萊納州打敗我們。然而我們卻無法帶瑪姬・蘿絲回來，我們甚至連她是死是活都不知道。

經過向聯邦調查局進行五個小時的簡報之後，我又趕回華盛頓，我必須對我自己的執勤部門再回覆一遍完全相同的問題。最後一位我得面對的審判官之一，就是皮特曼局長。傑飛是午夜時分出現的，他爲了這次的特別會面，還先沖澡修面才來。

「你看來真像活見鬼似的。」他劈頭對我說。這是從他嘴裡吐出來的第一句話。

「我從昨天早晨開始就一直沒闔眼，」我解釋，「我知道我自己的模樣有多糟，跟我說一件我不知道的事。」

在那句話冒出來之前，我就知道自己說錯話了。

通常我是不會讓別人主導話題的，不過這時的我實在是虛弱無力、疲倦、腦中一片混亂。

傑飛坐在會議室一張小型金屬椅上，身子倚向前方。當他對我發話時，我都可以看見他金色的鑲牙。「那是當然的，克羅斯。我必須請你放手這宗綁架案。不管是對是錯，媒體已經把這次的失敗行動歸咎於你，以及我們的混亂調度。聯邦調查局一點責任也不必扛。另外，湯瑪士．鄧尼大發雷霆，他會有這種反應也是合情合理的，他的贖金不單是飛了，更糟的是，我們竟然沒把他的女兒帶回來。」

「你那番話完全是鬼扯。」我回答皮特曼局長。「是桑傑指定我做聯絡人的，至今還沒有人知道爲什麼。或許我根本就不該去，不過我還是去了。搞砸監控任務的，是聯邦調查局，不是我！」

「你也給我說一件我不曉得的事。」皮特曼反擊。「不管怎麼說，你和桑普生可以回頭去偵辦桑德斯和透納的謀殺案，就遂了你的初衷吧。如果你要在幕後協助綁架案的調查，我是不會介意的。我要說的就這麼多了。」傑飛說完這幾句話立刻調頭走人。對話結束，一點也沒有討論的餘地。

桑普生和我都被丟回我們的地盤：華盛頓東南角。現在每個人都有自己優先要處理的事，六名黑人的命案再度變得重要起來。

28

我從南卡羅萊納回來東南區的家已經兩天了，原本在睡夢中的我，被聚集在屋外那些群衆的喧嘩聲給吵醒。

就在我的枕頭中空處，一個看似安全的地方，我聽見一個聲音嗡嗡響起，我的大腦冒出一句話來：「噢！拜託！一天又開始了。」

我終於掙扎著睜開雙眼，眼前陡然出現其他眼睛，戴蒙和珍妮正睜大了眼珠子瞧著我。他們彷彿對我這時候竟然還能睡感到樂不可支。

「孩子，我聽見的那些可怕喧嘩聲，是電視的聲音嗎？」

「不是的，爹地。」戴蒙回答我。「電視機沒打開啊！」

「不是的，爹地，」珍妮學著她哥哥的話說，「比電視好玩多了。」

我用手肘將頭撐起，好奇地問：「嗯，那麼就是你們兩個跟朋友在外面辦熱鬧的派對囉？是這樣嗎？那就是我聽到臥房外頭的聲音嗎？」

兩個小傢伙拚命搖頭。戴蒙終於笑了出來，不過我的小女孩還是一副嚴肅的表情，甚至還有一點害怕的樣子。

「才不是呢，爹地。我們沒舉辦什麼派對啊。」戴蒙說。
「嗯，別跟我說新聞人員和電視臺的記者又來了，他們幾個小時前才剛來過，才昨晚的事情。」
戴蒙杵在那兒，把雙手壓在他的頭上。當他興奮或緊張時就會做這個動作。
「對啊，爹地，又是記者們。」
「這眞是惹毛我了。」我低聲咕噥著。
「也惹毛我了。」戴蒙皺著眉學我說話。他對現在的狀況多少能理解。
這簡直就是對我公然行刑！
又是那些該死的記者，那些跑新聞的討厭鬼。我翻個身、眼睛直盯向天花板。我看到油漆掉色情況嚴重，看來我得重新粉刷一下了，當房子是自己的，你就永遠得應付這種事。
「瑪姬．蘿絲．鄧尼的人質交換行動是被我搞砸的」，現在已經變成媒體爭相報導的「事實」。或許是聯邦調查局的某人，也或許是傑飛，故意把我推上斷頭臺。某個人惡意洩露錯誤的內部消息，散布謠言說是我評估過桑傑的心理狀況後，才會下令執行邁阿密行動的。
一本國家雜誌的斗大標題寫著：**華盛頓警察搞丟瑪姬．蘿絲！**湯瑪士．鄧尼在電視專訪中表示，對於沒能在佛州成功營救他女兒，我個人應負起全責。
從那時起，我就成爲好幾家新聞報導和社論的探討話題，沒有一家報社給予我正面評價——他們甚至缺乏接近事實的報導。
假如眞是我搞砸贖金交換行動，我會接受批判，接受衆人的指責。然而我並沒有搞砸，我在佛羅里達可是拚著豁出性命的危險上火線的。

現在的我，更急需知道蓋瑞・桑傑爲什麼會挑中我去送佛羅里達的贖金。爲什麼我會成爲他計畫的一部分？爲什麼選上我？直到找到答案以前，我是不可能退出這宗綁架案的。我才不在乎傑飛怎麼說、怎麼想，或者他要怎麼辦我。

「戴蒙，你到前門去，」我對我的小男孩說，「告訴外面的記者滾開我們家，要他們準備上路了，好嗎？」

「好啊。滾開。耶！」戴蒙說。

我對戴蒙露齒而笑，他瞭解我正在做最妥善的處理。他回報一個微笑給我。珍妮挽著戴蒙的手，終於也咧嘴笑了出來。我和衣而起，他們已然感受到行動馬上要開始，我的確是要採取行動了。

我慢步走向前門口，準備要跟新聞記者說話。

我一點也不想白費力氣穿鞋或是換上襯衫。我的腦中浮現泰山那句不朽臺詞：**喔依喔依喔！**我眞是太想狂吼一番了。

「今天是個宜人的冬季早晨，各位好嗎？」我穿著寬鬆的斜紋褲站著問候大家。「有人要來點咖啡或甜捲餅嗎？」

「克羅斯警探，凱薩琳・蘿絲和湯瑪士・鄧尼都指責你在佛羅里達州的失職，鄧尼先生昨晚又發布了另一份聲明稿。」某個人遞給我一份早報——也是免費的。沒錯，我仍然是本週的代罪羔羊。

「我能理解鄧尼家對佛州行動的結果感到失望。」我語氣和緩地說。「請維持現狀，隨意將咖啡杯放在草地上就行了，我等會兒會收拾。」

「那麼你同意你的過失囉？」某位記者說道。「在你還沒見到瑪姬・蘿絲之前，就先把贖金交出去？」

「不對，我一點也不同意。我在佛州和南卡羅萊納時別無選擇。當時我唯一能努力的，就是不讓自己被聯絡人帶走。你瞧，當一個人被手銬限制住行動，而另外那個人手上有槍時，其實被銬住的人是處於極大的弱勢。再加上如果後援來得遲了，這又是另外的問題。」

我說的話，這些人彷若一個字也沒聽見。「警探，根據我們的消息，一開始是你決定要付贖金的。」人群中有個人這樣說。

「你們憑什麼來這裡，駐紮在我家草坪上？」我對那種鬼扯的說法反擊道。「你們憑什麼來這裡，驚嚇我家人？打擾我鄰居？我才不在乎你們怎麼寫我，但我可以告訴你們：你們一點也不瞭解狀況，一不小心，鄧尼女孩即有性命之虞。」

「瑪姬・蘿絲・鄧尼還活著嗎？」某人叫嚷著。我不再理會他們，轉身走回屋裡。沒錯，該給他們一個教訓，他們應該要懂得尊重別人的隱私。

「嘿，花生醬男人，還好嗎？」

那天早上稍晚，一群各式各樣的人認出我來。在聖安東尼教堂前方的第十二街，男男女女排成了三列。這些人又冷又餓，他們脖子上沒有人掛著 Nikon 或萊卡相機。

「嗨，花生醬男人，我在電視上看到你，你現在改行當電影明星嗎？」我聽到某人問。

「見鬼了，對啊，你看不出來嗎？」

過去幾年來，桑普生和我一直在聖安東尼教堂的湯廚（譯註：專為窮人或遊民提供免費食物的地方）服務。我們每個禮拜都會去個兩、三天。我加入是因為瑪麗亞的關係，當時她在這個教區進行社會福利調查。在她死後，我之所以還會持續下去，多半是基於最自私的理由：這份工作讓我的心理覺得好過。桑普生在前門歡迎前來用午餐的人們，每個排隊的人都會拿到一張午餐券，桑普生負責收票。此外，當有人要來鬧場，桑普生也能發揮嚇阻的效果。

我是餐廳裡嚇人的彪形大漢，人們稱我為花生醬男人。管廚房的吉米．摩爾，相信花生醬具有豐富的營養能量。每份全餐通常是由捲餅、兩份蔬菜、一份燉肉或燉魚，再加上甜點所組成的。除此之外，只要有需要的人，還可以額外獲得一份花生醬，天天都是如此。

「喂，花生醬男人，你今天有準備好吃的花生醬要給我們嗎？你有吉比或是彼得潘這類的玩意兒嗎？」

我對著人群中一張張熟悉而卑微的臉龐咧嘴而笑。我的鼻子嗅到熟悉的體味、口臭和酒氣。「我也不是很確定今天的菜單怎麼安排呢。」

這群老朋友都認識桑普生和我，他們多半知道我們是警察。其中有些人還知道我是心理醫生，因為我就在廚房外頭、一輛組合式的拖車裡提供諮詢服務。那輛車旁有個標語牌寫著：「上帝會幫助那些願意幫助自己的人，進來吧！」

吉米．摩爾把廚房經營得既有效率又出色，他宣稱這個廚房是整個東岸最大的湯廚。我們平均一天會送出一千一百份膳食。廚房從每天早上十點十五分開始供餐，直到十二點半結束午餐。這也就是說，如果你十二點三十一分到，那天就得準備餓肚子。紀律、永遠保持謙遜，就是聖安東尼教堂午餐計畫最主要的精神。

每個人都得遵行禁酒令，不准有明顯的醉意，在用餐期間應該要恪守規矩。你大約有十分鐘的時間可以用餐——因為還有其他人又凍又餓，在外面排著長長的隊伍等著入場。每個人都會受到同等的尊嚴對待和敬重。來客一律不需要回答問題，只要你排在隊伍裡，就有入堂用餐的權利。你會被稱呼為先生或女士，而且多數的志工都會被訓練用樂觀開朗的態度來服務人民。要在第一線服務或在餐廳工作的新志工，事實上都必須先通過「微笑測試」這一關的考驗。

約略接近正午時刻，外面一陣騷動。我聽見桑普生咆哮的聲音，有事發生了。隊伍裡的人們嚷嚷、大聲咒罵著。接著我就聽見桑普生呼救的聲音：「艾利克斯！快點出來！」

我火速奔到外面，馬上看到眼前所發生的事情。我用力握緊拳頭，抓得骨頭格格作響，記者又找來了，他們已經找到我了。

兩名瘋狂的新聞攝影師正在拍攝排在湯廚隊伍裡的人們，不用想也能理解——他們這種行徑是相當不受歡迎的。前來用餐的人很努力想保住他們最後一絲的自尊，他們一點都不願意被人在電視上看到自己排隊接受施捨的樣子啊！

吉米・摩爾是個粗魯、無禮的愛爾蘭人，他曾經和我們一同在華府的警界共事過。這時他人已經在外面了，事實上，大部分的喧鬧聲都是他製造出來的。

「你們這些混蛋！臭你媽的狗雜種！」我突然發現自己發飆了。「這裡恕不招待你們！也不歡迎你們！別來打擾這些人，讓我們安安靜靜地供應午餐行不行？」

攝影師停下正在拍照的動作，愣愣瞪著我。我發現桑普生、吉米・摩爾、還有幾乎隊伍裡的每個人都在看我。記者們並沒有就此離開，但至少他們已經退得遠一些了。多數的記者跑到第十二街對面，我知道他們會在那裡等我出來。

我們是來服侍人們用餐的。當我看到在對街公園等著堵我的新聞記者和攝影師時，我自忖著：除了闊綽的企業財閥和有錢人之外，現今這些媒體到底還服務個什麼鬼？

憤怒的聲浪開始在我們四周開起砲來：「人人都又冷又餓，讓我們吃飯吧，我們有權力吃飯。」隊伍中某個人大吼著。

我趕緊回到我的工作崗位上，忙碌地供起餐來，此刻的我是花生醬男人。

29

蓋瑞・默菲正在德拉瓦州的威明頓市鏟除四吋的積雪。那天是一月六日、星期三下午。當時他的腦海中正思考著那宗綁架案，還有那個富家小婊子——瑪姬・蘿絲・鄧尼的事。他很努力壓抑著自己，才得以控制住自己的真實情緒。當一輛亮藍色的凱迪拉克在世紀大道、蓋瑞那棟小不溜丟的殖民式房子前停下時，他忍不住咒罵了一聲。

六歲大的羅妮——蓋瑞的小女兒，正在一旁堆雪球，她將做好的雪球推在雪地裡一塊凝固的冰面上頭。當她看到馬提叔叔下車時，高興地尖叫起來。

「這個好美麗的小女孩是誰呀？」馬提叔叔在院子的另一頭喊著。「她是電影明星嗎？是的！她是羅妮嗎？我想是喔！」

「馬提叔叔！馬提叔叔！」羅妮一邊尖叫、一邊朝馬提的車子奔去。

每次蓋瑞一看到馬提．卡薩強，他就會想起那部糟糕透頂的電影《叔叔當家》。在《叔叔當家》裡，約翰甘帝飾演一位討人厭、不受歡迎、靠不住的親戚，他在片中總是一再出現，去折磨一戶白人中產階級的中西部家庭，那可眞是一部可憎的電影啊！馬提．卡薩強叔叔是個富裕的成功人士，而且他比約翰甘帝還愛招搖，更糟的是，現在他本人就在眼前。就因爲這些理由，讓蓋瑞非常鄙視美希的大哥，不過多半還有一個原因，就是馬提是他的頂頭上司。

馬提大分貝的喧嘩聲，美希肯定早就聽到了。世紀大道上的鄰居，甚或是臨近的北街居民，怎麼可能沒聽到他的聲音呢？美希從後門走出來，其中一手還抓著洗碗專用的毛巾。

「快瞧瞧是誰來啦！」美希發出尖叫聲說。對蓋瑞來說，她和羅妮的聲音聽起來簡直就是一模一樣的豬叫。

真是去他媽的驚喜，蓋瑞眞想大叫出來，只不過他將這種情緒給壓下來了——就跟他在家時，總是隱藏眞實的感覺一樣。他幻想著用他手上那把雪鏟將馬提給活活打死，而且是在美希和羅妮面前殺死卡薩強，讓她們瞧瞧誰才是眞正的一家之主。

「棒呆了的阿美小姐！」馬提・卡薩強繼續滔滔不絕地講了好一陣子之後，最後才跟蓋瑞打招呼。「幹得不錯吧？阿蓋老弟？藍道・康寧翰最近火力全開呢！你搶到超級盃的票了嗎？」

「那是當然的，馬提。我有兩張在五十碼位置的門票。」

蓋瑞・默菲將他的鋁製鏟子扔進一團矮雪堆裡，步履維艱地走向美希、羅妮以及馬提叔叔站著的地方。

然後他們全都進了屋子。美希端出昂貴的蛋酒，還有好幾片新鮮的蘋果—葡萄乾派，旁邊還點綴著大塊的乾乳酪。馬提分到的派比任何人的都大，因爲他是當家老大，是吧？

馬提遞了一個信封給美希，那是做大哥的要給美希的「零用錢」。他是故意要蓋瑞看到這一幕的，只不過他那麼做簡直就是在傷口上抹鹽。

「寶貝甜心，媽咪、馬提叔叔還有爹地三個人有話要說，」馬提・卡薩強一吃完他手上那塊派之後，馬上對羅妮說道，「我想我把要給妳的東西忘在車裡了，我不確定，可能放在後座吧，妳瞧瞧去。」

「先把外套穿上喔，小蜜糖，」美希對女兒殷殷提醒說，「別感冒了。」

羅妮嘎嘎地笑著，她給馬提叔叔一個擁抱後才匆忙地跑出去。

「你又買什麼給她啦？」美希賊忒兮兮地低聲問她老哥。「你實在爲我們做太多了。」

馬提聳聳肩，一副不記得的樣子。如果換成別人在場時，美希都還算正常。她會讓蓋瑞想起他的生母，她甚至跟蓋瑞的母親長相神似。蓋瑞已經注意到，唯有跟她哥哥在一起時，美希才會變得很糟糕。她甚至把馬提那些可憎的習慣和說話的抑揚頓挫，都學得十足十。

「聽好了，年輕人，」馬提弓著背，身子朝默菲夫婦挪近了些，「我們遇上一個小問題，現在還有救，因爲發現得早，只不過得盡早處理才行。我們都是成年人了，我相信你們會懂的。」

美希立刻戒心大起的說：「怎麼了，馬提？出了什麼問題？」

馬提・卡薩強露出非常擔憂以及不安的臉色，這種卑微的表情，蓋瑞早就看過幾千幾萬遍了，這是馬提裝出來對付他客戶的。尤其當他碰到帳單逾期未繳的，或是要解雇辦公室某人時，他就會使出這一招。

「阿蓋？」他看著蓋瑞，要他幫忙解釋。「你有什麼話要說嗎？」

蓋瑞聳聳肩，表示他對馬提要說的事情一無所知。**去你媽的，混球**，他心裡想著。**這次我是不會幫你的**。

蓋瑞可以感覺到一陣笑意正在擴散，從他的胃裡激升上來。他並不想洩露自己的眞實情緒，不過他的嘴角還是忍不住往上揚，這眞是令人愉悅的一刻啊！被逮到的話會有不可思議的回報吧？也許可以趁這時候教訓他們一下，他們是該好好學著點。

「很抱歉，我不認爲這件事有什麼可笑的。」馬提・卡薩強搖著頭說：「我是很認眞的，蓋瑞。」

「喔，我也很認眞啊！」蓋瑞用一種戲謔的聲音回覆道。那個聲音聽起來尖聲尖氣的、非常孩子氣，並不是他原本的聲音。

美希奇怪地看著他：「這是怎麼回事？」她央求道：「能不能拜託你們兩個讓我弄清楚狀況？」

蓋瑞看著他的太太，他對她眞是憤怒極了，她明知道這是個陷阱，她還要他往下跳。

「這一季來，我在大西洋市場的業績壞透了。」蓋瑞不屑地聳聳肩，終於開口說道。

「你要講的就是這件事嗎？馬提？」

馬提蹙起眉頭，低頭盯著他那雙全新的Timberland馬靴。「啊，恐怕不只那樣吧，阿蓋。你的業績幾近於零啊！更嚴重的是，你有超過三千三百元的預支貸款，你現在是背著債的。蓋瑞，你負債啊！我不想再說下去了，否則我一定會遺憾萬分。老實說，我眞的不知道該怎麼應付這種情況，我實在很爲難，也感到尷尬不已。我很抱歉，美希，我也不想這樣的。」

美希將臉掩在兩隻手裡，抽抽噎噎地哭了起來。起先，她只是靜靜流淚，並不想哭出聲音。然而嗚咽聲還是忍不住愈來愈響，這一切都看在她大哥的眼裡。

「那不是我想看到的，我對不起妳，小妹。」先伸出手、安慰美希的那個人，竟然是馬提。

「我沒事。」美希推開他哥哥。她的眼神掃過早餐桌，瞪著蓋瑞。她的瞳孔看來似乎又小又深邃。

「這幾個月來你上哪兒去了，蓋瑞？你都在忙什麼？噢！蓋瑞、蓋瑞，有時候我覺得我甚至都不認識你了。你說些話解釋一下啊，請你說說話呀！蓋瑞！」

在蓋瑞回話之前，他仔細思考了一番。然後他說：「我是如此愛妳，美希。我愛妳和羅妮，勝於我自己的生命。」

蓋瑞撒謊，而且他自己知道這是一個絕妙的謊言。說的太好了！演的太好了！其實他眞正想做的，是在他們那該死的面前嘲笑他們；他想做的，是把他們殺個精光。眼前剛好就有他需要的肉墊可以供他揮拳：**砰！砰！砰！**是時候在威明頓市大開殺戒了，他的腦中再次構思著他的大計畫。

就在那時，羅妮跑著回到屋裡，她的手裡緊緊抓著一盒新的電影卡帶，她正像個**汽球人**一個勁地傻笑著。

蓋瑞雙手抱住頭，他實在無法阻止自己內心深處的嘶吼：**我想成為大人物！**

30

東南區持續上演著生死戲碼。桑普生和我又回頭去偵辦桑德斯和透納的謀殺案。一點都不讓人意外，這起六死的兇殺事件，至今的調查工作並沒多少進展；同時不出我所料的是，根本就沒有人在乎。

一月十日、星期天，我知道是該休息一下了，這是自從綁架案發生以來我頭一次休假。我一早甦醒，就微微可憐起自己，我一直賴在床上、治療著劇烈頭疼，直到十點才起床。都怪昨晚跟桑普生喝得太兇了，現在我的腦袋瓜幾乎沒有一處的運作是有生產力的。

我對瑪麗亞的思念，就像瘟疫般折磨著我，我清楚地回憶起我們倆在週日早晨賴床不起的美好時光。而我在南方被當做代罪羔羊的倒楣事，到現在我還是忿忿不能自已。更重要的是，我們當中居然沒有一個人能幫助瑪姬．蘿絲．鄧尼，讓我覺得這眞是太窩囊了。在偵辦此案之初，我早就把鄧尼女孩視爲我自己的孩子，每次我一想起她或許已經死了，我的胃就會不由自主地抽搐起來——這樣並不好，尤其是在城裡一夜宿醉之後的早晨。

我癱在床上直到晚上六點，晃掉整整一天，這是我應得的。我才不想看到娜娜，聽她碎碎唸問我昨晚跑哪去了。那個特別的早晨，我甚至連自己的孩子都不想見。

我一直思念瑪麗亞。從前有她的日子裡，她和我——通常還有孩子，一向都是一起共度星期天。偶爾，我們會賴床直到中午，然後盛裝打扮，也許揮霍一下去吃頓不錯的早午餐。瑪麗亞和我不管做什麼大多在一起，每天晚上我都會盡可能早點下班回家。瑪麗亞也是如此。我們彼此都希望爲對方多付出一點。當時，我開設私人心理診所不被大衆所接納時，是她治療我受的傷。還有我過去幾年來，總是花太多時間和桑普生以及其他幾個單身朋友（包括一群和華盛頓子彈隊一起打籃球的球友）瞎混的日子，也是她悉心給我拉回一個平衡點。

是瑪麗亞把我拉到一種精神健全的狀態，而我珍惜她爲我所做的一切。如果她還在世，也許我們一輩子都會像那樣相知相惜下去吧？不過也說不定早就分居了，這種事誰有把握呢？我們現在是永遠沒有機會可以印證了。

一天晚上，她遲遲沒有從她的社工服務處回家，最後我接到電話，緊急趕到憐慈醫院。電話中，他們只告訴我瑪麗亞遭到槍擊、傷勢嚴重。

我八點多抵達醫院，一個我認識的巡警朋友安撫我坐下，告訴我瑪麗亞一被送到醫院就已經氣絕身亡了。她是在住宅區外圍，被一個駕車經過的人開槍掃射到的；沒有人知道歹徒的行兇動機爲何，或者是誰開的槍。我們連道別的機會也沒有。這一切毫無準備，毫無預警，毫無理由。

我內心的痛苦就像鋼錐刺著我的胸口，刺痛的感覺一路從胸膛擴散到額頭。我日日夜夜都在思念著瑪麗亞。直到三年以後，我才總算開始逐漸淡忘，讓時間教會我療傷止痛。

我平靜而放鬆地倚在床上，戴蒙突然像是頭髮著了火般地衝進我房裡。

「喂，爹地、爹地，你醒著嗎？」

「怎麼回事？」我問，近來我實在恨透這句話的聲音了。「你看起來好像剛剛在我們家門口看到凡尼拉．艾斯。」（譯註：凡尼拉．艾斯是流行樂界著名的饒舌歌手。）

「有人來找你耶，老爸。」戴蒙上氣不接下氣、興奮地宣稱道：「有人來啦！」

「怎麼？難不成是**芝麻街**的伯爵先生？」我問。「**到底是誰來啦**？你說清楚一點，不會是另一個新聞記者吧？如果是記者的話……」

「她說她叫潔西，是名女士，老爹。」

我一聽到這個名字立即從床上彈起來，不過我不太喜歡自己這樣子被孩子看到，所以很快又躺了回去。「你去跟她說我馬上就下來。**可別自做聰明**，說我在睡覺喔！直接跟她說我會下樓去就好了。」戴蒙奔出我的臥房，留下我暗自納罕該怎麼履行自己剛才許下的承諾。

當我下樓時，珍妮、戴蒙和潔西．佛萊娜根仍然站在我們家門口。小珍妮看起來有一點不自在，不過她現在已經愈來愈會應付應門的工作了。珍妮一向很怕生，爲了幫助她克服這個問題，娜娜和我總是很溫柔地鼓勵她和戴蒙在白天負責應門。

潔西．佛萊娜根會來訪，肯定有很重要的事。我知道聯邦調查局出動一半的人力在搜索取走贖金的飛行員，不過到目前爲止毫無斬獲，如果要這個案子有任何進展，一切都得靠我自己來。

潔西．佛萊娜根穿著寬鬆的黑褲子，搭配一件式樣簡單的白短衫，足下蹬著一雙磨損的網球鞋。我還記得她在邁阿密的隨性打扮，那幾乎讓我忘了她在特勤局是何等的重要人物。

「發生什麼事了？」我問，肌肉忍不住抽搐起來。一陣疼痛穿過我的頭骨，延伸到臉部。我連說話都感到有些吃力。

「沒事的，艾利克斯，關於瑪姬．蘿絲的事，我們再也沒聽到半點風聲。」她說。「只有幾件目擊者報案記錄，就這樣而已。」

所謂的「目擊者報案」，是聯邦調查局用來指那些「宣稱」自己曾看見瑪姬．蘿絲或蓋瑞．桑傑的目擊者。目前爲止，目擊者報案的區域，從距離華盛頓私立學校幾條街之外的空地、加州、紐約市的表維醫院到南非，有一個甚至還提到靠近亞歷桑納的聖多那，一處太空偵測中心哩！總之每天都有目擊者報案，美國這個泱泱大國，荒唐的瘋子還眞不少。

「我不是故意要打擾你們的，」她說著說著終於笑了起來，「我只是一直對發生的事覺得很遺憾，艾利克斯。那些關於你的報導根本就是垃圾，胡說八道。我很想告訴你我的感覺，所以才會來找你。」

「啊，眞感謝妳會這麼說。」我對潔西說道。這是過去一週來，發生在我身上最好的一件事了。奇怪的是，這番話深深觸動了我。

「你在佛羅里達州已經盡全力了。我不是說來安慰你的。」

我試著讓視力聚焦，但視線還是有些模糊。「不管怎麼說，我不會說那次的行動是我出色的工作經驗之一。換言之，我不認爲我値得媒體那樣大張旗鼓，把我的表現寫成頭版新聞。」

「的確如此。是有人在打擊你，有人跟媒體串通好要陷害你，這裡頭一堆鬼扯的內容。」

「那叫做廢話。」戴蒙衝口而出。「對不對呀，大老爹？」

「這位是潔西，」我跟孩子們介紹，「我們偶爾會一起工作。」孩子們已經愈來愈適應潔西，只不過還有一點害羞。珍妮一直躲在她哥哥後面，戴蒙則把兩隻手都塞在他後面的口袋裡，動作跟他老爸一模一樣。

潔西蹲下來，變得跟孩子們一般高。她先跟戴蒙握手，然後是珍妮。這是出於她本能的善意反應。

「你們的爹地是我見過最好的警察。」她告訴戴蒙。

「我知道啊！」他親切地接受潔西的恭維之詞。

「我是珍妮。」珍妮居然會主動告訴潔西她的名字，委實把我嚇了一跳。

我看得出來珍妮想要人家抱抱。珍妮比地球上任何人都喜愛被擁抱的滋味，那就是她得到「維可牢」（譯註：一種尼龍沾黏釦，俗稱魔鬼沾）這個綽號的來由。

潔西也感應到了，她張開雙臂給珍妮一個大大的擁抱，這是多麼棒的一幕啊！戴蒙立刻就決定要加入「維可牢」的行列，這本來就是該做的事呀，他們三人就像好久不見的好朋友，突然從戰場歸來那麼的熱情。

大約一分鐘之後，潔西再次站起身來。就在那時，我突然覺得潔西眞是一個很親切的人，我從事調查工作這麼多年，並沒遇過幾個像這樣的好人。她的來訪不但展現了她善體人意的一面，同時這也需要一點膽識。事實上，即使她身上或許帶有配槍，東南方也不是個適合白人女子逗留的社區。

「呃，我只是過來討幾個擁抱的。」她對我眨眨眼說道。「其實呢，我在這附近有一個案子要去處理。現在我該離開，繼續扮演我工作狂的角色了。」

「要不要來點熱咖啡再走？」我問她。我想泡杯咖啡我應該還行吧！娜娜好像五、六個小時前，才剛剛在廚房煮好一些咖啡。

她瞇起眼看著我，又微笑起來。

「嗯，有兩個乖孩子，而且這麼美好的星期天早晨還可以待在家陪陪他們，你畢竟也沒那麼強悍嘛！」

「不不不，我也很精悍喔。」我說。「只不過除了強悍之外，我剛好也是星期天早晨會回家陪家人的硬漢。」

「好啦，艾利克斯。」她臉上仍然掛著笑容說。「我只是不希望你被無聊的新聞報導擊倒了，總之沒有人會相信那些荒謬的鬼話。我得走了，改天再來喝咖啡囉！」

潔西．佛萊娜根把門打開，準備啓程離開。當門關上時，她對孩子揮揮手道別。

「再見了，大老爹。」她咧起嘴，笑著對我說。

31

潔西．佛萊娜根在東南區辦完事後，緊接著開車到蓋瑞．桑傑掩藏兩個小孩的農莊。她之前已經去過那裡兩次，不過位於馬里蘭的這座農莊還是有許多令她煩心的事情。總之，她讓整個人都沉浸在案情裡，她料想絕對沒有人會比她更想抓到桑傑。

潔西才不管路上插著**犯罪現場**的標牌，她加速駛過充滿車轍痕跡的泥巴路，朝一簇荒廢的建築飆去。她清晰記得這地方的一切：這裡有一個主要農舍、一個放機器的車庫，還有一個他用來關小孩子的穀倉。

為什麼選這個地方？她問自己。**為什麼是這裡，桑傑？**這裡可以透露什麼訊息給她，讓她知道桑傑究竟是誰嗎？

自潔西．佛萊娜根第一天加入特勤局開始，她就一直是名辦案高手。她擁有維吉尼亞大學的法律學位，成績優異。財政部一度曾經想遊說她，加入將近一半的探員擁有法學學位的聯邦調查局。不過在潔西仔細研判過情勢之後，她最終還是選擇了特勤局，因爲法律文憑在特勤局比較有機會讓她出頭。打從一開始，她就保持著每週工作八十到一百個小時的習慣，一直到現在都還是如此。她之所以會成爲傑出人物有一個理由：她比局裡任何男同事、或是她的男上司更聰明、更堅強。她比一般人感受到更強烈的壓迫感。不過潔西很早就知道這點：她瞭解一旦自己鑄下大錯，她的星艦就會墜毀，她很清楚。唯一的解套方法只有一個：不管怎樣，她都必須找到蓋瑞．桑傑。**她必須是破案的那個人**。

直到天黑之後，她才走進農舍。之後她拿著手電筒，又走了第二遍。潔西草草做了筆記，試著想找出任何關聯性。或許此案眞的跟過去的林白案——人們稱之爲三〇年代的世紀犯罪——有某種程度的連結。

林白之子？

位於紐澤西州，霍普威爾的林白住處，也曾經是座農莊。

小林白被活埋在距離綁架地點不遠之處。

布魯諾．豪夫曼，林白一案的兇手，來自紐約市。這次華盛頓的綁架者，有沒有可能是某個遠房親戚所為？他會不會是霍普威爾那一帶的人呢？也許是普林斯頓？桑傑怎麼可能到現在一點事也沒有呢？

在潔西離開農莊之前，她坐在車裡冥思起來。她啓動引擎、暖氣，就這麼靜靜坐在那兒，沉浸、迷失在思路裡。

蓋瑞．桑傑會在哪裡呢？他是怎麼消失的？現今沒有人有能耐就這麼憑空消失，沒有人那麼聰明。

然後她想起瑪姬．蘿絲．鄧尼和「小蝦米」郭德堡，兩行熱淚滾落她的臉頰。她難以自制地啜泣起來，那是她出來尋訪該農莊的眞正理由，她知道的。潔西．佛萊娜根必須讓自己哭出來。

32

瑪姬・蘿絲置身在一片黑暗裡。

她不知道自己在那裡已經多久了，總之是很長一段時間。她也不記得自己最後一次進食是什麼時候，或者她什麼時候曾和任何人見過或交談過。她唯一記得的，是腦海裡的那個聲音。

她眞希望現在有人能過來，她抱著這種想法，已經有好幾個小時了。

她甚至希望那個老女人回來，對她大叫大嚷一番也好。她開始納悶爲什麼自己會遭到懲罰？她到底犯了什麼天大的錯呢？難道她眞的那麼壞，活該承受這一切嗎？她開始認爲自己一定是個壞蛋，才會遭遇到這些可怕的事情。

她再也哭不出來，即使她很想，也欲哭無淚。她再沒辦法哭泣了。

有許多時候，她認爲自己一定是死了。現在的瑪姬・蘿絲幾乎已經失去感覺，那時她就會用力捏捏自己、甚至咬自己看看。有一次，她還把手指咬到流血，她嘗了嘗自己溫熱的血，竟然有種美妙的詭異感覺。她似乎一輩子都得過這種黑暗的日子了。這裡的漆黑很像是密室裡的小房間，她……

突然之間，瑪姬・蘿絲聽見外頭有聲音。那個聲音究竟在說些什麼，她聽不清楚，所以沒辦法理解，不過她很確定那絕對是人聲。是那個老婦人嗎？一定是她！瑪姬・蘿絲很想呼叫，但是她又很怕那老女人。那女人嚇人的尖叫聲、威嚇的言語、沙啞的聲音，比媽媽不想給她看的恐怖電影還駭人，甚至比佛萊迪・克魯格（譯註：恐怖片《半夜鬼上床》裡的殺人魔）還要令人毛骨悚然。

那個聲音驟然停止，她再也聽不見任何聲響，即便她將耳朵緊壓著密室門也聽不到。那些聲音已經走了，他們要永遠將她留在那裡了。

她試著想大哭一場，然而一滴眼淚也流不出來。

就在此時，瑪姬・蘿絲尖叫起來，那個門突然打開，她被一道最迷人的光線刺得睜不開眼睛。

33

一月十一日的夜晚，蓋瑞・默菲正舒適而安全地躲在他的地下室裡。沒有人知道他在那裡，不過萬一愛管閒事的美希偶然間推開地下室的大門，他就會啪地一聲扭開他工作檯的燈。每件事他都想得很徹底，再一次展現了他精確計算的能力。

他開始沉迷在謀殺美希和羅妮的美好幻想中，然而時機還未成熟，他不會現在就動手。如同以往，他的想像力相當豐富，要殺死自己的家人本身就有某種程度的簡樸風格。其實他腦中編織的情節也沒太特別，不過效果肯定奇佳無比。凜冽的寒風呼嘯而過那個寧靜、傳統的鄉下社區。所有的家庭都做著最諷刺的一件事——門戶大鎖，**將一家人全都鎖在一起**。

接近午夜時分，他知道他人口簡單的家人沒有等他就先睡了。沒人想白費勁叫他去睡覺，他們才不在乎呢。他腦中響起一個沉悶的怒嚎聲，他需要大概半打的Nuprin（譯註：一種止痛藥劑）以暫時消除那種干擾聲。

或許放把火燒掉世紀大道上這個完美的小家庭好了。火燒屋對靈魂有益，他以前就幹過了，他要再來一遍。老天，他頭痛欲裂，彷彿有人拿球形鎯頭一直敲他的頭蓋骨似的。他的身體出了什麼狀況嗎？難不成他這次就要發瘋了？

他試著去想孤鷹——查爾斯・林白的故事，想藉此鎮定自己的情緒，不過那並不管用。他腦中幻想著他又回到霍普威爾交叉路口的農莊。沒有用，迷惑大腦的把戲已經太老套了。天曉得，他自己就是聞名世界的人物啊！**他現在已經成名了**。世界上每一個人都認識他。他是整個星系最炙手可熱的媒體寵兒。

最後，他走出地下室，然後離開位於威明頓的家，時候還很早，才剛過清晨五點半而已。當他踏出家門、走向座車時，覺得自己就像一頭突然間被放出鐵籠的野獸。

他駕著車一路駛回華府，那裡還有很多事要辦。他並不想讓他的觀衆失望，對吧？

他正想著要讓大家娛樂一下。**別對我太放鬆了**！

星期二早上十一點左右，蓋瑞・默菲在靠國會山莊邊緣、一棟日久彌新的磚式聯建住宅外面，輕輕按下前門門鈴。屋裡響起一陣優雅悅耳的叮噹聲。

危機四伏的緊張情勢、還有他再次造訪華盛頓的危險，帶給他一種暢快的顫慄感。這樣比躲躲藏藏好太多了。他覺得自己又活轉過來，終於能痛快呼吸、找回自己揮灑的舞臺。

薇薇安・金並沒取下鎖鍊，不過她還是把門打開了一呎左右。她從大門的窺孔就已經看到她熟悉的華盛頓 PEPCO 大衆能源服務公司的制服。

眞是位美麗的女士，蓋瑞回憶起他在華盛頓私立學校的點點滴滴。薇薇安留著一頭烏黑的辮子，有一個小巧可愛的朝天鼻。她顯然不認得他滿頭金髮、剃掉小鬍子、臉頰和下巴沒什麼肉的模樣。

「嗨？有什麼事嗎？我能幫你嗎？」她詢問那個站在她家門口的男子。屋子裡正播放著爵士樂，是瑟隆尼斯孟克（譯註：美國爵士樂史中非常著名的作曲家）的曲子。

「我但願正好相反。」他和藹地笑著。「有人打電話來，說您府上的電費被多收了。」

薇薇安・金皺著眉搖頭，她的脖子上掛著一張小小的韓國地圖。「我沒打電話給任何人啊，我並沒打給 PEPCO。」

「嗯，總之有人打給我們就是了，這位小姐。」

「你過些時候再來吧。」薇薇安・金回答他。「也許是我男朋友打的也不一定。很抱歉，你可能得再跑一趟了。」

蓋瑞聳聳肩，這簡直是太可笑了，他並不想就這樣罷手。「我想如果妳喜歡，妳也可以再打給我們沒錯，」他說，「只要再重新約時間就好了。只不過這可是關乎府上電費被超收的事情喔，妳多付了很多錢。」

「好吧，就聽你的，我瞭解了。」

薇薇安．金慢條斯理地取下鎖鍊，把門打開。蓋瑞一腳踏進公寓之後，立即從制服夾克取出一柄長獵刀。他將刀子指著老師的臉說，「妳別叫，**不准聲張**，薇薇安。」

「你怎麼會知道我的名字？」她問。「你是誰？」

「別大驚小怪的，薇薇安，沒什麼好怕的……這種事我很有經驗，我只不過是潛入妳家的尋常強盜罷了。」

「你想要什麼？」老師的身子開始顫抖起來。

蓋瑞想了一秒鐘，才回答她驚慌至極的問題，「我想要透過電視傳遞新的訊息，我想要得到我應有的名氣。」他終於說出來了。「我想要成爲全美最令人聞風喪膽的男人，那就是我之所以要在首都工作的理由。我是**蓋瑞**，妳不記得我了嗎？小薇？」

34

桑普生和我在國會山莊心臟地帶的第C街上奔馳著。我可以清楚聽見自己急速狂奔時，鼻下發出的厚重呼吸聲。我的手臂和大腿好像隨時就要解體了。

來自局裡的警車和救護車把整條街封得水洩不通，導致我們須得將車停在F街，然後奮力跑完最後幾條街。WJLA電視臺的工作人員和CNN新聞記者都已經抵達案發現場，警笛尖銳的呼嘯聲處處可聞。

我遠遠就望見前方有一群記者聚集在一起，他們已經發現桑普生和我正要走過去，我想我們大概會跟哈林親善籃球隊訪問東京時一樣，難逃被鎂光燈追逐的命運吧！

「克羅斯警探？克羅斯博士？」記者們大喊，想叫我們停下來。

「不予置評。」我揮揮手屏退他們。「我們兩個都不會發表意見的，把路讓開！」

進入薇薇安．金的寓所後，桑普生和我看見一張張熟悉的臉孔——有高科技專家、鑑識人員，還有帶妥配備的屍體處理小組。

「我不想再幹下去了，」桑普生說，「這世界盡充斥著這種人渣敗類，眞是夠了，即便見過再多大風大浪也承受不住。」

「我們是心力交瘁了。」我抿著嘴對他說，「而且是一塊兒心力交瘁。」

桑普生抓住我的手緊緊握著，那表示他目前的情緒非常混亂，我們就這樣攙著彼此，走進了玄關右手邊的第一間臥房。在房裡，我一直很努力想保持冷靜，不過我眞的做不到。

薇薇安．金的臥室布置得美輪美奐，牆壁上貼了許多精緻的黑白家庭照和藝術海報，其中有一面牆懸掛著一把古董小提琴。我實在很不願意目睹讓我趕來這裡的理由，但終究還是得面對現實。

薇薇安．金的身體被人用一把長獵刀釘在床上，刀子直穿破她的腹部。**她不但兩邊的乳房都被割下來，陰毛也被剃光**。她圓睜著雙眼，彷彿在她死前最後幾分鐘看見什麼令她無法置信的事。

我將視線游移到臥房其他地方，我實在無法凝神注視薇薇安．金那個支離破碎的屍體。我凝視著地板上一塊色彩斑斕的小角落，試著想調勻呼吸。一路上還沒有人對此案提到任何訊息，沒有人注意到這裡有一條最重要的線索。還好我們很幸運，沒有人把那個證據移走。

「過來看看這個。」我指出那件東西給桑普生看。

瑪姬．蘿絲．鄧尼的第二隻運動鞋，就躺在薇薇安．金的臥房地板上。這個殺手在命案現場留下病理學家稱之爲「唯美風格」的證物。這次他蓄意留給我們一個清楚的訊息——專屬於他的殺手記號。當我彎下身子去檢視小女孩的鞋子時，全身都在發顫。這是最殘忍的幽默手段，粉紅色的運動鞋和血淋淋的犯罪現場，創造出令人震驚的強烈對比。

蓋瑞．桑傑曾經在這間臥房裡，原來桑傑也是藍格立街的殺人魔頭。他就是我們要找的那個怪物，而且他已經回到城裡了。

35

蓋瑞．桑傑確實仍然在華盛頓，他還傳遞一個特別訊息給他的粉絲。除此之外，還有一個差別，那就是他同時也把我們玩弄於股掌間。桑普生和我取得了傑飛的特許授權：只要能證明綁架案和其他謀殺案有關聯，我們就能參與辦案。目前看來桑德斯、薇薇安．金的兇殺事件，和瑪姬．蘿絲．鄧尼的案情絕對扯得上關係。

「今天是咱們的休假日，所以我們一定要玩個盡興。」當我和桑普生步行在東南區的街上時，桑普生這麼對我說道。那天是一月十三日，寒風刺骨的一天。幾乎每條街角都有人在垃圾桶點火取暖。路上有個兄弟在他的後腦杓用剃刀剃上像是FUC U 2的字樣，不過那完全是我自己的觀感。

「蒙瑞市長沒再打電話來，也沒寫信給我。」我跟桑普生說。我凝神看著自己的呼吸在冰冷的空氣中吐出白煙來。

「你瞧，我吐出的氣有銀色的襯裡唷。」他呼著氣說。「等我們抓到那怪物，他自然就會出現的啦！他會來這裡代替我們接受衆人的歡呼。」

我們在大街上閒晃著，隨性地哈啦打屁。桑普生無聊地唸起流行音樂的歌詞來，他時常這樣。那天早上，他唸的是「重D音男孩樂團」的《既然愛了》：「讓我快轉、讓我快轉，你是我的小小金鳳花……」桑普生一直碎碎唸著，好像歌詞裡每句話都有道理似的。

我們兩個在薇薇安．金居住的社區進行挨家挨戶的訪問，她住的地方位於東南角邊緣。一家家叩訪鄰居是一件令人厭惡的工作，即使是年輕和經驗不夠的員警也會覺得無聊。「你昨天有瞧見任何不尋常的人或事嗎？」我們一一詢問任何願意爲我們開門的蠢人。「你有注意到任何陌生人、外來車輛，或任何你想到的怪事嗎？至於是否要緊讓我們決定就好。」

如同以往，沒有人發現半點異狀，我們一無所獲，也沒人歡喜見到我們；尤其當我們在東南區要求居民開門讓我們進去，更是遭到重重困難。

目前室外的風寒指數（譯註：風寒指數是指人在同樣氣溫、但是不同風速環境中，「感受」的溫度不同）大約只有三度吧！天開始下起冰冷的凍雨，街道和人行道都被層層融雪給蓋住了，我和桑普生有好幾次也加入街上人們靠垃圾桶熱火取暖的行列。

「去你他媽的條子總是在發冷，即使夏天也一樣。」一個年輕渾人對我們說，桑普生和我都笑了起來。

六點左右，我們終於在凜冽寒風中長途跋涉回我們的車子。我們被擊敗了，花了一整天，卻沒有半點發現。蓋瑞・桑傑再次消失在稀薄的空氣裡，我感覺自己好像在演恐怖電影。

「要不要再走個幾條街？」我問桑普生。我已經絕望到想去試大西洋城的吃角子老虎。桑傑在耍我們，或許此刻他就在暗地裡窺伺著我們，或許這個混蛋是隱形人？

桑普生猛搖著頭說：「**不要吧**，親愛的。我現在只想痛快喝它一箱啤酒，然後再好好喝上幾杯。」

桑普生把眼鏡上的霜抹掉，又重新戴回去。很奇怪，我居然會對桑普生的每個動作瞭若指掌。從他十二歲開始，不論是下雨或下雪，他就一直保持那樣擦拭眼鏡的習慣。

「再走幾條街吧！」我說。「爲了薇薇安小姐，這是我們至少能做的事。」

「我就知道你會這麼說。」

晚間約六點二十分，我和桑普生先後進入葵麗・麥白德太太的公寓。葵麗和她的朋友史考特太太一起坐在餐桌旁。史考特太太有一件她認爲可能對案情有幫助的事情要告訴我們。我們來這裡，就是想聽聽她的說法。

如果你曾在星期天早晨造訪過華盛頓東南區、費城北部或紐約的哈林區，就能看見類似麥白德太太以及她朋友威莉・玫・蘭道・史考特這樣的女士。這兩位太太穿著短衫、褪了色的長裙。通常她們身上還會配戴羽毛帽，以及一雙把她們的腳纏得像臘腸的厚跟綁帶鞋。她們穿梭在各式各樣的教堂，以威莉・玫來說好了，她是耶和華見證人協會的成員，所以她們時常會發送《瞭望臺雜誌》給信衆。

「我想我能幫你們。」史考特太太用一種溫暖而眞誠的聲音對我們說。她大概有八十歲了，不過講起話來依然專注而清楚。

「我們很感謝。」我說。我們四人圍著餐桌而坐，桌上放了一盤燕麥餅，專供客人享用。餐廳牆壁顯眼處掛了三幅相連的照片，其中兩張是被謀殺的甘迺迪，另一個人則是馬丁路德・金恩博士。

「我已經聽說老師被謀殺的事了。」史考特太太對桑普生和我說。「呃，在透納兇殺案發生前大約一個月，我曾看到一個男人駕著車在那社區四處閒晃，他是個白人。我很幸運到了這把年紀還有很好的記憶力，不管是什麼在我這雙眼前晃過，我都會集中注意力觀察，我就是這樣鍛鍊腦力的。我敢說從今天開始過了十年，我還是能清清楚楚記得我們之間的對話內容，警探。」

她的朋友麥白德太太把自己的椅子拉近史考特太太旁邊。起初她一句話也沒說，只是默默抓著史考特太太腫脹的手臂。

「是眞的，她眞的做得到。」葵麗・麥白德太太說話了。

「透納兇殺案發生前一個禮拜，同一個白人男子又混進社區來，」史考特太太繼續說道，「只不過第二次，他逐門逐戶跟鄰居推銷起來，他是個業務員。」

桑普生和我面面相覷。「是那一種業務員？」桑普生問她。

回答這個問題之前，史考特太太的眼神掃過桑普生的臉。我認爲她正在聚精會神地思考，以確定自己確實記得關於那個業務員的點點滴滴。「他銷售的是今年冬天的暖氣系統。我那時曾跑到他車子旁邊張望了一番。在他的車子前座放了某種業務報表。他的公司叫大西洋暖氣，是從德拉瓦州的威明頓來的。」

史考特太太逐一審視著每個人臉上的表情，想確定自己講的話夠清楚嗎，或是我們已經理解她剛才透露的訊息。

「昨天，我又看到同一輛車開進我們社區，而且C街女子被殺的那個早上，我也看到這輛車。我跟我這位朋友說，『這不可能是巧合吧，有可能嗎？』現在，我不知道他是否就是你們要找的人，但我想你們應該找他談談。」

桑普生瞧瞧我，然後我們倆做了一件近來很少做的事：我們開懷地笑了起來。即使是老太太們也被我們感染，臉上掛著笑逐顏開的微笑。我們終於找到線索，終於有了進展，這是偵辦此案以來首次的突破。

「我們會找那位巡迴業務員談談的。」我對史考特太太以及葵麗・麥白德太太拍胸脯保證說，「我們會跑一趟德拉瓦州的威明頓。」

36

蓋瑞・默菲隔天下午，也就是一月十四日的五點多回到家。途中他還順道去了一趟辦公室，就在威明頓市外圍不遠處。那裡只有幾個同事在，他打算完成一些沒用的文書工作。他必須再撐一下，暫時讓事況看起來不錯。

結果他滿腦子想的卻盡是更大的下手目標，還有他的偉大計畫。蓋瑞對堆在桌上那大批的帳單和發票，就是沒辦法認眞看待。他拾起一張張皺巴巴的客戶帳單，瞥著表單上的名字、金額和地址。

有誰會想耗腦力去鳥這些發票？他一個人想著。這眞是太小兒科、太愚蠢、太瑣碎了。這就是何以這份工作、還有德拉瓦州，會被他選來當做絕佳藏身所的原因了。

他在辦公室除了晃掉幾個小時之外，根本就一事無成。不過最少在回家的路上，他已經挑好要送給羅妮的禮物。他買給羅妮的，是一輛有絲帶的粉紅色腳踏車，另外還有一組芭比娃娃的夢幻屋。羅妮的生日派對預定六點鐘開始。

美希在門口迎接蓋瑞回家，給了他一個擁抱和親吻，美希本來就很擅長鼓舞別人。這次特別爲羅妮舉辦的派對讓她有一個思考的機會，她決定要繼續當蓋瑞的啦啦隊。

「很棒的一天唷！寶貝。我沒有哄妳，我已經安排好下個禮拜要拜訪三個家庭，算算看，是三家喔。」蓋瑞告訴美希。搞什麼鬼啊！只要他願意，他隨時可以變得魅力十足。**晶片先生來到德拉瓦州了**。

他跟著美希走進餐廳，她正忙著爲孩子的派對準備各種五顏六色的塑膠器皿和紙杯。美希已經在其中一面牆上懸掛了色彩鮮艷的布旗——是德拉瓦大學每逢足球賽必掛的那種。這面旗子上頭寫著：好樣兒的！羅妮——七歲的小女人！

「這眞是太天才了，甜心。妳總是有辦法妙手生輝，看起來好棒，」蓋瑞稱讚著美希說，「我們家的感覺愈來愈好了。」

事實上正好相反，此刻的他正開始陷入一點點的低潮。他已經感覺到自己的鬱悶之氣，很想去小睡一會兒。爲羅妮辦慶生會這個主意，突然間令他筋疲力盡。當他還是孩子時，根本就沒有人爲他辦過任何派對。

六點整，鄰居開始陸續抵達蓋瑞的家。這下可好了，他思考著，看來那些小孩眞的想來參加派對，他們都喜歡羅妮，他從孩子們的小汽球臉就可以看得出來。

其中有一些孩子的父母也特別過來參加生日會，他們是蓋瑞和美希的朋友。當美希帶著孩子們玩起各式各樣的遊戲——鴨鴨鵝、大風吹、驢尾巴，蓋瑞則在一旁盡責地扮演起酒保的角色。

每個人都玩得很盡興，他看著羅妮，她就像顆旋轉陀螺玩得很瘋。

蓋瑞的腦中再次幻想著——他殺了每個前來參加孩子生日派對的人。慶生會——不如說是孩子們的復活節尋蛋遊戲。這想法讓他覺得好受了一點。

37

那是一棟兩層樓高、白磚建材的屋子，周圍是一片茂密的樹林。現在那棟房子已經被重重車輛給包圍了：到處都是旅行車、吉普車，還有適合行走郊區的家庭房車。

「這裡**不可能**是他的住家。」當我們車子正要停在側邊小路時，桑普生不敢置信地說。「像那種怪物是不會住在這裡的，吉米．史都華（譯註：美國電影演員）才住這種地方啊！」

我們已經找到蓋瑞．桑傑了——不過感覺不太對勁。人魔的家居然是這樣一個完美的郊區美墅，它就像個薑餅屋，佇立於德拉瓦州威明頓市一條養工完善的街道上。我們跟華盛頓的史考特太太談完話還不到二十四小時，利用短短這段時間，就已經追蹤到位於威明頓的大西洋暖氣公司，也召集了最初的人質救援小組展開行動。

大部分的光線從屋子四周的窗戶投射出來。有一輛達美樂的外送卡車幾乎和我們同時間抵達。一個瘦削的金髮年輕人在他伸長的手臂上疊了四盒比薩，快速奔向蓋瑞家門口。那個外送人員收了錢後跳上車，卡車來無影去無蹤地迅速跑掉了。

看到這樣一個好社區、好房子，令我神經緊張起來，我甚至對接下來幾分鐘該怎麼反應更爲猶豫了。我不能理解爲什麼，桑傑總是能領先我們兩步。

「行動吧！」我對史考斯特別探員說道。「各位，就是這裡了，我們的目標是那混蛋的前門。」

我們九個人同時衝進屋裡——史考斯、雷利、克雷格、兩位聯邦調查局的人、桑普生、我、傑比．克萊勒，以及潔西．佛萊娜根。我們全都重度武裝，並且穿上了防彈衣。我們希望這次就能結束這一切惡夢，就是這裡、就是現在！

我往廚房直驅而入，史考斯和我是一起進去的，桑普生則落後我們一步，他看起來一點也不像參加派對遲到的鄰居老爸。

「你們是什麼人？這是怎麼回事？」當我們突然闖入時，廚櫃旁一個女人尖聲叫道。

「蓋瑞．默菲人在哪裡？」我大聲問著，同時亮出我的識別證。「我是艾利克斯．克羅斯，警察，我們來此處追查瑪姬．蘿絲．鄧尼的綁架案。」

「蓋瑞在餐廳，」另一名站在攪拌器旁邊的女人語音發顫地說，「往這邊走。」她用手指出方向。

我們跑過那條連接走廊，牆壁上掛著這一家人的照片，地板上則散落著還沒打開的生日禮物。我們已經拔出了左輪手槍待命。

這真是驚濤駭浪的一刻。我們看見孩子們、還有他們的父母都被嚇得魂不附體。這裡有太多無辜的人了——**就跟迪士尼那次一樣**，我思考著。**就跟華盛頓私立學校的情況一樣**。

蓋瑞．桑傑人並沒有在餐廳裡，這個屋子只有許多警察、戴著生日帽的孩子、寵物，以及目瞪口呆的爸媽。

「我想蓋瑞上樓去了。」其中一個父親說道。「這裡出什麼事了？究竟是怎麼回事？」

克雷格和雷利早就已經衝到通往前方玄關的樓梯。

「不在這裡！」雷利大吼道。

其中一個孩子說：「我想默菲先生到地下室去了，他做了什麼啊？」

克雷格、雷利和我三人又奔回廚房，衝下地下室。桑普生則負責上樓檢查。

地下室兩間小房間半個人影也沒有，只有一扇通到外面的板門，門是從外面鎖上的。

不久，桑普生一步做兩步地飛快下樓，說道：「樓上仔細搜過了，他不在那裡！」

蓋瑞・桑傑再次憑空消失了。

38

好啊！儘管放馬過來吧！咱就來點認真的，來場殊死鬥如何？蓋瑞一邊跑、一邊轉著腦袋。

打從十五、六歲起，他就已經構思好逃亡計畫。他知道所謂的當權者遲早有一天、會在某個地方、用某種手段找到他。這有什麼好大驚小怪的？他早就在腦袋裡、在精心編織的白日夢裡預見這一切了。唯一的問題是，他們什麼時候才會來找他？爲了什麼事來找他？爲了哪條罪名來找他？

現在他們終於來到威明頓的世紀大道了！轟動一時的逮捕行動將會在此畫下休止符嗎？或者，這一切只不過是個起頭而已？

從蓋瑞發現警察那刻起，他的反應就像一臺設好程式的機器般運轉起來。他幾乎不敢相信自己幻想已久的情節果眞發生了。只要你有一顆年輕的心，奇特的夢境眞的會實現。

他冷靜付了錢給外送比薩小子之後，立即奔下樓從地下室出去。他推開一扇特製的半掩門，逕自朝車庫走去，然後從外面把門重新鎖上。那裡另外有一個側門，門外是一條通往迪爾家後院的小巷子。他將那扇門也鎖上了。吉米・迪爾的雪靴就放在前門的階梯上，地面上白茫茫一片都是積雪，於是他穿走鄰居的靴子。

蓋瑞在他家和迪爾家之間遲疑片刻，考慮著是否要讓他們就在此時此刻擒獲他——就跟林白案的布魯諾．豪夫曼一樣的結局。他眞喜歡這個主意，不過現在還不行，他不能在這裡被捕。

下定決心之後，他順著房屋之間一排排的狹窄巷弄，展開逃亡之路。除了小朋友之外，是沒有人會行走在這種荒草蔓生、滿地汽水罐的小通道的。

他覺得自己的視線彷彿狹窄了起來，這一定跟他身體每一吋肌膚所感應到的顫慄有關係。蓋瑞也是會害怕的，他必須承認這一點。面對腎上腺素的自然反應吧，老兄。

他沿著往日的世紀大道狂奔，經過一個又一個院子，然後跑進唐寧公園的密林。一路上連個鬼影子也沒有。

只有他回頭一瞥的那一次，他看見他們闖入他家的景象，看見那個大個子的非洲黑人克羅斯和桑普生。這是一次高規格的逮捕行動，聯邦調查局精銳盡出。

現在的他馬力全開，全力衝向距離他家四條街的地鐵站，這是他通往費城、華盛頓、紐約以及外面世界的樞紐。

他肯定是在十秒內跑完這段路。他的體能狀況極佳，擁有強壯的大腿和手臂，以及像洗衣板一樣平坦的小腹。

地鐵站旁停了一輛舊的福斯，事實上那輛車永遠停在那裡——從他邪惡的青少年時期開始，福斯就一直是他最忠實的夥伴。說得溫和一點，這輛車是他「過去犯罪的陪襯」，還有剛好足夠的電力可以跑。是尋找更多樂子、更多競賽的時候了，林白之子再次出擊。

39

桑普生和我過了晚上十一點仍然待在默菲的家。媒體記者也蜂擁而至，群聚在屋外亮黃色的封鎖線後面。除此之外，現場還有好幾百位來自威明頓社區的友人鄰居佇足圍觀。這個小鎮的夜晚從來沒這麼熱鬧過。

另一個大規模的逮捕行動已經沿著東海岸展開，向西一路延伸到賓州和俄亥俄州。蓋瑞・桑傑／默菲似乎是插翅也難飛了，我們不相信他這次還有本事依樣畫葫蘆，跟華盛頓那次一樣能預先計畫他的逃亡之路。

在我們抵達威明頓社區幾分鐘之前，生日派對中有個孩子發現一輛本地巡邏車在門口駛過。小男孩無意中指出那輛警車給默菲先生看，他竟然就這麼好狗運地逃掉了！我們最多只有幾分鐘之差，就錯失掉逮捕他的機會。

桑普生和我訊問美希・默菲已經超過一個小時了，我們終於有機會能揭開桑傑／默菲的眞面目。

美希・默菲很像華盛頓私立學校的孩子母親。金色的頭髮上點綴著簡單樸素的髮飾。她穿了一件海軍裙、白短衫，頭上戴著一頂硬式草帽。雖然身材稍微胖了一點，但看起來很漂亮。

「你們似乎沒人願意相信，但是我瞭解蓋瑞，我知道他的爲人。」她告訴我們。「他不是你們要找的綁匪。」

當美希跟我們說話時，她一直不斷抽著萬寶路淡菸，那是唯一洩露她的焦慮和痛苦的肢體語言。我們是在廚房跟默菲太太交談的，即使這天舉辦了派對，她的廚房依然保持得整潔有秩序。我注意到廚櫃上堆放了幾本烹飪書，有《銀色味覺》、《貝蒂庫克》等，另外還有一本《勞碌女的沉思》。冰箱上貼了一張蓋瑞．桑傑／默菲穿著浴袍的照片，他看起來跟一般的美國父親沒什麼兩樣。

「蓋瑞不是暴力分子，他甚至連羅妮都不忍心責罰。」美希．默菲跟我們娓娓道來。這倒奇了，這符合我研究多年的**鐘形曲線模式：反社會者及其子女之研究報告**。社會病態者通常都有管教子女的障礙。

「蓋瑞有告訴過妳**為什麼**他沒辦法管教你們的女兒嗎？」我問她。

「蓋瑞自己的童年並不快樂，所以他只希望能給羅妮最好的。他知道這是一種補償心理，他是個非常聰明的人，他很輕鬆就取得了數學博士的學位。」

「蓋瑞是在威明頓本地長大的嗎？」桑普生詢問美希，當他跟女人說話時，聲音總是格外溫柔。

「不，他是在紐澤西州的普林斯頓長大的。蓋瑞十九歲以前都一直住在那裡。」

桑普生草草記下筆記，朝我這邊瞥了一眼。普林斯頓臨近霍普威爾，也就是一九三〇年代林白綁架案的案發地點。**林白之子**，桑傑曾在要求贖金的傳眞信上這樣署名，只是至今我們仍然不明白爲什麼。

「他的家人還待在普林斯頓嗎？」我詢問美希．默菲。「我們可以在那裡聯繫上他們嗎？」

「他現在並沒有家人。有一天蓋瑞去上課，一把火吞噬掉他的家，蓋瑞的繼母、生父，還有他同父異母的弟妹，全都在那場災難中死光了。」

我眞想深入探查美希・默菲說的每一句話，不過我暫時忍住不作聲。一個困惑的年輕人家中發生大火？殺死另一個家庭、摧毀另一個家庭，那就是蓋瑞・桑傑／默菲眞正的目標嗎？家庭？如果是這樣，那薇薇安・金又怎麼說呢？難道他只是爲了炫耀而殺她嗎？

「妳認識他的家人嗎？」我問美希。

「不認識。蓋瑞和我在一起之前，他們就死了。我們倆是大四的時候相遇的，我原本就是德拉瓦州人。」

「妳先生有跟妳說過他在普林斯頓那幾年的事嗎？」

「沒說過多少，他很多事都藏在心裡。我知道默菲家就住在離城裡幾英里遠的地方，離他們最近的鄰居有兩、三哩遠。蓋瑞直到上了學才開始交朋友，即便是就學以後，他依然經常一個人外出，他是個極端害羞的人。」

「妳剛提到他的弟妹，他們怎麼樣？」桑普生問起。

「其實，他們是蓋瑞同父異母的弟弟和妹妹，這個問題一直困擾著蓋瑞，蓋瑞跟他們並不親近。」

「他有跟妳提過林白綁架案嗎？或者他有任何跟林白有關的書籍嗎？」桑普生繼續追問，他問話採取一問一答、緊迫盯人的招式。

美希．默菲來回搖著頭說：「沒有，至少就我所知是如此。地下室有一間房間堆滿了他的書，你們可以去看看。」

「嗯，我們會的。」桑普生回答。

我們在這個地方找到了相當豐富的偵查資料，尤其聽到美希講的一席話更是讓我鬆了一口氣。今天以前，可供我們繼續追查的線索根本就少之又少。

「他的生母還在世嗎？」我問她。

「我不清楚。蓋瑞就是不肯談他母親的事，他一點也不想提到她。」

「他的繼母是怎麼樣的人？」

「蓋瑞並不喜歡他繼母，那女人很顯然只寵她自己的小孩。他都稱呼她『巴比倫妓女』，我猜想她原本可能是紐約的西巴比倫人，那應該是在長島的某個地方吧！」

經過幾個月的資訊乾旱，突然間要我將心中疑問一股腦兒拋出，還眞沒辦法太快。到目前我所聽到的每件事都是可以追蹤的。一個重要的問題隱約在我腦海浮起：蓋瑞．桑傑／默菲對他太太說的是實話嗎？他有可能對其他人說實話嗎？

「默菲太太，妳知道他可能去了哪裡嗎？」我問道。

「最近有件事眞的嚇壞了蓋瑞，」她說，「我認爲那也許跟他的工作、跟我哥哥——也就是他的老闆，多少有關係。我無法想像他會回紐澤西州的家，不過這個可能性也是有的。或許蓋瑞回老家了，他是個容易衝動行事的人。」

一位聯邦調查局探員，馬克斯．康諾，朝我們說話的廚房偷瞄了一眼。「我能借用兩位一分鐘嗎……很抱歉，只要一分鐘就好了，」他後面那句話是對默菲太太說的。

康諾陪同我們走下這棟屋子的地下室。聯邦調查局的傑瑞・史考斯、雷利和凱爾・克雷格早已經在那邊候著我們了。

史考斯手上抓著一對Fido Dido半筒襪，據描述，瑪姬・蘿絲・鄧尼被綁架那天就是穿著這雙襪子。還有，我去查訪小女孩的房間時，我看過瑪姬的衣飾收藏品中就有這種襪子。

「你有什麼看法，艾利克斯？」史考斯問我。我注意到，每次有怪事發生時，史考斯就會徵詢我的意見。

「就跟我在華盛頓對那隻粉紅鞋發表過的看法一樣。我認爲蓋瑞是故意要把襪子留給我們的。他現在正在玩遊戲，他希望我們加入陪他一起玩。」

40

位於威明頓市中心的老杜邦會館是個補眠的方便好所在，裡頭有一間宜人的安靜酒吧，桑普生和我原本打算在這兒獨自小酌一番，沒想到我們居然來了伴。當潔西・佛萊娜根、傑比・克萊勒和幾位聯邦調查局探員，要加入我們一起喝兩杯時，我們可眞是大吃一驚。

經過與蓋瑞・桑傑／默菲陰錯陽差的逮捕行動之後，我們全都感到疲倦而挫折。沒多久，我們肚裡已經灌下許多烈酒。事實上，大夥相談甚歡，頗有「團隊」的氣氛。我們大聲嬉鬧、玩大老二，那天晚上就這麼在時髦的德拉瓦室大肆喧嘩了一番。桑普生和潔西・佛萊娜根聊了一會兒，他也認爲她是名好警察。

我們的瘋狂酒宴總算到了尾聲，大家搖搖晃晃地各自找房間，我們的房間分散在占地遼闊的杜邦會館四周。

傑比．克萊勒、潔西和我，沿著鋪設厚毯子的樓梯走到二樓和三樓。半夜兩點四十五分的杜邦會館有種陰森森的感覺。整個威明頓市的主幹道上一輛車也沒有。

克萊勒的房間在二樓。「我要來看幾支幫助消化的A片，」我們準備各自回房時，他這麼說道，「好幫助我更容易入眠。」

「祝你有個甜蜜的好夢囉。」潔西說。「七點在大廳見。」

克萊勒呻吟了一聲，步履蹣跚地沿著長廊走回他房間。潔西和我則繼續爬著迂迴的樓梯向三樓走去。這裡安靜到連外面的號誌燈從綠燈、黃燈、切換到紅燈的聲音都清晰可聞。

「我還是很受傷，」我對潔西說，「到現在彷彿還能**看見**，桑傑／默菲，他的兩張臉，就在眼前，清清楚楚地印在我腦袋裡。」

「其實我也睡不著，我天生就是個夜貓子。如果你現在是在家裡，而不是在這的話，你會做什麼？」潔西問我。

「我大概會去彈放在我們家門口的那臺鋼琴，然後用一點小藍調把鄰居吵醒。」

潔西朗聲笑了起來。「我們可以回去剛才的德拉瓦室啊！那裡有一臺舊的直立式鋼琴，應該是屬於杜邦會館某個員工所有。你彈彈曲子，我可以再喝一杯。」

「我們離開後大概十秒，酒保就閃人囉，他此刻早就在床上呼呼大睡了。」

說著說著，我們已經抵達杜邦會館的三樓。走廊上有一個小轉彎，牆上華麗的指示牌列著房號和方向。有一些房客把鞋子放在門外，準備給工作人員拿去擦亮。

「我的房間號碼是三一一。」潔西從夾克口袋取出一張白色的卡式鑰匙。

「我在三三四。是該睡了，明天早晨要精神抖擻地起床。」

潔西微笑著凝視我的眼睛。這是第一次我印象中，我們兩人相對無語的一刻。

我將潔西擁到懷裡，輕輕摟著她，我們在廊上親吻了起來。我已經很久，沒有那樣吻過任何人了。事實上，我並不是很確定是誰先開始的。

「妳好美。」我們的唇瓣分開後，我輕聲說道。這句話就這樣不經意地溜了出來，它並不是我最好的詞藻，不過卻是事實。

潔西笑著搖搖頭說：「我的唇太厚太大了。我看起來就像小孩子臉朝下被壓在地板上，嘴唇變闊那種樣子。你長得才好看呢！你跟拳王穆罕默德·阿里長得好像喔！」

「那是當然囉，不過是像他吃了很多拳之後。」

「或許是有幾拳啦，那樣的你更有個性，而且被海K的次數還恰到好處喔！你的笑容也很迷人，爲我笑一個吧，艾利克斯。」

我再次吻了她豐滿圓潤的雙唇，它們眞是完美無缺。

不論是黑人男子渴望白人女性、或是有些白人女子希望嘗試性地和黑人男性交往，都存在著許多迷思。潔西·佛萊娜根是個冰雪聰明、魅力十足的女人，她是我能夠交談、我盼望她在身邊的那個人。

凌晨三點鐘，我們就這樣情不自禁地依偎在彼此的懷裡。我們兩個都喝得有點多，卻又不會太多。我們之間沒有迷思，只有兩個孤單的人，在我們生命中一個奇妙非常的夜裡，一起來到一個陌生的城鎮。

那時的我好想被人擁抱，我想潔西的心思也同我一般，她的眼神溫柔而自在。不過那晚也同時交織著一種脆弱的情緒。潔西的眼角布滿了小小的紅色血絲，或許她也跟我一樣，腦海裡仍然有桑傑／默菲的影子吧！這次我們只差一點點就能抓到他，就只落後了半步的差距而已。

我用不同以往的眼神端詳著潔西的臉龐，從未想過自己會有這樣的反應。我將手指輕撫著她的臉頰，她的肌膚柔軟而光滑，而她的金髮在我的指間就像絲一般柔軟。她身上有股像花一樣的微微香氣。

此時我腦中突然浮現一句話：**對於你無法收尾的事，千萬別讓它開始**。

「嗯，艾利克斯？」潔西揚了揚眉毛，輕喚著我。「這是個棘手的問題，對嗎？」

「像我們倆這麼聰明的警察，一點困擾也沒有啊。」我對她說。

我們在杜邦會館的長廊輕輕拐個彎，向左轉逕自往三一一號房而去。

「也許我們應該再深思熟慮一番。」走著走著，我說道。

「也許我早就仔細想過了。」潔西低聲回應我。

41

凌晨一點半，蓋瑞・桑傑／默菲從維吉尼亞州雷斯頓市的「六號汽車旅館」踱步而出。他正瞧著自己投射在玻璃門上的樣子。

鏡裡一個全新的蓋瑞——當天的蓋瑞——也回瞪回去：黑色的龐帕多髮型、骯髒的大鬍子、灰撲撲的莊稼漢打扮。他知道他能勝任這個角色，只需再加上老南方口音就行了。反正只要有需要，他就能隨心所欲地變換角色。等著瞧，用不了多久，所有人都將震驚不已。

蓋瑞跳進他那輛破舊的福斯，發動引擎上路去。此刻的他已經陷入完全的興奮狀態，他愛上這個計畫的程度，遠勝於他愛自己的生活。他再也分不清這兩種角色的差異，這就是整場冒險遊戲最大膽的部分，眞是太令人亢奮了！

爲什麼自己會加速行動呢？他逐漸陷入沉思，不禁對此感到好奇起來。難道就只是因爲全美出動了一半的警力和聯邦調查局的混蛋在找他嗎？

或者是因爲他綁架了兩個有錢人家的千金寶貝、而其中那個小少爺還死掉的關係呢？另外那個大小姐——瑪姬・蘿絲怎樣了呢？他甚至不想去思考那個問題——不想去回想眞正發生在她身上的事情。

漆黑的夜色慢慢轉成柔和的灰色天鵝絨，他拚命壓抑著內心的衝動，免得自己爆炸。當他駛過賓州的約翰城時，一抹橘黃色的曙光終於出現了。

他在約翰城一間 7-11 前停車，下車活絡筋骨，順便從福斯金龜車搖搖欲墜的側視鏡檢查一下自己的儀容。

鏡子裡有一個邋遢的鄉下工人正瞪著他瞧，他是百分百變身的蓋瑞。現在的他一副鄉巴佬的調調，還故意學牛仔像被馬踢到似的走路模樣；他時而將雙手插在口袋裡，時而用大姆指摸摸腰帶。現在的他，無時無刻都在用手梳著頭髮，只要一逮住機會，就會隨地吐痰。

他走進便利商店，拿了一罐高濃度的咖啡，這眞是可疑的舉動，還買了一塊栗子蓉加奶油的蛋糕。那天的早報都還沒上架。

一個沉默寡言、神情高傲的女店員在店裡等著他結帳。他眞想揮拳痛扁她。他花了五分鐘幻想自己從這間無名小鎭的7-11擄走她的情節。

甜心，脫掉妳那件小女學生的白色上衣吧！先將短衫退到妳的腰際處。好，現在我或許會殺死妳，不過，也或許不會。說些妳大爺我中聽的話，求我放了妳一馬啊！妳幾歲來著——二十一？二十？妳可以用年紀來打動我看看，就說妳還太年輕、還有很多夢想沒實現，所以不能死在7-11。

蓋瑞最後決定讓她活下來，令人驚奇的是，她一點也不知道自己離鬼門關有多近。

「祝你有個愉快的一天，請再度光臨。」她說。

「妳最好祈禱我不要再來。」

當蓋瑞・桑傑／默菲駛上二十二號公路時，他開始放任自己比往常憤怒起來，他已經好久沒這麼生氣了。他已經受夠多愁善感這種爛個性，這樣的他根本就不會有人注意——原本應得的關注眼光，一點兒也得不到。

那群大笨蛋和無能的傢伙，自以爲有機會阻止他嗎？以爲憑他們的三腳貓功夫就能抓到他嗎？以爲能讓他被全國電視臺拍到嗎？是時候教訓他們一下了；也是時候向世人展現什麼才叫眞正的偉大：那就是當全世界都預期你會左轉時，就偏偏給它來個意料之外的右轉。

蓋瑞・桑傑／默菲在賓州威京斯堡的一家麥當勞靠邊停車。每個年齡層的小孩都喜歡麥當勞，對吧？因爲這裡有食物、死黨和嬉鬧。蓋瑞的計畫仍舊照表進行中，這種事對「壞男孩」來說可是相當在行的——他甚至連你的進度都可以幫忙監督得完美無缺。

午餐時刻，一群吱吱喳喳的笨蛋和裝死的人潮跟往常一樣，在麥當勞餐廳進進出出。這些人一成不變地來此進行每日一次的覓食，狼吞虎嚥地啃著大漢堡和油膩膩的炸薯條。

有一首老歌叫什麼名字來著——描述美國各式各樣殭屍的那首？《行屍走肉》嗎？還是《殭屍漫步》呢？歌詞講到美國本土數以百萬的行屍走肉之類的，這數量簡直太低估了嘛！

難不成他是世上唯一一個有這種潛能的活人嗎？桑傑／默菲納悶著，不過看起來眞該死，確是如此。再沒有別人跟他一樣特別了，至少截至目前爲止，尙未碰過一個像他這樣天賦異稟的人。

他推門進入供應過上千萬兆個麥香堡、而且這個數字還天天在創新高的麥當勞餐廳。女人成群結隊地上門光顧，手邊還牽著她們的寶貝孩子。這些築巢者，平凡無趣的人，有著愚蠢而下垂乳房的呆頭鵝。

一尊六呎來高、手上拿著硬幣圖樣的餅乾讓小朋友取用的麥當勞叔叔也在那裡。這可眞是個大日子啊！麥當勞叔叔遇見晶片先生！

蓋瑞買完兩杯黑咖啡之後，轉身走過大排長龍的人潮。他覺得自己的腦袋隨時就要炸開了。他的臉和脖子漲得通紅，用力換著氣，他的喉嚨乾涸，身體熱得汗水淋漓。

「先生，你還好吧？」站在結帳檯後面的女孩問道。

他根本就不想回答她。**你在跟我說話嗎？**勞勃．狄尼諾對吧？他是另一個勞勃．狄尼諾——這點無庸置疑——只不過他比勞勃．狄尼諾的演技更好，戲路更寬廣。狄尼諾從來沒像他一樣懂得把握良機。勞勃．狄尼諾、達斯汀霍夫曼、艾爾帕西諾——在他看來，這些影帝全都沒有人有抓住機會，讓自己的天分充分發揮。

太多思緒和想法衝擊著他，扭曲著他的大腦。他覺得自己似乎正在一片滿溢著光粒子、光子和中子的海洋裡漂浮著。如果這些愚夫愚婦花個十秒鐘進去他的大腦瞧瞧，他們肯定會大吃一驚。

當他準備離開麥當勞的點餐櫃檯時，他故意去撞隊伍裡的人潮。

「唉呀，眞對——不住啦。」他拍拍屁股，若無其事地說。

「喂！這位先生，拜託你走路小心點！」人群中有個人對他說道。

「你自己才給我小心點，你這個混帳東西。」桑傑／默菲停下腳步，對那個被他撞到的禿頭鄉下人戳指罵道。「我要怎麼做才能得到一點尊重？射穿你的右眼球嗎？」

他將手上那兩杯熱咖啡潑在餐廳四處，潑在任何擋住他路的人身上，潑在廉價的富美家餐桌上。如果他眞的想，他也會把它潑在牆壁上。

蓋瑞．桑傑／默菲從他的風衣下襬處取出一枝扁式的左輪手槍，夠了，是該喚醒美國人的時候了，他要為現場所有的小朋友和媽咪來一場特別的表演。

所有人都睜大了眼睛看著他：槍！他們全都意會過來。

「他媽的給我醒醒！」他在麥當勞餐廳裡咆哮著。「這是**熱騰騰**的咖啡！各位！我要潑過去了，給我醒醒！聞聞咖啡的味道！」

「那男人有槍！」一名正在享用美味多汁大麥克的飛彈科學家向眾人喊道。他面前的漢堡正升起一縷裊裊油煙，科學家居然能一眼識破障眼的油煙，瞧見蓋瑞手上的槍，這還眞是神奇。

蓋瑞拔出左輪手槍，轉身面對眾人。「誰都休想離開這裡！」他大聲喝道。

「你們現在醒過來了嗎？**你們這些人清醒了沒？**」蓋瑞・桑傑／默菲吼著。「我想應該都醒了吧，現在開始，你們全都是我計畫的一部分。」

「我子彈已經上了膛！每個人都給我停下來，睜大眼睛看著，聽我的指示。」

蓋瑞朝一個正大口嚼著漢堡的顧客臉上射了一發子彈，那男客人緊緊抓住額頭，從他的座位上重重摔下來，然後倒泊在地板上。這麼一來，才能夠引起大家的注意。這可是如假包換的手槍、子彈，和人命。

一個黑女人尖叫起來，想逃離桑傑的身邊，他對準那女人的頭部開了一槍。這個動作可眞酷啊，他自己在想，就跟史蒂芬席格電影裡那些鬼情節一樣的酷。

「**我是蓋瑞・桑傑！**我就是他本人。聽了有沒有如雷貫耳，讓你們興奮起來呢？站在你們面前的，正是世界聞名的綁匪。今天你們有幸親眼看到免費的示範演出，所以睜大眼睛看仔細了。你們有機會學到東西的。蓋瑞．桑傑見多識廣，他看過你們窮畢生之力也未曾見識過的事情，這點你們絕對可以相信我。」

他將最後一小口麥當勞咖啡一飲而盡，然後透過杯緣看著那些速食店的粉絲因害怕而發抖的蠢模樣。

「現在的情勢，」他最後正色說道，「就是他們口中所謂的危險人質場面。麥當勞叔叔已經被綁架了，各位。你們也將正式成為這段歷史的一部分。」

42

當槍響從餐廳傳出時，州警米克．費斯科和巴比．哈特福正要推門進去麥當勞。槍響？在麥當勞的午餐時間？裡面在搞什麼鬼啊！

費斯科的身材高大魁梧，今年四十四歲；哈特福比他小了將近二十歲，他才剛擔任州警職務一年左右的時間。雖然這對警官拍擋年齡差距甚多，他們卻都能意會彼此的黑色幽默感，這一老一小的州警早就成為關係密切的好朋友。

「媽的。」當麥當勞內傳來爆破聲時，哈特福輕輕咒罵了一聲。說完他立即擺出很久以前學到的射擊蹲伏姿勢，他從來就不曾眞正有機會將那套訓練派上用場。

「聽我說，巴比……」費斯科對哈特福叮囑道。

「別擔心，我在聽。」

「你到那邊的出口去。」費斯科手指向靠近結帳櫃檯的一處出口說：「我會繞到左邊，你再伺機而動。」

「在我貼近他之前，你先不要行動。待我走近他之後，如果你有清楚的射程，就直接開槍，別想太多，扣扳機就對了，巴比。」

巴比．哈特福點點頭說：「我瞭解你的意思。」說完這對拍擋開始分頭行事。

當米克．費斯科警官在麥當勞外頭繞道奔跑時，他幾乎無法呼吸。他將身子緊靠在磚牆上，用背部輕輕貼著。好幾個月來，他一直告誡自己要趕緊讓身體恢復健康的狀態。才跑一小段路，他已經氣喘連連了。他覺得有些暈眩，這本來應該是可以避免的。頭昏眼花，還要跟一個瘋子大玩《日正當中》的遊戲，這兩者加起來可一點也不有趣。

米克．費斯科一步步往門口靠近，他可以聽見那狂人在裡頭咆哮的聲音。

不過，有件事很古怪，感覺上那瘋人好像是個遠端搖控的玩偶，他的一舉一動是斷斷續續的。他的聲音很尖銳，就像個小男孩似的。

「我是**蓋瑞．桑傑**，你們都聽清楚了嗎？我就是那個男人。可以說是**你們發現我**的，你們全都是大英雄。」

這有可能嗎？當費斯科在門口豎耳細聽時，他不禁大感驚奇起來。那個惡貫滿盈的綁匪**桑傑**，出現在威京斯堡？姑且別管他是誰，那傢伙絕對持有槍械。裡面已經有一個人被射傷了，一個男人呈大字形癱倒在地，一動也不動。

就在這時，費斯科又聽見另一聲槍響。駭人心魄的尖厲叫聲從擁擠的麥當勞餐廳裡發出迴響。

「你得做些什麼啊！」一個穿著淺綠色海豚毛皮外套的男人，對那名州警大聲嚷道。**你告訴我怎麼做啊？**米克．費斯科警官喃喃自語地咕噥著。人們總是不把警察的性命放在眼裡。要死你先死，警官，你每個月領兩千五百美元的薪俸，就是該一馬當先不是嗎？

米克．費斯科試著想調勻氣息。呼吸順暢之後，他邁步走到玻璃門口，他在心中默默禱告了一聲，然後推開玻璃門走進去。

他一眼就看見那個持槍歹徒，一個白人，已經轉過身面對他，**彷彿那個瘋子早就在等他出現，彷彿他早就計畫好這一切了**。

「砰！」蓋瑞．桑傑大聲吼著，與此同時，他也扣動了扳機。

43

昨晚我們之中沒有人睡超過兩個小時，有些人甚至睡得更少。當我們行駛在國道二十二號公路時，車上的我們都感到無力而不適。蓋瑞．桑傑／默菲曾經在我們目前所在地以南被人「目擊」過好幾次，他現在已經成爲半數美國人心目中的大魔頭，我知道他非常喜愛這個角色。

潔西．佛萊娜根、傑比．克萊勒、桑普生和我，共乘一部藍色的林肯轎車。桑普生試著想多睡一會兒，我則被大家指派負責第一輪的駕駛。

當一通緊急電話在中午從無線電對講機傳進來時，我們正要經過賓州的穆利鎮。

「各單位聽著，我們遇上多重槍擊事件！」負責發送訊息的調度員在無線電的干擾聲中用恐慌的語氣說著。「一個自稱是蓋瑞．桑傑的男人，已經在威京斯堡的麥當勞射殺了至少兩個人。目前所知，餐廳裡最少有六十名人質被他挾持在裡面。」

不到三十分鐘，我們隨即抵達賓州威京斯堡的案發現場。桑普生感到厭惡而詫異地搖搖頭說：「這混蛋是不是很懂得該怎麼舉行派對之類的？」

「他是想了結自己的性命嗎？這次他準備要自殺嗎？」潔西．佛萊娜根很想知道。

「我對他的所做所為並不感到意外，麥當勞符合他的行事風格。你們想想那些小朋友，就跟學校、還有迪士尼樂園的孩子一樣天真無辜。」我對大家說。

我可以看見麥當勞餐廳的對街、Kmart超市的屋頂上，重重警力或狙擊手都已經部署妥當，他們手上握著威力十足的來福槍，槍口方向對準了麥當勞前窗的金色拱門。

「這感覺真像幾年前麥當勞的大屠殺事件，發生在南加州那次。」我對桑普生和潔西說。

「別這麼說，」潔西輕聲說道，「不要開這種玩笑。」

「我是很認真的，並沒有在開玩笑。」

我們火速朝麥當勞的方向趕去，發生這起事件之後，我們益發不希望桑傑被亂槍射死。

我們的攻堅行動都被拍攝下來了，到處都是並排停車的電視臺採訪車，連全國最大的三大電視網記者也都齊集於此，他們將現場的一舉一動或對話內容，全都一一獵入鏡頭。本次案發現場的混亂程度，是我所見過最不堪的一次。這起事件確實令我回想起發生在加州的麥當勞大屠殺：當時一個叫做詹姆士．休伯提的瘋男人，發狂殺了那裡二十一個人。那就是桑傑／默菲想要引導我們去思考的方向嗎？

這時，一個聯邦調查局的區域指揮官朝我們奔近，那人是凱爾．克雷格，他本來一直待在威明頓的默菲家。

「我們不能確定裡面那個人就是桑傑。」他說。「這傢伙的打扮像個農夫，黑頭髮、大鬍子，自稱是桑傑，不過很有可能只不過是另一個瘋子。」

「讓我去看看。」我對克雷格說。「在佛羅里達時他曾指定我送贖金，他知道我是名心理學家，或許我可以跟他談談。」

在克雷格回覆我之前，我早就掠過他，逕自往餐廳去了。我緩緩移動步伐，經過蹲伏在側門附近的一個州警和幾個本地警察旁邊，一步步朝門口靠近。我向他們亮出我的警徽，並說明我是從華盛頓來的。此刻麥當勞裡面一片鴉雀無聲，我的任務是跟他談話，讓他回復人性，引導他不去想自殺的事情，同時絕對不能讓他在麥當勞裡情緒失控。

「他目前還有理智嗎？」我詢問蹲在門口的州警。「他講話是否條理分明？」

那個州警很年輕，目光呆滯。「他射殺了我的夥伴，我想我的搭擋已經死了。」州警向我陳述。「老天，這是什麼世界啊！」

「別擔心，我們會儘快進去救你的夥伴，」我告訴那州警。「那個持槍男人說話是否還有理智？邏輯清楚？」

「他說他是來自華府的綁匪，你可以聽懂他在說什麼。他一直在自誇自擂，說什麼他想成爲大人物之類的話。」

麥當勞裡面有六十名以上的人質性命握在那名持槍歹徒手上。現在裡頭寂靜無聲。那人是桑傑／默菲嗎？確實很符合他的風格：小孩與母親，以及棘手的人質危機。我想起掛在他浴室牆上的那些照片，透露出他不想當孤苦無依的小男孩，而想成爲被風光拍照的名人。

「桑傑！」我大聲呼喚他。「你是蓋瑞．桑傑嗎？」

「你是什麼人？」裡面立刻傳回一陣叫嚷。「誰會想鳥你？」

「我是華盛頓的艾利克斯．克羅斯警探。我想你很瞭解最近人質救援小組的一舉一動，我們不會跟你進行談判，所以接下來會發生什麼事你都知道的。」

「我知道**所有的**遊戲規則，克羅斯警探。那早就是公開的資訊了，不是嗎？不過那些規則不見得每次都管用。」蓋瑞．桑傑叫囂回來。「你們要的那些把戲對我根本沒用，永遠也不會有用。」

「**在這裡是有用的**，」我很堅定地說，「你可以賭上性命相信我。」

「你願意賭上這些人的性命嗎，警探？我還知道另一條規則，讓女人和小孩先走！你聽懂了沒？女人和小孩對我來說有特別的意義，我不會放他們走的。」

我不喜歡他的聲音，不喜歡他現在所說的話。

我需要讓桑傑明白，不論在任何情況下，他都不可能揮揮衣袖走人的。我們不會和他談判。如果他再次發動攻擊，我們會立刻擊斃他。我想起另一次曾參與過的類似劫持事件，只不過桑傑比之前的殺手複雜得多，也聰明得多。他的口氣聽起來彷彿在告訴我們：他一點也沒有損失。

「我不希望任何人受傷！我不希望你受傷。」我用清楚而堅定的語氣對他說。我開始汗流浹背起來，我可以感覺我的夾克內裡、還有我的身體全都濕了。

「那眞是非常感人，你剛才那番話讓我很感動，我的心跳剛剛漏了一拍，是眞的。」桑傑說。

我們的交談在倉促間已經變成兩人間的對話。

「你明白我的意思，蓋瑞。」我的口氣緩和起來，我將他當成一個受到驚嚇、嚴重焦慮的心理病人看待。

「我當然明白，艾利克斯。」

「外面有很多人身上有槍，萬一局勢一發不可收拾，沒有人能控制他們的行動，我不能，你也不能。如此一來，就可能會發生意外，我們都不想那樣。」

裡面又安靜了下來。我的心砰砰亂跳，擔心桑傑會不會舉槍自盡？在此結束生命？或者他會選擇大舉掃射，和我們開火交戰，作爲他最後的瘋狂成名代表作？如果是那樣，我們就永遠無法得知他最初的犯案動機；瑪姬·蘿絲·鄧尼的生死行蹤也將永遠成謎。

「嗨，克羅斯警探。」

突然間，他走到了門口，離我五呎左右的距離。**那個人魔就在我面前**。屋頂上有人開了火，桑傑猛然倒地、緊抓著肩膀，他被其中一個狙擊手射中了。

我迅速躍上前，用兩隻手臂抓住桑傑。我的右肩頂住他的胸膛，我想就連勞倫斯・泰勒也沒施過比我此刻更牢固的擒拿手。

我們一起跌落到混凝土上，此刻我一點也不想讓任何人開槍射死他。我必須跟他談談，我們必須找到瑪姬・蘿絲。

當我在地上抱住他時，他扭曲身子瞪著我的臉，肩上滲出的鮮血染滿我們兩人的身體。

「謝謝你救了我的命，」他說，「總有一天，我會殺死你作爲報答的，克羅斯警探。」

第三部

碩果僅存的南方紳士

44

「我叫芭比。」她被人再三訓誡要這麼說，永遠只能用她的新名字，絕對不能說出舊名，絕對不能說自己是——瑪姬・蘿絲。

她要不是被人鎖在一個黑漆漆的廂型車裡，就是在一輛被布蓋住的卡車裡，她不確定是那一種。她不知道自己此刻究竟身在何處？離她家有多遠或多近？她也不知道自己被人從學校帶走已經過了多少時日。

她現在的腦筋比較清楚了，神志幾乎已經恢復正常。有人會帶衣服給她替換，那也就是說她不會立即受到傷害。否則的話，他們又何必大費周章拿衣服給她呢？

那輛廂型車或卡車有夠污穢不堪，車裡的腳踏板並沒鋪設毯子或任何覆蓋物。裡面有股像洋蔥的味道，這裡一定是存放食物之處。哪個地方有長洋蔥呢？瑪姬・蘿絲很努力回想著，是紐澤西州和紐約上州嗎？她認爲自己還聞到馬鈴薯的味道，也許是蕪菁甘藍或甘薯。

她將思緒整理了一番，當注意力集中之後，瑪姬・蘿絲認爲她很可能是在南方的某個地方。

她還知道些什麼？她還能想出什麼呢？

她再也沒有被人下藥了，除了剛開始那次之外。她認爲桑傑先生已經有好幾天不在，那個可怕的老太太也不在這裡。

他們鮮少跟她交談，每次有人對她說話，他們都稱呼她芭比，爲什麼是芭比呢？

最近一切狀況還算不錯，只不過偶爾她還是需要哭出來，就跟現在一樣，她哽咽著發出嗚嗚啜泣的聲音，不過她不希望任何人聽見。

最少還有一件事能帶給她力量，它是如此簡單，卻又強而有力。

她還活著。

她擁有無比堅強的信念想要活下來。

瑪姬・蘿絲並沒注意到卡車正慢慢減速。路上先是顛簸好一陣子，然後那部車完全停了下來。

她聽見前方有人從駕駛座走下車，說了一些含糊不清的話。她已經被人警告過不准在卡車內出聲，否則她的嘴巴就會再次被塞起來。

這時，有人推開了拉門，耀眼的光線突然刺進她的眼睛，讓她一開始什麼也瞧不見。當她的視力終於恢復正常時，瑪姬・蘿絲簡直不敢相信自己的眼睛。

「你好，」她用最輕柔的聲音低聲說道，小聲到幾不可聞，「我的名字叫做芭比。」

45

這真是賓州威京斯堡漫長的一天。我們和每個被挾持在麥當勞的人質逐一進行了面談。同時，聯邦調查局也已經將桑傑／默菲收押起來。

那天晚上我留在威京斯堡，潔西・佛萊娜根也是。我們已經連續第二個晚上在一起，我不敢再奢求更多。

我們一抵達磨坊谷附近、一間叫做赤郡小館的房內，潔西立刻說：「你能不能靜靜抱著我一、兩分鐘，艾利克斯？我想我外表看起來比內心的眞正感受要鎮定多了。」

我喜歡抱她，也喜歡她抱我的感覺。我喜歡她微笑的方式，喜歡她躺在我懷裡的樣子。我們之間仍然被一股強烈的電流包圍著。

我一想到能再度與她共處，就興奮不能自已。這世上眞正能讓我做開心坦誠相對的人寥寥無幾，自從瑪麗亞過世後再沒第二個女人。我有種感覺，潔西可以在我生命中占有重要位置，而我也很需要再次找到某個能與我心神相繫的人，這陣子我已經花了不少心力在追尋像這樣的人了。

「這樣是不是很怪？」她低語道。「我們兩個熱切追捕歹徒的警察竟然會在一起。」當我抱著她，她的身體微微顫抖著。她用手溫柔地撫摸我的臂膀。

我從來就不是一夜情那類型的男人，我想此刻大概也不會讓自己破例，那會引起一些我還沒準備好如何應付的麻煩和問題。

潔西閉緊雙眼說：「再抱我一分鐘，」她低聲說道，「你知道這世上最美好的事是什麼嗎？就是跟一個眞正能瞭解你的快樂與痛苦的人在一起。我先生從來就沒有瞭解過我們這一行。」

「我也不瞭解。事實上，我對這一行是愈來愈陌生了。」我打趣地說。然而我所說的確實有部分的眞實。

我抱著潔西遠超過幾分鐘之久。她擁有驚爲天人、看不出歲月的美貌。我很喜歡看她。

「這種感覺眞奇妙，艾利克斯。美妙的奇特感覺，眞的眞的很奇妙。」她說。「我是在做夢嗎？」

「不可能是夢，我的中間名字叫艾賽亞，這一點妳是不知道的。」

潔西搖搖頭說：「我知道你的中間名叫艾賽亞，我在聯邦調查局的一份報告早就看過了，你的全名是亞歷山大．艾賽亞．克羅斯。」

「怪不得妳能升到頂尖的位置。」我對潔西說。「妳還知道我的什麼事情呢？」

「嗯，你的記錄全都是輝煌的。」潔西用一隻手指碰觸我的嘴唇。

赤郡小館是一家風景如畫的鄉下小旅館，它位於威京斯堡北方大約十英里。潔西奔進去登記了一個房間。到目前爲止，沒有人看見我們一起走進這間旅館，這樣對我們兩個都好。

我們的房間是和主要大廳分離的白色獨棟客房，房裡滿是以假亂眞的古董，包括一臺手動式織布機和幾件手工被褥。

房裡還有一個燒柴的壁爐，我們先將火點燃，然後潔西跟客房服務點了香檳。

「咱們來慶祝一下！來玩個通宵吧！」她掛掉話筒後說。「我們應該做些特別的事來犒賞自己，咱們抓到大壞蛋啦！」

這家小旅館、這間角落的房間，一切是如此恰如其分的完美。從一個景觀窗望出去，可以越過整片被雪覆蓋的草坪，看見光滑如冰的湖面。在湖水後面隱約可見一座陡峭的山脈。

我們在熾烈的爐火前啜飲著香檳。本來我一直很擔心經過威明頓那晚之後會有些後遺症，不過看來我是多慮了。我們輕鬆地聊著天，即使偶爾安靜下來，那樣的感覺也很好。

稍後我們點了晚餐。

當那個客房服務生在爐火前爲我們擺桌設盤時，他顯然一副不自在的模樣。他打不開烤箱，還差一點把整碟食物打翻。我猜他以前從來沒見過活生生的黑白配禁忌，就出現在自己眼前吧！

「沒關係的，」潔西對那男服務生說，「我們兩個都是警察，而且法律上完全合法，相信我。」

接下來整整一個半小時我們一直在聊天。這樣的景況令我回想起小時候，把好朋友留下來過夜的那段回憶。我們起先微微斜躺著，到後來整個人躺平，兩人之間幾乎沒有一絲的不自然或害羞。她讓我打開話匣子，談起了戴蒙和珍妮，然後就不讓我停下來了。

我們的晚餐是烤牛肉配「冒牌的」約克郡布丁，不過那一點也無所謂。當潔西吃完最後一口時，她開懷地笑了起來，我們兩人在一起時，總是能製造許多笑聲。

「爲什麼我會把那盤食物都吃完啊？我根本就不喜歡那個『美味的』約克郡布丁呢。老天，我們眞是玩得太愉快了！」

「那我們現在要做什麼？」我問她。「既然有這麼愉快和慶祝的興致。」

「我不知道耶，你會想做什麼呢？我敢打賭大廳那裡肯定有很棒的棋局可以玩。我可是萬中選一，少數知道怎麼玩巴棋戲的活人之一唷！」（譯註：巴棋戲是類似古印度二十五點棋戲的一種現代棋。）

潔西伸長了脖子去看窗外的景色。「或者，我們也可以到湖邊走走，一邊走一邊哼《冬季奇境》。」

「對啦，我們還可以溜冰呢！我可是溜冰高手喔！那有列在我聯邦調查局的報告裡嗎？」

潔西咧嘴而笑，一拍膝蓋說：「哈！我想看，我願意付一大筆錢看你溜冰的樣子。」

「饒了我吧，當我沒說過。」

「嗯，還有別的嗎？我的意思是說，我太喜歡你、太尊敬你了，我可能會對你的身體感興趣唷！」

「老實說，我對妳的身體也頗感興趣。」我回答。說完我們倆隨即親吻了起來，這種感覺依然很美妙。火爐發出細碎的爆裂聲，香檳則像冰一樣的冷，火與冰，陰與陽，大地各種異性相吸的事物，就像荒野中的野火般燎原起來。

我們徹夜沒睡，直到隔天早晨七點。甚至還散步到湖邊，在月光下用鞋子在湖上溜冰。

潔西倚偎在我身上，她在湖心給了我一個吻，一個認真的吻、大女孩的吻。

「噢，艾利克斯。」她挨在我臉頰旁輕聲細語的說：「我想這樣下去我們都會惹上麻煩。」

46

蓋瑞・桑傑／默菲被羈押在維吉尼亞州位於北邊的洛頓聯邦監獄。自從蓋瑞被收押之後，關於他的事就不斷謠言四起，只是華盛頓警局沒有人有權限能去探他的監。蓋瑞是法院和聯邦調查局的戰利品，他們是不會輕易將手上的寶物拱手讓人的。

自蓋瑞．桑傑／默菲被押入洛頓監獄的消息傳開之後，整座獄所就開始進入高度警戒的狀況，就跟當年泰德．邦迪（譯註：美國史上著名的連續殺人魔）被關在佛羅里達州的情景一模一樣。洛頓聯邦監獄外頭集結著男女老少以及莘莘學子，他們日以繼夜吟誦著感人肺腑的口號，在停車場手持著點亮的蠟燭和標語海報示威遊行。

瑪姬．蘿絲身在何處？讓瑪姬．蘿絲平安歸來！處死東岸野獸！讓野獸坐上電椅！

抓到蓋瑞．桑傑十天之後，這是我首次來此見那人魔。我幾乎得動用我在華盛頓的各種關係和門道，才換到見他一面的機會。馬利安．坎貝爾博士——洛頓典獄長——在監獄六樓一整排的青銅電梯迎接我，六樓同時也是醫護樓層。

坎貝爾今年六十多歲了，不過仍然保養有術，他有著一頭濃密光滑的黑頭髮，看起來非常有雷根風格。

「你是克羅斯警探吧？」他伸出手，有禮貌地微笑著。

「是的，我同時也具有犯罪心理學家的身分。」我順道補充說明。

坎貝爾博士看起來似乎對我的背景意外萬分，很顯然地，沒人跟他提過這件事。「呃，你肯定很有些門路，才能取得與他談話的特權。事實上，這道手續相當複雜，擁有探訪他的權利是很有價值的。」

「事實上，打從他在華盛頓擄走兩個小孩開始，我就已經參與偵辦此案了。當他被捕時，我人就在現場。」

「嗯，我並不是很確定現在我們討論的是否爲同一個人。」坎貝爾博士說，不過對此他並沒多做解釋。「我該稱呼你克羅斯博士嗎？」他詢問我的意見。

「叫我克羅斯博士、克羅斯警探或是艾利克斯都行，任君挑選。」

「請跟我來，博士，你會發現一件極其有趣的事。」

由於桑傑在麥當勞受到槍傷，因此他被囚禁在監獄醫院的私人病房裡。坎貝爾博士引著我走在醫院一條寬敞的走廊上，此處每個房間都被犯人占滿了。洛頓是個人氣極高的監獄，想進駐還得排隊慢慢等哩！牢房裡的囚犯大多是黑人，年齡從十九歲的年輕人到五十五歲都有。這些罪犯全都裝出一副挑釁叛逆、無法無天的模樣，只不過這招在聯邦監獄並不管用。

「我很擔心現在我反而變得有些保護起他來了，」我們一邊走著，坎貝爾一邊向我說明，「等一下你就會知道爲什麼。我接到來自世界各地的電話，每個人都渴望、要求見上他一面，包括有一個日本作家想見他、一名法蘭克福的醫生、還有一通電話是倫敦打來的，諸如此類的請託不勝枚舉。」

「我總覺得有件關於他的事你沒跟我說，博士。」最後我忍不住向坎貝爾提起心中的疑問。「那是什麼事？」

「我希望由你自己來下結論，克羅斯博士。他就關在靠近主牢房這一區，我會很期待聽聽你的看法。」

我們在醫院長廊一扇上了閂的鋼製門前停下腳步，一個警衛開門讓我們通過。在那扇門之後是幾間病房，只不過此處病房的安全警戒是最高級的。

第一間房射出明亮的燈光，那並不是桑傑的房間，桑傑是在左手邊比較暗的房裡。一般牢房都會有的訪客區，在此一概取消，因為那樣會提供重刑犯太多與外界接觸的機會。兩位荷槍實彈的警衛就坐在房門口。

「他近來有出現任何暴力行為嗎？」我問。

「不不不，一點也沒有。我讓你們兩個單獨聊聊，我想你根本就不需要擔心暴力問題，你自己看就明白了。」

蓋瑞．桑傑／默菲從他的病榻上看向我們，他的手臂吊著繃帶，除此之外，他看起來就跟我最後一次見到他的感覺一模一樣，於是我走進了病房裡。當坎貝爾博士離開之後，桑傑仔細觀察著我。這個上次見面曾經威脅要殺死我的男人，似乎沒有認出我是誰。

我第一個職業上的直覺是：他似乎很怕跟我單獨在一起。他的肢體語言充滿猶豫，跟我曾在威京斯堡的麥當勞與之扭打成一團的那個男人完全不同。

「你是什麼人？你想幹什麼？」他終於開口說話，他的聲音微微發顫。

「我是艾利克斯．克羅斯，我們見過面的。」

他感覺一副很困惑的樣子，他的表情看起來像是真的沒見過我。他搖搖頭、閉起雙眼。這對我而言還真是極端費猜疑而困窘的一刻。

「我很抱歉，我不記得你，」然後他說，這句話似乎是在跟我道歉，「惡夢裡出現太多人了，我想我忘掉你的部分了。你好，克羅斯警探，請拉張椅子過來。你應該看得出來，我有很多訪客。」

「你在佛羅里達那次的談判曾指定要我送贖金啊，我是華盛頓警察。」

我一提起此事，他立即笑了出來。他將頭側向一邊，再度搖了搖頭。我還是沒弄懂這有什麼好笑，我告訴他我不明白他在笑什麼。

「我這輩子從來就沒去過佛羅里達，」他說，「一次也沒有。」

蓋瑞．桑傑／默菲從病榻上站起來，他身上穿著寬鬆的白色病人服，槍傷的手臂似乎讓他隱隱生疼。

他看起來孤單而脆弱。這裡有件事很不對勁，到底發生什麼事了？爲什麼我來此之前，沒人向我提起此事呢？很顯然的，坎貝爾博士希望我自己下結論。

桑傑／默菲找了另一張椅子坐下，他用哀傷的表情凝視著我。

他看起來既不像殺人魔王，也不像綁匪。倒不如說是老師？晶片先生？或是一個迷失的小男孩？後者那幾種說法似乎比較貼切。

「我這輩子從來沒跟你談過話，」他對我說，「我也沒聽過艾利克斯．克羅斯的大名，還有我沒有綁架過任何孩童。你知道卡夫卡嗎？」他問起。

「有一些瞭解，你的重點是什麼？」

「我覺得自己就像卡夫卡在《變形記》所描寫的主人翁格里果．薩姆沙，我總是被困在夢魘裡。只是這一切都沒道理可言啊，我並沒綁架任何人家的小孩，一定得有人相信我，得有什麼人相信我啊！我是蓋瑞．默菲，我一生中從來沒傷過任何人。」

如果我有聽懂他的意思，他是在告訴我他患有多重人格……真的有**蓋瑞．桑傑和蓋瑞．默菲兩個人**。

「然而你相信他嗎，艾利克斯？我的老天爺！這可是個關鍵問題。」

聯邦調查局的史考斯、克雷格、雷利，特勤局的克萊勒和潔西．佛萊娜根，以及桑普生和我，三組人馬在市區聯邦調查局總部狹窄的會議室召開會談。經過一個禮拜之後，人質救援小組再度聚首。

這個問題是傑瑞．史考斯丟出來的。一點也不意外，他並不相信桑傑／默菲，他才不接受多重人格這種鬼話。

「編織一大堆令人驚訝的謊言，對他有什麼好處？」我要在場每個人思考這個問題。「他宣稱他並沒綁架孩子、宣稱沒在麥當勞射殺任何人。」我逐一掃視著會議桌上的每一張臉。「他宣稱自己是來自德拉瓦州、一名叫做蓋瑞．默菲的無辜老百姓。」

「精神失常抗辯，」雷利提供最顯而易見的可能性，「訴求成功的話，他會被送到馬里蘭州或維吉尼亞州舒適的瘋人院，或許只須待個七到十年，出院後又是一條好漢。他肯定知道這件事，艾利克斯。你說他是不是夠狡黠、演技夠棒，有能力用此辦法卸責呢？」

「目前為止，我也只同他談過一次話，前後還不到一個小時，我的看法是：說他是蓋瑞．默菲是非常具有說服力的。我認爲他是典型的『非去狂』。」

「『非去狂』是什麼鬼玩意兒？」史考斯問。「我不懂什麼是『非去狂』，你把我搞糊塗了。」

「這是再常見不過的心理學用詞，」我回覆他，「當我們心理醫生聚在一起時，每個人都會談論『非去狂』，全名就是**『非常去他媽的瘋狂』**啦，傑瑞。」

除了史考斯，在座每個人盡皆哄堂大笑。桑普生給史考斯起了個綽號，叫喪家犬總監——盜墓者史考斯。他這個人非常專注而專業，但就是不太常笑。

「那眞是非常去他媽的好笑，艾利克斯，」史考斯最後開口說道，「那叫做『非去笑』。」

「你有辦法再去見他一次嗎？」潔西問我，她的專業素養跟史考斯不相上下，不過可親切多了。

「是啊，我有辦法。那傢伙想見我，或許我甚至可以找出爲什麼他在佛羅里達會指定找我出面，還有爲什麼在他的惡夢中會選中我的背後原因。」

47

兩天後，我想盡辦法爭取到和蓋瑞．桑傑／默菲另外一小時的會談。我連續兩個晚上，都在熬夜重讀關於多重人格的個案研究。我的餐廳看起來就像心理學圖書館的個人閱讀室。論述多重人格的書籍很多，不過很少人眞的同意那些論點。甚至有心理學家嚴正質疑，究竟有沒有眞正的多重人格個案存在。

當我抵達時，蓋瑞正端坐在他那張病床上，出神地盯著房間，他肩膀的吊帶已經取下來了。要我跟這個綁匪、殺童變態兼連續殺人魔講話，可眞是難受極了。我想起荷蘭哲學家斯賓諾沙曾寫過這樣一段話：「我努力不去嘲笑、悲嘆、或者痛恨人類行爲，而是努力瞭解這些行爲。」然而迄今我還是無法理解。

「嗨，蓋瑞。」我輕聲打了招呼，不想驚嚇到他。「你準備好聊一聊了嗎？」

他轉過身，一臉彷彿很高興見到我的表情，他爲我拉了一張椅子到他的床舖邊。

「我一直在擔心他們不讓你來呢，」他開口說道，「我眞開心他們最後還是准你過來。」

「你爲什麼會認爲他們不讓我來呢？」我很想知道他的想法。

「啊，這我也不知道。我只是直覺地感覺你是我能傾吐的對象。我最近運氣很背，所以我猜想他們可能會讓你吃閉門羹。」

蓋瑞一派天眞的模樣讓我很頭疼，幾乎可以說很有魅力，他就跟威明頓的左鄰右舍所形容的男人一樣。

「你剛剛在想些什麼？一分鐘之前？」我問。「我是說在我打擾你之前。」

他微笑著搖搖頭說：「我自己也不知道。我在想什麼呢？啊，我記起來了。那時我在想這個月是我的生日，我一直想到我好像是突然之間清醒了過來。那是一個重新浮現的想法，也是我整個思緒的重心。」

「再往回走一點，再告訴我一遍你當時是怎麼被逮捕的。」我說，試著改變話題。

「我醒過來，然後朝麥當勞外面的一輛警車走去。」這一點他的說法倒是前後一致，他兩天前也是這麼說的。「我的手臂被銬在背後，後來他們甚至連腳鐐都用上了。」

「你不知道自己爲什麼進警車嗎？」我問他，好傢伙！他實在是太有本事了，說話溫和、親切，讓人很難不相信。

「不清楚，而且我也不瞭解自己怎麼會在威京斯堡的麥當勞，那是發生在我身上最怪異的一件事了。」

「我瞭解你的意思。」

剛才在華盛頓駕車的路上，我突然想到一個理論，雖然可能性不高，但或許可以解釋目前不合理的幾件事。

「像這種情況，以前曾發生過嗎？」我詢問他。「任何稍稍類似的都可以提出來，蓋瑞？」

「沒有，我從來就沒惹過麻煩，也從來沒被逮捕過，這些你都查得到記錄啊，不是嗎？你一定查得到的。」

「我的意思是說，你是否曾在奇怪的地方醒來過？而且不知道自己何以會在那裡？」

蓋瑞頗感奇怪地看著我，他將頭輕輕側向一邊說：「爲什麼你會這麼問？」

「有沒有？蓋瑞？」

「這個……確實是有的。」

「跟我談談這件事，告訴我你在陌生地方醒過來的那段時間。」

他有一個拉扯襯衫的習慣，手掌緊緊抓住上衣第二、三顆鈕釦之間，看起來彷彿要將布料從胸腔撕裂的感覺。這令我不禁納悶，他是否有無法呼吸的恐懼，而這說不定跟他的過去有關係。

或許他從小就有病，或者曾被困在空氣稀薄的地方，也許他曾被鎖在某處——就跟瑪姬·蘿絲和麥可·郭德堡被鎖藏起來的情況一樣。

「大約過去一年來，也許更久，我一直深受不眠症所苦，這件事我曾跟一位來看我的醫生說過。」他說道。

我在監獄的診斷報告中並沒看到蓋瑞的不眠症病歷，讓我很懷疑他是否真的有跟任何醫生告知此事，或者那只不過是他自己的幻想。我在蓋瑞的檢查記錄中，看到他不穩定的魏氏智力測驗結果，充分顯示此人的衝動特質。他的語彙智商和表演智商，雙雙得到很高的分數。在羅沙哈測驗（譯註：一種利用墨水點繪圖形判斷性格的心理測驗）的部分，則反應出蓋瑞患有嚴重的情緒壓力。另外，他在主題知覺測試——也就是所謂的自殺卡——測出正向反應，但在他的檔案上就是沒有提到不眠症。

「請跟我談談你的不眠症，這可以幫助我更瞭解你。」之前我們已經聊到我除了具有傑出探員的身分之外，事實上我還是心理醫生，蓋瑞對我這樣的身分來歷感到自在，至少到目前爲止皆然。難道這跟他之所以在佛羅里達會指定我去交贖金有關係嗎？

他凝視著我的眼睛說，「你眞的會盡全力幫助我？而不是設陷阱害我嗎？醫生，你在幫助我嗎？」

我告訴他我會盡力而爲，我說我會聆聽他的說詞，我會保持開放的態度，他則表示他所要求的就這麼多了。

「就我記憶所及，我已經有好久無法入眠了。」他接著說，「現在我的思緒已經變成一片混亂，時而清醒、時而恍如夢中，讓我再也分不清夢境與眞實的困擾。我在賓州的警車裡甦醒過來，根本就搞不清楚自己怎麼會進到那輛車裡的。你相信我嗎？**一定得有人相信我啊！**」

「我在聽，蓋瑞，你講完以後，我會告訴你我的想法，我保證。現在，我得先知道你記得的每一件事。」

我那麼說似乎能安撫他的情緒。

「你問起這種現象以前是否曾發生過，它確實發生過，而且還好幾次。譬如我會在奇怪的地方醒過來，有時是在我的車裡，醒來之後發現自己的車子停靠在某個不知名的路邊。有時是我從未見過或聽過的路。有好幾次是在汽車旅館，要不就是漫步在街上，像是費城、紐約，還有一次在大西洋城，那時我發現自己的口袋竟然有賭場的籌碼和免費的停車券，我根本就不知道口袋怎麼會有那些玩意兒。」

「這種情況在華盛頓發生過嗎？」我追問。

「沒有，從沒在華盛頓發生過。事實上，從我很小開始就沒去過華盛頓了。最近，我發現自己能夠在神志完全清醒的狀況下『甦醒過來』。比方說，我可能正在用餐，但卻完全不知道我是怎麼進去那家餐廳的。」

「你有跟任何人談過這件事嗎？有設法找人幫忙嗎？找醫生瞧瞧什麼的？」

他闔上那雙栗色的眼睛──那是他全身上下最醒目的特徵，當他再度睜開雙眼，臉上露出一抹微笑。

「我們沒有錢看精神科醫生，我們家的經濟狀況可以說是一貧如洗，那就是我如此消沉的原因。我們有三萬元的財務困難，家人到現在還背負著三萬塊的債務，而我人卻被關在這裡。」

他住口不再說話，再次盯著我瞧。他的眼神一點也不怯場，試著想讀我的表情。我發現他是個配合度高、穩重，而且頭腦清楚的人。

我也明白，任何跟他共事的人，很可能會被他極端高明而天才的反社會手法給操弄了。在我之前他已經愚弄了許多人，此人顯然深諳此道。

「到目前爲止，我相信你，」最後我對他說，「你說的我都能理解，蓋瑞。只要我能力所及，我希望能幫助你。」

他突然之間熱淚盈眶，淚水從他的臉頰潸然而下，然後他對我伸出了雙手。

我也張開手，握住蓋瑞．桑傑／默菲的手，他的手非常冰冷，顯然一副很害怕的模樣。

「我是無辜的，」他對我說，「我知道這聽起來很瘋狂，不過我眞的是無辜的。」

那天晚上我很晚才返家。正準備將車子停進我家車道時，一輛摩托車突然輕鬆自在地在我車子旁邊停下來。這是搞什麼鬼啊？

「請跟我來，先生。」那名摩托車騎士對我說道。「只要跟在我後面就行了。」

那個人正是潔西，說完這句話她立刻笑了起來，我也報以一笑。我知道她正想引誘我再次回到正常的生活軌道，她說我這個案子辦得太辛苦了，她特地來提醒我此案已經終結了。

我將車子在車道上停妥後，走下那輛舊保時捷，然後朝她暫停摩托車的方向走去。

「收工了啦，艾利克斯。」潔西說。「你做得到嗎？你能不能十一點以後就不要再繼續工作了？」

我進門去瞧瞧兩個孩子，他們都睡著了，這讓我沒有理由拒絕潔西的邀約。我步出大門，騎上潔西的重型機車。

「這是我近來做過要嘛不是最好、要不就是最糟的一件事。」我告訴她。

「別擔心啦，絕對會很棒的，交給我這個老手安啦！除了即刻死亡之外，其他都沒什麼好怕的。」

不到幾秒，第九街已經被籠罩在摩托車大頭燈的刺眼強光下。機車飆過獨立路，往曲折的公園大道急馳而去。每次繞過一個急轉彎，潔西都會放低重心，讓身子傾斜。然後對每輛被她超過的車子鳴喇叭，她的車速快到好似別的車都是靜止的感覺。

她絕對懂得怎麼駕馭那輛重型機車，她可不是一般的業餘騎士。路上風景一一被我們拋在後頭，頭頂上的電線、還有馬路上原本一點一點的虛線，都跑到摩托車前輪的左手邊。我猜想她大概至少有上百次的飆車經驗了吧！不管怎麼說，騎在機車上，我覺得冷靜非凡。

我不知道我們要上哪兒去，但我一點也不在意，反正孩子們都睡了，而且娜娜也在家，沒什麼好擔心的。這是我們的療傷之夜，我可以感覺冰涼的空氣滲入我身體每一個毛細孔裡，巧妙地讓我頭腦清醒起來，此刻我的大腦絕對是需要清醒的。

N街一輛車也沒有，這是一條狹長的筆直公路，馬路兩旁矗立著屋齡百年以上的多棟聯建住宅。堆著白雪的三角形屋頂、閃爍的門廊燈光，特別是在冬季裡，這樣的景色看起來格外迷人。

潔西在那條杳無人跡的街道再次飛馳起來，時速是七十、九十、還是一百呢？我已經無法判斷速度有多快，只知道我們真的像飛起來一樣。兩旁樹木和房子的影像一片模糊，地面上的柏油路也看不清楚。其實，這樣的感覺還滿不錯的，只要我們還能活著討論此事的話。

潔西身手俐落地煞住ＢＭＷ，這個動作一點也沒有炫耀的感覺，她就是懂得該如何駕馭它。

「我們到家了，我最近剛買下這個地方，才正準備要好好裝潢一番。」她跨下機車跟我說：「你還真不賴嘛，只有在喬治華盛頓那邊尖叫過一次。」

「我是心裡在尖叫，沒讓妳聽到罷了。」

經過一陣兜風的振奮之後，我們進屋去。這棟公寓跟我的想像完全不同。潔西說她還找不到時間布置，不過這個地方看起來既迷人又有品味。整體走的是雅緻而摩登的路線。房裡放了許多出色的藝術照，大多是黑白的，潔西說那些都是她自己拍的。客廳和廚房擺著鮮花，還有插著書籤的各種讀本——《潮浪王子》、《燒痕》、《女性與權力》、《禪與摩托車的修護藝術》。另外，還有一整排的酒架——貝林格酒莊和拉塞福產區，牆壁上有個鉤子可以掛她的安全帽。

「所以妳畢竟還是個宜室宜家型的女人嘛！」

「我可是吃盡苦頭了，艾利克斯。我是那種人前才強悍的特勤局女性。」

我一把將潔西擁入懷裡，在她的客廳溫柔地親吻起來。出乎我意料之外的是，我竟在此刻嘗到一種纏綿悱惻的感覺，一種令我意想不到的感官享受。這不就是我日以繼夜尋找的完美情人嗎？

「我眞高興妳會帶我來妳家。」我說。「我是說眞的，潔西，我眞的很感動。」

「即使是五花大綁把你綁架過來，你也高興囉！」

「嗯，深夜的疾速狂飆、美麗舒適的寓所，還有安妮．蘭寶維茲（譯註：知名的女性攝影家）——大師級的攝影作品，妳到底還藏著多少不爲人知的秘密啊？」

潔西將手指輕輕放在我的下頷，探索著我的臉龐，她說：「我才不想有任何秘密呢，我就喜歡這樣坦白，好嗎？」

我點頭說好，那也正是我想要的。是時候再次向某個人敞開心胸了，是我們倆忘卻過去的時候了。也許我們一直都沒有仔細眺望外面的世界，才會長久以來過著寂寞的日子、活在自己的世界裡。那正是我們要幫助彼此重新和外界接軌的簡單事實。

隔天清晨一大早，我們騎車回到我在華盛頓的家。早晨的風打在我們臉上，格外冰冷而刺痛。我緊緊抱住她的纖腰，一起漂浮在清晨朦朧昏暗的光線裡。路上幾個大清早開車或步行去上班的人們，直盯著我們瞧。我大概也有回瞪回去吧！我們是何其登對、帥氣的一對情侶啊！

潔西讓我在昨晚我上車的地方下車。我將身子倚向她，以及那輛溫暖、發動引擎中的摩托車，我再次親吻了她。先是她的臉頰、喉嚨，最後是她的唇。我幻想著自己能整個早上就待在那裡，就這樣待在東南區美妙的街道上。有何不可呢？

「我得進去了。」最後我還是得向她告別。

「是啊，我知道你該走了，回家吧，艾利克斯。」潔西說。

「幫我給你兩個小寶貝一個吻喔！」當我轉身準備朝屋裡走去時，她的眼神彷彿有一點悲傷。

對於你無法結束的事，千萬別讓它開始。我不禁又想起了這句話。

48

當天的其餘時間，我通宵熬夜且整日不睡。雖然那種做法感覺有點不負責任，但是對我而言卻是挺好的一件事。有時候把整個世界的重量都放在你的肩膀上也沒有錯，前提是，如果你知道如何卸下它們的話。

當我開車抵達洛頓監獄外頭的時候，當時的氣溫比凍死人的溫度還低，奇怪的是太陽高掛天空。整個天空是那麼的明亮，幾乎是一片淨藍。這個景色眞是既美麗又帶給人們希望，這種可憐的理論在九〇年代可謂十分風行。

在當天早晨駕車的路途上我想到瑪姬・蘿絲・鄧尼，我現在必須做出她已經死亡的結論。她的爸爸透過各種媒體管道提出攻擊，但我不能太過於責怪他。我已經和凱薩琳・蘿絲通過幾次電話，她尚未放棄希望。她告訴我，她可以「感覺到」自己的小女兒仍然活在這個人世間。這種說法讓我感到很悲傷。

我試著讓自己準備好迎接桑傑／默菲一案的種種挑戰，但還是被分神了。昨天晚上的種種影像持續不間斷地在眼前閃過，逼得我必須提醒自己，我正在大白天華盛頓特區大都會的公路上駕駛汽車，還有我現在正在執勤。

當時有一個聰明的念頭忽然在我腦海中出現：有關於蓋瑞・桑傑／默菲的一個可測試理論，從心理的觀點**似乎**行得通。

當天突然想到的這個有趣的理論，幫助我在監獄內更能專注。我被帶到六樓以便與桑傑會面，那時候他也正在等待我的到來。他看起來好像也是整晚沒睡。此刻輪到我來推動這件事情的進展了。

當天下午我努力遊說他長達一整個小時，甚至還更久。我逼他逼得很急，也許比我所治療過的任何病患都來得急躁。

「蓋瑞，你曾發現過某些收據放在你的口袋裡面——例如像旅館、餐廳、商店購物證明等等——但是你卻沒有印象自己曾花過這些錢嗎？」

「你怎麼知道這些事？」聽到我的問題後，他的眼睛開始發亮了起來，某種像是鬆了一口氣的表情在他臉上出現。「我告訴過他們，我想指定你做爲我的醫生，我再也不想看到華許醫生了。他所擅長的只不過是開一劑水合氯醛的鎮定劑讓我服用罷了。」

「我不確定你所提出來的要求會是個很好的主意。我是一名心理醫師，而不像華許大夫是一個精神科醫生。我也是協助逮捕你的小組成員之一。」

他搖了搖頭。「你所說的這些我全都知道，但你同時也是唯一一個，會在聽完整件事的來龍去脈以後，再做出最後評斷的人。我知道你很恨我——爲了我綁架兩個小孩子，以及其他應該是我犯下的案件。但是你至少會認眞傾聽我說話，而華許只會假裝他在聽。」

「你必須持續與華許醫生會面。」我這般告訴他。

「那也無所謂，我猜想我現在已經能夠瞭解這邊的政治生態。只是拜託你，不要拋下我獨自一人，留在這個像地獄般的小洞穴裡面。」

「我不會這麼做的，從現在開始，我會一直跟隨在你身旁，我們將會持續地以這種方式聊天。」

我要求桑傑／默菲告訴我有關於他的童年往事。

「我不太記得整個成長過程當中的大部分事情，這樣會很奇怪嗎？」他想要談話。這些談話內容全掌握在我的手上，憑藉我的判斷力，去決定我聽到的到底是眞話，或者是一連串精心設計的謊言。

「對於某些人而言，不記得自己的童年成長過程是件正常的事情。有些時候，當你在談論這些事，或者當你把它們透過語言講述出來的時候，就會慢慢記得了。」

「我曉得一些事實以及數據。好吧，首先是我的生日，一九五七年二月二十四日。出生地，紐澤西州的普林斯頓。我記得像這一類的事情。雖然有時候我覺得自己是在長大的過程中學會這些事情。我曾經有過無法將夢境與眞實分離的經驗，我無法確定什麼事件跟什麼事情應該分開，我眞的無法確定這一切。」

「試著給我你對童年的第一個印象就好。」我這樣告訴他。

「並沒有很多愉快與充滿微笑的記憶。」他說道。「我總是有失眠症狀，每次總是無法睡著超過一或兩個小時，因此在印象中，自己總是很疲倦，以及沮喪——就像我窮畢生之力，都在嘗試將自己從一個洞穴內挖掘出來。我不是想搶你的工作來做，但是我對自己並不會十分有信心。」

每一件我們所知道有關於蓋瑞・桑傑的事，都描繪出與現在完全相反的個性：桑傑是個極度充滿活力、有正面積極的態度，而且對自己也極度充滿自信的人。

蓋瑞繼續描繪他那個悽慘的童年生活，而這當中包括他的繼母在他還是小孩子的時候，便對他施以肉體上的虐待；等他大了一點以後，又被父親施以性虐待。一次又一次地，他描述如何強迫自己從周圍的焦慮和衝突的性格當中抽離開來。她的繼母是在一九六一年帶著兩個小孩子來到他的家裡，那時蓋瑞才四歲大，但是心情已經學會鬱鬱寡歡。事情從那時候開始，可以說是每況愈下，但到底最後變得有多糟糕，他則尚不願意跟我提到這件事。

根據華許醫生診斷結果的部分內容，桑傑／默菲已經接受過魏氏智力測驗、明尼蘇達個性測量表，以及羅沙哈測驗。他所測出的結果當中，完全超出一般人測量值範圍的是在創造力的範疇，這是依據單一句子完成程度所測量出來的結果。至於在字彙與寫作的反應部分，他的得分同樣都很高。

「還有哪些事情是你記得的呢，蓋瑞？試著盡你最大的努力去回想。我只有在更瞭解你的情況下才能提供幫助。」

「總是會有所謂的『遺失的片段』存在我的記憶裡，有些時間讓我記不得做過什麼事情。」他說道。當他說話的時候，臉部表情愈來愈凝重，在他脖子上頭的血管也開始突出，臉上滾過輕微的汗珠。

「他們會因爲我不記得而處罰我……」他說道。

「是誰這樣做？誰處罰你？」

「大部分時候是我的繼母。」

這大概表示大部分的傷害是發生在他非常小的時候，當他的繼母在對他施以管教之際。

「一個非常黑暗的房間。」他說道。

「黑暗的房間內發生什麼事情？那是哪一類型的房間？」

「她把我丟在那裡面，就在地下室裡頭。它是我們家的小牢房，而她幾乎每一天都會把我關進去裡面。」

他的呼吸已經開始急促起來。回想童年不愉快的經驗，對他而言是非常困難的事，這種症狀我見過，發生在許多受虐兒童的身上。他把眼睛緊閉，開始回想，看見一個他眞正從來不想再去經歷一次的往事。

「在地下室發生了什麼事？」

「沒什麼……沒發生什麼事。我只是時時刻刻都被處罰，我被獨自一人留在那個地方。」

「你被留在地下室的時間有多久?」

「我不知道……我什麼事情都記不得了!」

他的眼睛半開半閉,眼珠子透過狹長的縫隙向我望過來。

我並不確定他還能夠承受多少這種質問。我必須很小心,在他憶及過去痛苦經驗時,我必須讓他放鬆,也得讓他感覺我在乎他的感受,因此他可以信任我,我時時刻刻都在聆聽他所說的話。

「那種處罰偶爾會持續一整天嗎?還是會罰你在那裡過夜呢?」

「噢,不是的,你錯了。那種處罰會持續很長、很長一段時間,以便讓我再也忘不了,我才會變成一個乖小孩,而不是壞孩子。」

他朝著我瞧過來,但是再也不說話了。我察覺他正在等著我說些什麼。

我試著鼓勵他,這種反應看起來似乎是較爲適當的反應。

「你做得很好,蓋瑞,這是一個很好的開始。我知道這麼做對你而言有多麼困難。」

當我看著眼前這位已經長大的男人,腦海裡想著的畫面是一個小男孩被關進黑暗的小監牢,日復一日。關了幾個星期以後,感覺會比實際的時間更長更久。然後我又想到瑪姬·蘿絲·鄧尼。桑傑有可能將她藏在某處,所以她目前還存活於人間嗎?我必須把這些最黑暗的秘密從他腦袋裡挖出來,而且必須做得比正常心理治療的療程還要迅速,因爲凱薩琳·蘿絲和湯瑪士·鄧尼夫婦,有權利知道他們的小女孩到底遭遇哪些事情。

瑪姬·蘿絲究竟發生什麼事情了,蓋瑞?你還記得瑪姬·蘿絲是誰嗎?

這次的談話對我們的療程而言，是非常具有危險性的一次。如果他覺得我不再是他的「朋友」的話，可能會變得很害怕而拒絕再見我一面；他有可能從此退出這個治療過程，甚至有可能演變成心理上的完全崩潰。他有可能因此變成一名緊張性精神分裂症患者，那麼我想追查的一切消息將會完全失去線索。

我必須持續讚揚蓋瑞所付出的努力，他是否期待我的再度來訪，成爲一件很重要的事。「你到目前爲止所告訴我的事，應該非常有幫助。」我這麼告訴他。「你眞的幹得很好，我對於你迫使自己去回憶起這麼多往事所付出的努力，感到印象特別深刻。」

「艾利克斯，」當我準備離開時，他開口說話了，「我向老天爺發誓，我並沒有做出任何恐怖或違法舉動，所以請你幫幫我。」

這個下午他已經被排定去參加一場測謊實驗。我們只是猜想這臺謊言偵測器會令蓋瑞感到緊張，但是他發誓自己很高興能參加這場考試。

他告訴我，如果我想等的話，可以留下來以待數據結果出爐。我當然是求之不得。這臺測謊機的操作員是位箇中翹楚，他還爲了這場測試特別從華盛頓特區被請來這座監獄。這套測驗總共會詢問十八道問題，其中十五題是所謂的「控制組」，至於剩下三題則是用來做爲測謊試驗的評量標準。

在桑傑／默菲被帶下去進行測謊實驗的四十分鐘之後，坎貝爾博士跑來與我見面。

從坎貝爾滿臉通紅又略帶興奮的表情，看起來他好像剛從測試房裡慢跑過來找我一般，我知道此時必定有大事發生了。

「他的測驗結果得到最高分。」坎貝爾這般告訴我。「他以顯著優越的成績通過這項測試。結果相當完美。因此蓋瑞．默菲所講的有可能都是眞話！」

49

蓋瑞．默菲講的話有可能是眞的！

我選在當天下午於洛頓監獄內的會議室，舉辦一場心理實驗前討論會。重要的聽衆群，包括來自獄方的坎貝爾大夫、聯邦政府委任檢察官詹姆士．道德、來自馬里蘭州州長辦公室的一名代表、兩名華盛頓特區檢察總長辦公室的檢察官，以及從州立健康局來的詹姆斯．華許醫生，最後是獄方的顧問團。

要將這些人聚在一塊，對我來說眞是一項嚴酷的考驗。既然現在已經達成這項艱難的任務，便得好好把握這個機會，因爲除此之外，我再也沒有其他機會去要求我想完成的事情。

我覺得自己好像回到約翰霍普金斯大學醫學院、在進行博士資格審查的口試場景。感覺像是在高空鋼索上快速地跳舞般那麼刺激。我相信整椿桑傑／默菲的調查案正走到一個緊要關頭，它的命運就決定在這個房間裡的所有人手上。

「我想嘗試對他使用記憶回測式的催眠，這種方法沒有任何風險，但是有機會可以得到意想不到的收穫。」我向眼前的這群人宣布此事。「我很確定桑傑／默菲將會是一個很好的受試對象，所以我們一定找得出一些可以用到的線索。或許可以得知那位失蹤的小女孩究竟出了什麼事情，可以確定的是，我們可以取得更多關於蓋瑞．默菲的資訊。」

一些有關司法管轄權的複雜問題已經被提出來討論了很多次，一名律師告訴我這個案例會成爲絕佳的律師資格審查考試題材。既然這宗綁票案屬於跨州犯案，這樁綁票與謀殺麥可．郭德堡的案件便落在聯邦政府管轄權之內，而且應該舉行聯邦法庭開審；但是發生在麥當勞餐廳的兇殺案，又應該在威斯特莫爾蘭市當地法院開庭審理；桑傑／默菲也有可能得爲了明顯就是他在東南區犯下的一起、甚至還有更多起謀殺案件，而到華盛頓特區的法庭接受審判。

「那麼你最終想要達到什麼樣的目標？」坎貝爾博士想要聽聽我的答案，他一直都很支持我的做法，而且還會繼續支持我。就像我一樣，他察覺很多人臉上浮現出質疑的表情，特別是華許醫生。我現在可以明瞭爲何蓋瑞不想甩華許醫生，他是一個心胸狹窄、器量又小的人，最重要的是，他還常常引以爲傲。

「從目前爲止他所告訴我們的資訊當中，有很多都暗示他擁有一個分裂的人格。他的童年遭遇似乎十分悲慘，他有可能遭受肉體的虐待，甚至是性虐待。或許他已開始嘗試將自己的神智從心理分離出來，以避免這樣的痛苦，而且很怕再回歸現實。我這麼講並非指稱他具有雙重人格，但這個可能性是存在的。他受到那種不正常的童年影響，因此有可能產生那種少見的精神變態。」

坎貝爾博士接續我的談話：「克羅斯博士和我曾討論到，桑傑／默菲有可能經歷了所謂的『心因性神遊症』。這種精神病的一連串事件，便與健忘症及歇斯底里有關。因爲他曾提到『消失的那些日子』、『消失的週末』，甚至於還有『消失的禮拜』這些字眼。在這種心因性神遊物外的狀態下，一個病人會發現自己在一個奇怪的場所清醒，但是卻對自己如何到達該處沒有任何印象，或者對他過去一段時間所從事的活動毫無概念。在某些極端的案例當中，病患擁有雙重人格，這個成因有可能是因爲暫時性的腦葉羊癲瘋。」

「你們這群傢伙是在做什麼的，專門替人取名字的團隊嗎？」華許醫生坐在椅子上便發起火來。「還腦葉羊癲瘋咧，你們嘛幫幫忙，笨也不要笨到這種程度。你們愈是搞出這種有的沒的名堂，他到時候在法庭受審時逃過一劫的機率就愈大。」華許醫生這般警告我們。

「我不是在亂搞一些把戲，」我這般告訴華許醫生，「這不是我的處事風格。」

此時委任檢察官突然發言，插入我和華許之間的對話內容。詹姆士・道德是個嚴肅的男人，年紀約在三十好幾，頂多是四十出頭上下。如果道德先生有機會參與桑傑／默菲這件案子的法庭辯護，他很快就會成爲家喻戶曉的檢察官。

「有沒有可能他是故意創造出這種很明顯的精神病患症狀，以便左右我們的偵辦方向？」道德提出質問。「這會讓我們認定他根本就是一個精神病患者，其他什麼罪狀都不能向他追究了，對吧？」

在回答他這個問題之前，我環顧了桌子四周座位上的衆人眼光。道德很清楚的是想聽到我們給他一個答案；他想要得知事情的眞相。州長辦公室的那名代表對我們的說法似乎滿存疑的，而且無法信服我們的觀點，但他仍持開放的態度。兩名出身自檢察總長辦公室的人員，至今態度仍相當保留。至於華許醫生恐怕是受夠了我和坎貝爾博士的說詞。

「你這種說法是絕對有可能存在的，」我回應道，「但那便是我想嘗試記憶回測式催眠的原因之一。就爲了這個原因，我們便可以看看他所編造的故事是否前後保持一致。」

「這得要看他是否眞的能被你催眠，」華許插嘴道，「而且你還得分辨出來他是否眞的被你催眠成功。」

「我認爲他是可以被我催眠的。」這個問題我倒是回答很快。

「但是我很懷疑他眞的可以被你催眠。克羅斯，講老實話，我對你的能力不太具有信心。我不管他是否比較喜歡與你交談，因爲精神病治療並非只有病患喜不喜歡他的醫生這麼簡單而已。」

「他喜歡的事情是，我會聽他說話。」我的目光穿過桌子瞪向華許。要避免自己去責罵這個多管閒事的混蛋，需要相當大的自制力。

「有沒有其他的原因支持你非得催眠這一名犯人呢？」州長辦公室的代表終於發言了。

「講老實話，我們對於他在神遊物外的這段時間內到底做過哪些事，所知實在有限，」坎貝爾醫生說道，「即便連他自己也弄不清楚。從我現在進行過好幾次的訪談以後，發現連他的太太和家人也不清楚他做過什麼事。」

我再加上註解：「我們也不曉得現在有多少種人格特質在他心裡面運作……至於我們想嘗試催眠他的另一項理由——」我暫停一下，以便讓自己接下來想講的話能夠被大家聽進去，「——就是我想要問他有關於瑪姬・蘿絲・鄧尼的下落。我想嘗試找出他究竟對瑪姬・蘿絲做了什麼事情。」

「好吧，克羅斯博士，我們已經聽過你的論點，謝謝你在這裡所付出的努力及寶貴的時間。」詹姆士・道德在我的報告完畢後做出這番結語。「我們會將結論讓你知道。」

我選擇在當天晚上做一些自己能夠掌控的事情。我打電話給《華盛頓郵報》裡面一名認識且自己信得過的記者。我要他在東南區街角的一家名叫帕比的餐廳與我碰面。帕比餐廳是一處永遠不會被人跟監的場所，而且我也不想讓任何人知道我們曾經見過面，這樣做當然是對我們兩個人都有好處。

李・卡佛是個頭髮已經灰白的雅痞，而且舉止行為其實有點像個混蛋，但我還是喜歡這個人。從李身上的穿著打扮便可以判別出他目前的情緒狀況。他很容易嫉妒，他對於新聞工作現況悲慘所感受到的痛苦，他那喜歡惺惺作態的假道學傾向，偶爾又會出現極端保守的特徵，這些特點統統集合在一個人的身上，便讓這個世界的人們值得認識他並與之交手。

李出奇不意地出現在櫃檯旁邊、我的座位一側。他今天穿著灰色系衣服及淺藍色慢跑鞋。帕比餐廳吸引一堆相當複雜的不同族群進駐，有黑人、西班牙裔、韓國人，以及在東南區當差或是在這裡做其他零工的勞動階級白種人，但是其中沒有人跟李的風格有一絲相近。

「我在這個地方看起來實在太特立獨行了，」他向我抱怨道，「我的外型對這種地方而言實在太過於前衛。」

「現在還有誰會跟你約在這裡見面嗎？你以爲是鮑伯・伍德沃德（譯註：《華盛頓郵報》記者鮑伯・伍德沃德是當初揭露水門案的關鍵人物），還是伊凡和諾華克？」

「你講的笑話挺好笑的，艾利克斯。你心裡面到底在想些什麼？爲什麼當這個新聞炒得正火熱的時候你不打電話給我？在這個混帳東西還沒被抓起來之前為何不知會我一聲呢？」

「能否請你幫這位先生倒一杯熱騰騰的黑咖啡呢？」我告訴餐廳服務生該怎麼做。「我需要藉由咖啡因喚醒他。」說完我轉身面對李。「我打算在監獄裡對桑傑施行催眠。我想要利用**他的潛意識**找尋瑪姬・蘿絲・鄧尼的下落。你可以採訪這一則獨家新聞，但是從此你便欠我一次人情。」我如此告訴李。

李・卡佛的反應幾乎要嗤之以鼻。「聽你在放屁！把我所說的話全聽清楚，艾利克斯。我想你剛才似乎把部分關鍵的細節遺漏掉忘了講。」

「是的，我正在設法努力取得催眠桑傑的准許令，可是有很多令人生厭的政治問題牽扯在其中。如果你把這件消息在《華盛頓郵報》上揭露出來，我認為這件事就真的會發生，就像是自我實現預言理論陳述的那般。我會拿到准許證，然後你便可以搶到獨家專訪權。」

咖啡裝在一個美麗的古典晚餐瓷杯裡被端上桌，杯子的顏色是淡褐色，在杯子的邊緣還鑲有一條細藍色的線。李嘖嘖有聲地品嘗這杯爪哇咖啡，用心到了極點。我試圖擾亂華盛頓特區已行之有年的規則，這項做法似乎讓他感到相當有趣，因為這可以深深打動他那顆假道學的內心。

「然而你如果真的從蓋瑞・桑傑那裡聽到什麼特別的消息，我將成為第二個知道這件事的人。當然是在你之後，艾利克斯。」

「讓你做這種事可是得來不易的機會，但你說得也沒錯，這就是我倆之間達成的協議。想想看吧，李，這件事的背後代價真的非常值得，一旦成功，不止能找出瑪姬・蘿絲的下落，更不用提你的前程將變得如何的光明璀璨。」

我讓卡佛慢慢喝完他的爪哇咖啡，然後開始讓這整個故事具體化。很明顯的是，這就是他的專長所在，這篇文章立刻刊載在次日早晨的《華盛頓郵報》。

娜娜媽媽是我們家族成員裡每天最早起床的人，她也有可能是整個宇宙中最早起的一個人，這是我和桑普生在十或十一歲的時候深信不疑的一件事。她同時也身兼加菲爾德北方國中的助理校長一職。

不論我是在早晨七點、六點還是五點起床，我總是會跑到樓下的廚房去找尋那一小盞煮東西的火苗，而娜娜媽媽要不就已經開始吃她的早餐，要不就是在爐子上開始煮東西等著給我吃。在大部分的早晨，早餐總是一成不變。一個簡單的水煮蛋、一個塗上奶油的玉米鬆餅、味道很淡的茶，裡面還加了奶精和雙份的糖。

她會比我們早起以便替其他人準備早餐，而且她也能分辨出我們每一個人的口味偏好。我們家常菜的清單包括鬆餅以及黑人香腸或培根肉，季節性甜瓜，燕麥粥或其他穀物，上面會塗上一層厚厚的奶油以及一大份糖漿；最後是各式各樣的蛋。

偶爾她會做一盤葡萄果醬蛋捲，這是她所做的菜餚裡，我唯一不感興趣的。娜娜媽媽總是把蛋捲的外緣烤得太焦，還有，就如同我一直跟她說的那樣，蛋捲和果醬的意義對我來說，就像蛋餅跟蕃茄醬一樣，是密不可分的。娜娜媽媽不同意我的說法，雖然她自己從未品嘗過果醬蛋捲，但是孩子們愛吃極了。

娜娜媽媽在三月份的那天早晨坐在廚房的椅子上，她正在閱讀《華盛頓郵報》，剛好是由一個名叫華盛頓的派報生送來的。每個星期一早晨，華盛頓先生都會和娜娜媽媽一起吃早餐。今天剛好是星期三，對於調查案而言是個很重要的日子。

每一件關於早餐的景象都是我所熟悉的，但是我仍在進入廚房的時候被嚇了一跳。再一次，我讓這般衝擊提醒自己，這宗綁票案已經深入我們一般人的私人生活，也深深影響到我家家族成員的日常生活。

我看見《華盛頓郵報》的標題，上頭寫著：**桑傑／默菲將接受催眠**。

從附在這則報導一旁的照片，我赫然發現上頭出現我和桑傑／默菲的大頭照。幸好我已經在前一天晚上聽過這則新聞，因爲這是我打電話叫來李・卡佛，並給他獨家採訪權之後，他才特意寫下的報導。

我一邊閱讀李所撰寫的故事，一邊吃著早餐，也就是兩塊梅乾。報紙上頭寫著：「某些未具名的消息來源，對於將心理醫生指定給這名綁架嫌犯的選擇，似乎非常存疑」；這是因爲「醫學上的發現，可能會對審判庭的宣判結果產生影響」；還有「如果被證實眞的有精神方面的疾病，桑傑／默菲將可能得到非常寬容的判刑，頂多就是在療養機構裡待三年。」很明顯的，在跟我約談過之後，李還有跟其他的消息來源溝通過想法。

「爲什麼那些人不乾脆站出來，說說他們的心態究竟是什麼呢？」娜娜媽媽一邊吃著她的吐司、喝著茶，一邊以含糊的聲音說話。我想她大概不太在乎李的寫作風格是好是壞。

「妳說呢？爲什麼他們不站出來講些什麼事情？」我向她詢問。

「大家都可以看出來的明顯事實。有些人不想讓你進去參與他們完美的辦案計畫。他們想要這個案件最終出現最潔白無瑕的正義結果，而不是要事實眞相。反正這裡也沒人想知道事情背後的眞相究竟爲何，他們只想要立刻覺得好過一些，他們想要這場痛苦趕快結束。人們對於痛苦的忍受程度眞是愈來愈低囉，尤其是最近的人們。」

「這就是妳每天在早餐時間擘畫出來的情節嗎？故事內容聽起來有一點像《推理女神探》的劇情。」（譯註：《推理女神探》是一部以女性為出發點的推理劇，曾獲得艾美獎。）

我替自己倒了一些她煮好的茶，但是不加糖或奶精。我又拿了一塊鬆餅，然後把一條臘腸放到餅中間，以便夾起來吃。

「我才沒有擘畫什麼劇情，因爲這整件事就跟你的鼻子是長在臉上的事實一樣，是那麼的直接，艾利克斯。」

我向娜娜媽媽點了點頭。她說的可能很對，但是在清晨六點以前要處理這種議題，眞是太令人洩氣了。「沒有一件事比起早晨吃梅乾還來得過癮了。」我說道。「嗯，眞是好吃。」

「嗯。」娜娜媽媽皺起了眉頭。「如果我是你，我會用品嘗那些梅乾的輕鬆態度過一會兒悠閒人生。我很懷疑你接下來是否得喝點蠻牛，才能將這件案子繼續辦下去，艾利克斯。希望我這樣講對你而言不會太直接。」

「謝謝妳，娜娜媽媽，妳的直言好意我心領了。」

「不客氣。這是爲你準備的早餐，以及給你一個極好的忠告：不要相信白種人。」

「非常棒的一頓早餐。」我向她這麼說。

「那麼你的新女友近況如何？」我的祖母開始詢問這個敏感問題。她總是不會錯過這種發問的大好時機。

50

當我抵達監獄並走出座車之際，空氣裡充滿高分貝的議論之聲。這些吵雜不過都是表面上的事情。報紙和電視臺的記者們，正在洛頓監獄外頭四處漫遊，他們全都在等著我大駕光臨；當然桑傑／默菲也是其中一個，他的囚禁場所已經從特殊監禁轉移至一般監禁區。

當我從停車場走出來、進到外面這個正在下著毛毛雨的街道時，電視記者的麥克風及攝影機鏡頭，從數十個不同的角度戳向我。我此行的目地是想要催眠蓋瑞・桑傑／默菲，而新聞媒體似乎也早已得知這個消息。我成爲他們今天頭版報導不可或缺的材料之一。

「湯瑪士・鄧尼說你試著讓桑傑能夠住院治療，然後你就可以幫助他在幾年後重獲自由。對於這種說法你有什麼評論呢，克羅斯警探？」

「此時此刻我沒有什麼好多說的。」我不能跟任何一名記者講實話，因爲他們並不想讓我受到大衆歡迎。而且我也和總檢察長達成不對外透露的協議，他們最後才願意讓我進行這趟催眠治療。

催眠在今日的精神病治療當中相當普遍，通常是由一名負責治療的精神科醫師或心理學家所主導。我想要從這些訪談當中發掘的眞相，便是蓋瑞・桑傑／默菲在他「消失的日子」

那段時間裡，究竟發生過什麼事，以及他從眞實世界逃離後的景象。然而我不知道這趟治療的進展會不會很快，或者事實上，也可能根本沒效用。

一旦我到達桑傑在監獄內的小牢房，接下來的過程就變得非常簡單且直接。我建議他放輕鬆並且閉上雙眼。再來，我要求蓋瑞先深深吸入一口氣，然後再吐出來，以非常緩慢且均勻的方式。我告訴他試著屛除心裡所有雜念。最後，從一百開始緩慢地進行倒數。

看起來他似乎是滿好的催眠受試對象，因爲他不會抗拒這種事情，而且他能夠很快便深深進入理想中的催眠狀態。就我所知的範圍之下，他已被催眠，無論如何，我在假設他已被催眠的前提下繼續進行。我觀察他的表情以尋找他沒被催眠成功的證據，但是遍尋不著。

他的呼吸速度已經很顯著地慢了下來。在這趟療程的初期，他的放鬆程度遠超過我先前看到的樣子。在一開始的幾分鐘之內，我們閒聊了一下日常生活當中的事情，一些不具威脅性的主題。

一當蓋瑞完全進入放鬆的狀態，我便開始詢問他，從他在麥當勞的停車場裡、眞正「醒來」或變成「他自己」開始。

「你還記得自己是在威京斯堡的麥當勞被逮捕的嗎？」

他先是停頓了一下——然後回應道：「嗯，是的，我當然記得。」

「我很高興你還記得，因爲我想要請教你一些在麥當勞所發生過的事情，我對於一些事件的發生順序有一點搞不大清楚。你記得自己曾在麥當勞裡吃過哪些食物嗎？」

我可以看到他的眼球在緊閉的眼皮後面仍不停轉動，這表示他在回答之前正在思考答案。蓋瑞今天穿著一雙涼鞋，而且他的左腳正在快速敲打地面。

「不……不……我無法說出自己吃了什麼。我真的有在那裡吃東西嗎？我也不記得了，我並不確定自己吃過了沒有。」

至少他還沒否認自己曾出現在麥當勞裡面。

「你曾注意到麥當勞裡面有人形跡可疑嗎？」我詢問他。「記得哪些顧客最讓你印象深刻嗎？還是你有可能交談過的一名櫃檯女服務生。」

「嗯……那裡很擁擠，所以目前心裡面沒有想到比較特別的人。我有回想到當時有些人的穿著打扮真是糟透了，看起來就很滑稽。其實你可以在任何一個購物中心看到這種人，麥當勞裡面也總是充斥這種人。」

在他的心裡面，他仍是在麥當勞裡頭。他的心已經和我一起飛到那麼遠的一段時空裡面。**保持這種情況下去，蓋瑞**。

「當時你有用過洗手間嗎？」我已經知道當時他有去上過廁所。當時他的大部分舉動，都已經被詳細記錄在逮捕報告裡頭。

「是的，我有使用廁所。」他回答道。

「那麼飲料呢？你喝了些什麼呢？帶我跟你一起前往，讓自己儘量身處在那個環境底下。」

他露出微笑。「拜託。您無須屈尊移駕。」

突然他讓自己的腦袋以一種怪異的方式歪斜著。然後，蓋瑞便開始大笑。那是一種很特別的笑聲，比平常人笑得還要開懷。的確很奇怪，但還不到警告的界限。他的講話速度變得愈來愈急，而且聲音變得很清脆，他的腳掌拍打地面的速度也愈來愈快。

「你的聰明才智不夠格做這件事。」他說道。

我爲他聲音裡的聲調改變感到有點震驚。「做什麼事？告訴我你剛剛指的是什麼樣的事情，蓋瑞。我不瞭解你的意思。」

「我是說你試圖玩弄**他**，那就是我所要講的事情。你是一個滿聰明的人，但是還沒有到達他的境界。」

「你是指我試圖玩弄誰呢？」

「當然是**桑傑**啦。**他**就站在麥當勞餐廳裡頭。他正在**假裝**要點一杯咖啡，但是他真的對於當時所發生的一切事情感到失望。他的脾氣快要爆發出來，因爲他現在**需要**別人對他的注意力。」

聽到這裡，我坐在椅子上的姿勢開始往前靠了一點，因爲我沒有料到他會這麼說。

「他爲什麼會生氣呢？你知道爲什麼嗎？」我問道。

「他覺得很失望的原因是，他們不過狗運好了些罷了，這就是主要原因。」

「是誰在走狗運？」

「警方。他覺得很失望的原因就是，愚笨的人可以藉由好運毀掉每一件事，同時把偉大的計畫給搞砸。」

「我想要和**他**談談這件事情。」我說道。我試著儘量讓自己保持像他那樣子就事論事的態度。如果桑傑現在就在這裡，或許我們有機會可以好好談談。

「不！不可能。你與他的層次根本就不同。你不會瞭解他所想傳達的每一個訊息，你對於桑傑的思想根本一點頭緒也沒有。」

「那麼他仍然在生氣嗎？他現在到底還氣不氣呢？待在牢裡感覺如何？桑傑對於待在這個小房間裡有什麼想法？」

「他想說——去你的。**去死吧！**」

他起身撲向我，然後抓起我的襯衫和領帶，以及我的運動外套前端。他的力量很強大，但我也不差。我讓他抓住我的衣服，然後我也抓住他的衣服，我們倆變成一種用力擁抱在一起的姿勢，於是我們兩個的腦袋相碰且撞個正著。我本來可以不用跟他相撞，但是我卻沒有試著避開。因爲他不是眞的想傷害我，看起來比較像是他想對我發出警告，在我倆之間劃清一條界限。

坎貝爾醫生以及他的警衛們急忙從走廊上衝了過來。桑傑／默菲見狀立即將我放開，並用自己的身體撞向監牢的大門。口水此時從他的嘴巴旁邊流下來，然後他開始尖聲叫嚷，並且用盡氣力大罵髒話。

警衛用力將他制伏在地上，他們可是用盡氣力才得以限制他的行動。桑傑的實際力量，遠比他那瘦小的身體看起來強而有力得多，幸好我從實際與他交過手的經驗已得知此事。

受過正式訓練的護士隨著警衛進入監牢內，隨即給他注射一劑麻醉藥品。就在幾分鐘之內，他便在監牢裡的地板上睡著。

警衛們將他從地上舉起來，放到帆布床裡面，並且將他包進一件束縛衣裡。我一直等到他們把桑傑鎖進監牢裡面才離開。

究竟是誰被關在監牢裡呢？

蓋瑞．桑傑嗎？

蓋瑞．默菲呢？

或者他們倆同時都在這裡呢？

51

那天晚上，皮特曼局長撥了通電話到我家裡。在接到電話的當時我便猜想，他絕非來恭喜我在桑傑／默菲的案件上有了突破。我的猜測可眞準。傑飛的確要我在隔天早上到他的辦公室跑一趟。

「出了什麼事？」我如此詢問他。

他在電話筒另一頭就是不肯告訴我實情，我猜想他可能不想讓我失去驚喜的感覺吧！

那個早晨，我確定自己已經把鬍子刮乾淨，爲了這個難得的場合，我還特地穿上皮大衣。在我離開家門前，我坐在迴廊上彈了幾首「淑女黛小姐」（譯註：爵士歌手比莉．哈樂黛於一九一五年出身馬里蘭州，人們稱她為「淑女黛小姐」），我會趁著此時想想黑暗及光明的事，也會試著變換憂傷及愉快的心情。我彈了《我所愛的人》、《我們所共同瞭解的事》、《我猜，這就是人生》等幾首歌曲。隨後便離開家去找傑飛。

當我到達皮特曼的辦公室時，時間雖然才七點四十五分，但是那裡已經在進行一堆活動了。即便連傑飛的助理看起來都忙得不可開交。

老將傅萊德．庫克是名退役的副警探，現在他所擔任的職位則是行政助理。他看起來就是舊時代思維下的產物之一。傅萊德不但器量狹小、專愛挑人毛病，還是個不折不扣的政客。跟他打交道，就好比跟蠟像館裡的人偶傳遞訊息般，可說是全然不管用。

「局長正在等著你呢！」他勉強給了我一個咧嘴微笑。傅萊德．庫克向來以搶先他人取得情報為樂，即便他不曉得所有的事，也總喜歡裝成他什麼都知道。

「今早發生了什麼事情呢，傅萊德？」我向他開門見山的問道。「我知道你可以答得出我的問題。」

我從他的眼神中看到一絲什麼事都知道的閃爍光芒。「為什麼你不直接進去面對事實呢？我相信局長會向你解釋他的意圖。」

「我真是替你感到驕傲呢，傅萊德。你真是個擅於保守秘密之人。你知道的，憑這個優點你真應該在國家安全小組裡頭當差。」

我懷著最壞的打算進入局長辦公室內，不過看來我還是有點低估這位身為眾警探首腦人物的真正能耐。

市長卡爾．蒙瑞正在辦公室與皮特曼交談，警長克里斯多佛．克勞什，以及各路人馬，包含約翰．桑普生在內，都在裡頭。看起來這裡似乎正在舉辦一場華盛頓特區最受歡迎的晨會；一場行動早餐會報，正在局長密室內悄悄上演。

「這裡談論的也不全然是壞事。」桑普生壓低嗓門說道。桑普生看起來就像隻巨大的動物，被那些張牙舞爪的獵人抓進陷阱裡；他輕聲細語的嗓音和魁梧的體型簡直不成對比。我感覺他似乎很樂意將自己的雙腳鋸下來，但求能逃離這間窮極無聊的辦公室。

「事情進展得很順利。」卡爾．蒙瑞看見我滿是狐疑的表情，愉悅地笑著說道：「我們要給你們兩位一些好消息，絕對是非常正面的消息，我可以在此透露嗎？嗯，是的，我想是時候跟你們宣布喜訊了……你和桑普生從今天起立刻升官一級。向我們新任資深副警長，以及新任分隊長道賀吧！」

眾人立即報以嘉許般的掌聲。桑普生和我交換了一個疑惑不解的眼神。這些人葫蘆裡到底在賣些什麼藥？

早知道會遇見今天這種場面，我一定會帶娜娜媽媽和小朋友們一起過來。現在的場合就好似總統頒發動章給那些陣亡將士的遺孀，只不過在這當兒，原本應該已過世的陣亡者被請前來參加典禮罷了。桑普生和我在皮特曼的眼裡，看來就像行屍走肉般，與死人無異。

「或許你們會想讓桑普生和我知道，這裡究竟發生了什麼事？」我換上權謀般的微笑望向蒙瑞。「你知道的嘛，我想瞭解這件事背後的來龍去脈。」

卡爾．蒙瑞拿出他那和藹可親的笑容，並把現場氣氛炒熱；這種做法讓人感到十分溫馨、個人受到尊重，更重要的是，「這些表情都很眞誠」。「我也是受人之邀前來，」他如此說道，「因爲你和桑普生警探升官了，我想事情就是這樣。我眞的非常高興有這個機會可以共襄盛舉，艾利克斯，」──他裝出一個卡通式的表情──「天啊，現在時間可是離八點還有十五分鐘吧！」

事實上，有些時候你不得不喜愛卡爾，他對於哪些人物以及哪些原因能夠讓他成爲不折不扣的政客，可說是瞭若指掌。他不禁讓我想起那些位於十四街的妓女們，每當與恩客進行性交易前，她們都會說一些淫穢的笑話來助興。

「我們還有許多事情尙待討論。」皮特曼開口說道，然而隨後他又放棄把任何具有實質意義的想法，帶進這個以慶典爲主的談話內容當中。「不過，這些事情可以待會兒再慢慢談，大家先用點咖啡和甜點吧！」

「我想我們應該現在就把所有事情談個清楚，」我如此說道，將目光轉向蒙瑞，「把想說的話跟著甜點一起丟到桌上來吧！」

蒙瑞搖了搖頭，「你爲何不嘗試著將腳步放慢些呢？」

「看來我是永遠也沒辦法幫政府單位做事了，是吧？」我向市長直言。「尤其對一位政客而言我更是不適合了。」

蒙瑞聳了聳肩，但他仍然保持微笑。「艾利克斯，我可不確定你講的是對或錯。但是有時候人們在取得足夠的經驗後，會將性格轉換成一種更有效率的做事方法；他們會觀察怎樣做才行得通，而哪些方式卻會碰壁。用對抗的方式來面對事情，總是能令當事人較滿意自己的做爲，但是這種做法卻不能讓大家得到更大的好處。」

「這就是你們今天找我們兩個來的目的嗎？爲了幫助各位達到更大的好處？這就是今天

早餐各位所要談論的主題囉？」桑普生如此質疑衆人。

「我的確是這樣想的。是的，我相信這就是今天的主題。」蒙瑞一邊點頭一邊咬了口蛋糕。

皮特曼局長將咖啡倒進一個昂貴的瓷器茶杯裡，那個杯子對照他那粗大的手顯得又微小又脆弱。這不禁讓我想起用小水田芥做成的昂貴三明治，那可是有錢人才吃得起的午餐哪！

「目前捲入此綁架案的調查單位已有聯邦調查局、司法部、特勤局等單位，多頭馬車對任何一方來說都不是件好事，因此我們決定從現在開始，完全抽離此案，得將二位再次從調查線撤換下來。」皮特曼終於說出實話了。

賓果！他的馬腳終於露出來了。眞相就在眼前這個小型的早餐會議裡被我揭穿。

突然之間，辦公室所有人交頭接耳起來，我們這群人當中至少有兩位在咆哮。好個狂歡派對！

「這根本就是在放屁！」桑普生直接對著市長的臉咆哮，「你知道這件事背後內幕，你一定知道的對不對？」

「我早就開始進行桑傑／默菲案件的調查，」我對著皮特曼、蒙瑞以及克勞什隊長說道，「我昨天才剛剛成功地將他催眠。去你的，千萬不要破壞這一切，至少現在不可以這麼做！」

「我們知道你在蓋瑞．桑傑一案的進展，但是我們仍然需要做出重要決定，而這就是我們的決定。」

「你想知道眞相嗎，艾利克斯？」卡爾・蒙瑞的聲音突然間提高許多。「你眞的想聽聽這件事的背後眞相嗎？」

我直視著他說道，「那是當然的。」

蒙瑞凝視著我的雙眼說，「檢察總長此刻正在向華盛頓的一些高官施以巨大壓力，我相信很快就會召開一場盛大的聽證會，時間大約是在六週內。艾利克斯，調查此案的『東方特快車』已經離站，只可惜你並不在車上，我也不在這輛車裡面。這個案件的複雜程度已遠遠超過你我所能掌控的範圍，唯有桑傑／默菲在車上而已……」

「負責此案的檢察官，司法部，已決議停止你在桑傑／默菲案的調查權。有一個精神病專家所組成的團隊，已正式被授權接管此案，這便是此案件未來將進行的方向，也是此案命中註定的發展結果。這個案子已經進展至另一個新領域，不需要我們涉入其中。」

桑普生和我黯然離開這個專程爲我們設立的宴會，從此蓋瑞・桑傑一案再也不需要我們的參與。

52

接下來整整一個禮拜，我都早早離開工作崗位回家，通常是在六點至六點半便下班了，不再有那種八點還在加班，或是一週工作上百個小時的生活。如果我馬上被炒魷魚，戴蒙和珍妮應該是再高興也不過了吧！

我們去租了迪士尼以及忍者龜的影片回家觀賞，還聽了三片裝的比莉・哈樂黛專輯：《一九三三—一九五八經典歌曲回顧》，聽著聽著就一起在沙發上睡著了。這些對我而言眞是美好的事物啊！

一天下午，我帶著孩子們去造訪瑪麗亞的安息之地。不論是戴蒙或珍妮，至今都無法完全克服喪母之痛。在離開墓地的時候，我在另一個墳墓前佇足良久，那是馬斯塔夫・桑德斯的最後歸宿。我彷彿仍可以見到他那悲傷的小眼睛直盯著我瞧，像是在問我：**為什麼會發生這宗謀殺案？**馬斯塔夫，對不起，我還沒找到答案，但也不打算放棄追查眞相。

在一個夏季末的週六，桑普生和我大老遠開了車跑到紐澤西州的普林斯頓大學。瑪姬・蘿絲・鄧尼仍未被尋獲，那些價值高達一千萬美元的贖金亦然，所以我們只好用自己的時間將所有線索重新檢查一遍。

我們跟默菲的幾個鄰居聊了一下。默菲家族成員已經在一場大火中全數罹難，但沒有人懷疑這是默菲幹的好事。在普林斯頓周圍聽過蓋瑞・默菲大名的人，都知道他是名模範學生，曾在當地高中以第四名的學業成績畢業，儘管他看起來似乎從來不是那種勤奮唸書來讓自己功課更好的學生。他也不會讓自己惹上任何麻煩，至少從來不曾幹出會讓普林斯頓的鄰居知道的糟糕事。從左鄰右舍的鄰人口中所描繪出來的年輕人，具有跟我在洛頓監獄裡面交談過的蓋瑞・默菲一樣的特質。

每一個受訪者的說法大致相同，只有一個蓋瑞孩童時期的朋友提出不同意見，而我們爲了找到他可是費了番工夫。他的名字叫做賽門・康克林，目前在當地一處農產品市場經營菜販生意，他一個人獨居在距離普林斯頓市區十五英里之外的處所。我們之所以前來找康克林的原因，正是因爲默菲太太曾向我們提及這個名字。聯邦調查局曾經審訊過他，但是所得的資訊微乎其微。

剛開始的時候，賽門・康克林拒絕與我們交談，他不想再跟更多警察有所瓜葛了。最後是我們威脅他會在華盛頓特區找他麻煩時，他才願意透露一點線索給我們。

「蓋瑞總是喜歡愚弄衆人。」康克林就在他那間小房子的凌亂客廳裡與我們聊了起來。康克林是名身材高大、不修邊幅的男子，外表看起來疲憊不堪，而且身上的衣服跟他極不相襯；然而他可是個絕頂聰明的傢伙，如同他的朋友蓋瑞・默菲一般，他也得過國家優秀學生獎。「蓋瑞說過偉大的人總是能把衆人耍得團團轉，所有偉大人物的特質都是如此，你應該能瞭解我的意思吧！這就是蓋瑞想要變成的人！」

「他所謂的『偉大人物們』究竟是什麼意思？」我向康克林提出疑問。我認爲只要能順著他的邏輯走，就可以一直讓他說下去，然後我就可以從康克林的口中套出我想知道的事。

「他把那些人稱爲百分之九十九以上的菁英。」康克林向我吐露這個秘密。「告訴你，他們可是頂級菁英，人才中的人才，也是能扭轉世界上一切事物的人。」

「最優秀的**什麼東西**啊？」桑普生想要進一步追根究底。我察覺得出他並不是很欣賞賽門・康克林這個人，他已經把太陽眼鏡摘了下來，拿在手上把玩，到目前爲止他暫時還耐住性子，想乖乖當個好聽衆。

「**真正的**心理變態中的佼佼者。」康克林一邊回應、一邊沾沾自喜地笑了起來。「他想成爲那種可以逍遙法外，而且一輩子也不會被逮到的罪犯，因爲他是那種聰明到沒有任何人可以抓得到的人，他可以鄙視任何人，而且不會給予別人同情或憐憫，他就是那種可以掌控一切的人。」

「蓋瑞・默菲眞是那種人嗎？」我問道。我知道他現在很想高談闊論，不只講蓋瑞這個人，也想談論有關自己的事。我意識到康克林也將自己視爲那種百分之九十九以上的菁英。

「不，蓋瑞不是這樣描述他自己的。」他一邊搖著頭、一邊露出那種惹人厭的似笑非笑般的表情。「若是根據蓋瑞的說法，他可是比那些百分之九十九以上的菁英還要聰明得多了，他總是相信自己就是那些聰明人當中的首腦，是萬中選一的天才。他總是稱自己爲『天生鬼才』。」

賽門・康克林接著告訴我們，他和蓋瑞小時候住在離城外六英里之外的鄉間小路旁邊，他們上學都搭乘同一班校車，從九歲或十歲起他倆便結爲好友。這條路就跟通往林白在霍普威爾所擁有的農莊路徑是同一條路。

賽門・康克林告訴我們，蓋瑞・默菲一定是藉著那場火災來報復他的家人。康克林熟知蓋瑞在小時候遭受家暴事件的一切細節。雖然他沒辦法證明，但他知道一定是蓋瑞引發那場火災。

「我會將爲何我知道他的計畫始末細節，完完整整告訴你們。這是他當時跟我說的——那時我們只有十二歲大。蓋瑞曾說他想要拿這場報復，做爲自己二十一歲的成年禮，他還說這件事發生時，他會讓自己看起來就像在學校上課，所以會有不在場證明，如此就不會有人懷疑到他的頭上。當然你們已經知道這件事後來也發生了，不是嗎？他爲此足足等了漫長的九個年頭，爲此事件他足足計畫了九年。」

當天我們和賽門．康克林聊了三個小時，隔天又聊了五個多小時。他告訴我們一連串悲傷且可怕的故事。蓋瑞每次都會被關進默菲家的地窖長達數天，甚至數星期之久。蓋瑞對他那些**十年計畫**、**十五年計畫**、**終生計畫**又有多麼著迷。蓋瑞對付那些小動物們的祕密戰爭，特別是那些飛進他繼母花園的美麗鳥兒，他是如何殘忍地先扯斷鳥兒的腿、拔光羽毛，再扯掉牠的另一隻腳。蓋瑞如何將自己視爲百分之九十九以上的菁英人物，屬於人中龍鳳。最後，康克林還談到蓋瑞如何擅於模仿他人的才華，學習旁人的舉動，扮演他人的角色等天賦。

原本我在洛頓監獄與蓋瑞．默菲面談時便想瞭解這一切，當時便想多跟蓋瑞接觸，用一些面談機會找出他在普林斯頓的棲息處所。我也想跟蓋瑞聊聊他的朋友賽門．康克林是個怎樣的人。

不幸的是，我已經被迫調離此案的管轄範圍，這宗綁票案已經離開桑普生、我以及賽門．康克林，飄然遠去。

我將在普林斯頓所發現的線索呈報給聯邦調查局，爲此我還寫了一篇長達十二頁有關賽門．康克林的報告呈上，但是調查局遲遲未對此案給予回應。於是我撰寫第二篇報告，並將副本送給原來身爲搜索隊的每一名成員。在報告裡面附上賽門．康克林是如何陳述這位兒時玩伴——蓋瑞．默菲的記錄：「蓋瑞總是說他將來可是要闖出一番**大事業**。」

然而我的努力並沒有激起任何回應。聯邦調查局並沒有約賽門．康克林二度面談，他們並不想找尋新線索；很顯然他們只想要讓瑪姬．蘿絲．鄧尼這宗綁票案快點結案。

53

九月末我和潔西．佛萊娜根一起到小島上度假，我們選擇在一個長週末假期逃離這一切，就只有我們倆一同度過。這是潔西的點子，我也認爲這是個好主意，休閒和娛樂是此行的唯一目的。我們倆對接下來四天未知的旅程感到興奮，對於會發生哪些事可謂既好奇又急著瞭解。說不定最後會發現，其實我們根本就無法容忍彼此長達四天之久，不管怎麼說，這些都是我們需要探索之處。

走在維京群島的傅朗特街上，幾乎沒有一個人會轉頭向我們多看一眼。這樣的改變眞是美好，一點都不像在華盛頓特區，在那兒人們總是習慣盯著你瞧。

我們跟著一個僅十七歲大的黑人女性學習潛水課程。我們還騎馬沿著海灘奔馳，超過三英里以上沒遇著半個人。我們也試著駕駛路華越野車進入叢林，然後在那裡一度花上大半天迷路。最令人難以忘懷的一次經驗，就是造訪一個不可思議的小島，我們將它取名爲「潔西和艾利克斯的天堂私人島嶼」。這個地方是旅館替我們找到的，工作人員待我們離開船艙後便離開，讓我們有獨處的時間。

「這裡是我這輩子去過最令人讚嘆的地方了。」潔西如此說道。「看看我們身旁的海水及沙灘，那裡突出的峭壁以及坐落於水中的沙灘。」

「這裡雖然不像第五街那樣要什麼有什麼，但是我也覺得無所謂。」我一邊微笑一邊轉頭四處察看。我站在海邊，讓浪花沖向我。

我們腳下這個私密的小島幾乎全被白色沙子所掩蓋，感覺就像踩在砂糖上頭。在海灘的另一頭則是我們畢生所看過最茂盛的叢林，白色玫瑰花及九重葛裝飾其間，藍綠色的海水就像春泉般的清澈透明。

旅館的廚房替我們準備了午餐——有美酒、進口乳酪、龍蝦、蟹肉以及好幾種不同口味的沙拉。在目光所及看不到一個人，所以我們決定來個徹底解放。我們倆把衣服脫個精光，不需要感到害羞，彼此間也沒有任何禁忌，因爲我們此刻正在天堂裡獨處，不是嗎？

當我和潔西一同躺在海灘之際，我不自覺大聲笑出來。此時此刻，我的感受比起過去一段很長時間裡還要強烈許多——那就是想笑的感覺，在生活周遭感受平靜的生活。感受平靜，這段時間內難得出現的一種感覺，我對於這種感覺的出現感激不已。對一個人而言，長達三年半的哀痛已是太長的一段回憶。

「妳知道自己有多美嗎？」當我們躺在一起的時候，我對她拋出這個疑問。

「我不曉得你有注意到這一點，但是我在皮夾內都會隨身攜帶一個小化妝盒，裡頭有一面小鏡子。」說完她注視著我的雙眼，她正試圖研究一些我永遠也無法得知的事情。「事實上，自從加入特勤局之後，我就一直努力不讓自己成爲吸引男人的目標，因爲這就是讓充滿男子氣魄的華盛頓特區出糗的重要因素。」

潔西對我眨眼示意。「你可以試著裝成一個很嚴肅的人，艾利克斯，但眞正的你其實充滿幽默感。我敢打賭，只有你的孩子們有機會看見眞實的你。戴蒙和珍妮最瞭解你了，對吧？」她一邊說一邊向我搔起癢來。

「不要把話題轉到我身上，我們正在談論的主題可是妳耶！」

「是你先講到我的吧。好吧，我偶爾也是想當個漂亮寶貝，但大部分時間我只想做個不出色的女孩，戴著大粉紅色髮夾，坐在床上看些老掉牙的電影。」

「整個週末妳看起來都美極了。我可沒看到什麼粉紅色的呆髮夾，我看到妳的頭髮上綁的可是緞帶及鮮花。妳常穿無肩帶泳裝，偶爾甚至沒穿。」

「那是因爲我現在想當個漂亮寶貝，若是在華盛頓，一切可就不同了。這是我日常工作需解決的另一個問題。試想當妳在面對老闆時，妳呈上自己奮鬥數個月的工作成果，而他的第一個反應竟然是：『寶貝，妳穿上這套衣服看來美極了！』聽到這種話妳心裡只有一個感想：『去你的，王八蛋！』」

我將手伸出來與她緊握。「謝謝妳現在願意回復妳的眞實面貌，」我對她說道，「妳看來是如此美麗啊！」

「我只願爲你做出這一切，」潔西微笑著說，「而且我還願意替你做一些特別的事，我也希望你能爲我做一些特別的事情。」

就這樣，我們藉著緊密地結合，更進一步瞭解彼此。

截至目前爲止，潔西和我對彼此不但不會感到厭煩，在這個天堂裡，我倆的感覺只有愈來愈美好。

那天晚上，我們坐在城內一處酒吧的門外，一面欣賞這個無憂無慮的小島生活，一面思考爲何自己不乾脆脫離俗世的一切，來加入這種美好的生活。我們一邊吃著蝦子和生蠔一邊聊天，就這樣過了好幾個小時。我們都不想修飾邊幅，特別是潔西。

「艾利克斯，一直以來我就是一個追求眞相到底的人。」潔西如此對我說道。「我指的不僅是這樁綁票案，我會讓自己一頭栽入每一個案子的調查當中，即便是外人看來白費力氣的追逐。自從我懂事以來一直就是這種個性。一旦想要做某件事，便無法停止自己的動力。」

我靜靜聆聽不發一語。我只想要聽她說話，我想要瞭解她所想告訴我有關自己的一切。她舉起手上的杯子。「我現在就坐在這裡，手上拿著一杯啤酒。嗯，我的雙親都是酒鬼，依當時社會風俗看來，他們都是不正常的人。沒有外人會曉得這種情況有多麼嚴重。他們經常一面尖叫一面互毆。我老爸通常會暈倒不醒人事，然後睡倒在他的椅子上面。我老媽則是常躺臥在餐桌上而且在大半夜保持清醒，一面喝著她最鍾愛的威士忌。她會說：『小潔西，給我再來一瓶威士忌。』我便得充當他們專屬的調酒師。這便是我在十一歲以前賺零用錢的辦法。」

潔西停話不語並注視我的雙眼。我未曾看過她如此脆弱的模樣，而且失去自信。大部分時間她總是給人一種充滿信心的感覺，這就是她在特勤局所贏得的美譽。「你想要離開了嗎？我們還是別談論這些事好了。」

我搖了搖頭。「不，潔西。我只想聆聽妳想訴說的一切，我想知道有關於妳的一切事情。」

「我們仍在度假嗎？」

「是的，而且我是眞的很想聽妳講這些事，放心的跟我說吧。相信我，如果我眞的感覺無聊不想聽，早就拍拍屁股走人，而且連帳單都不付地把妳丢在這裡。」

她笑了笑便繼續說下去。「我用一種很特殊的方法來愛我的父母，我相信他們也愛我，因爲我是他們的『小潔西』。我記得曾告訴過你，我不想成爲像他們那樣，雖然聰明，但卻是徹底的失敗者。」

「或許妳對很多事情瞭解得還不夠透徹吧。」我微笑以對。

「是的，嗯，算了。當我進入特勤局以後，日以繼夜地工作，即便週末亦復如此。我爲自己設立一項不可能達成的目標——在二十八歲當上督察——然而我卻超越每一項目標。這也是我跟先生爲何離異的緣故，我把工作看得比婚姻更重要。想知道我爲何會迷上飆車這項嗜好嗎？」

「是的，我還想順便知道，爲何妳會讓我坐上妳的摩托車。」

「好吧，聽我道來。」潔西回應道。「我一直無法讓工作的欲望停止下來，當我晚上回家以後也無法停止工作的想法，除非是當我騎上車以後。因爲當你用時速一百二十英里在路上奔馳之際，你必須對道路動態全神貫注。這時便可以拋開一切，我也只有在此時才能將工作從腦海中拋開。」

「這就是我爲何喜歡彈鋼琴的原因。」我這樣告訴她。「我對妳雙親所發生的事感到遺憾。」

「我很高興最後終於將他們的事告訴你了。」潔西說道。「在你之前我從來沒向任何人提過此事，沒有任何一個人知道這整件事的來龍去脈。」

在這個小島酒吧內，潔西和我彼此擁抱在一起。我和她未曾有過如此親近的感覺，親愛的小潔西。那些我倆共處的所有時光裡，有一段光景使我永難忘懷，那就是我們一起在天堂共度的那段時光。

突然之間，光陰似箭，美好的假期就這麼結束了。

我們發現自己被困在一架飛往華盛頓的美國航空公司飛機上頭。根據氣象預報顯示，我們就要回到那個充滿陰鬱、潮濕的天氣，同時也得回到我們的工作崗位。

在那段航程之間，我們給彼此一點空間，然後又同時向對方發問，結果就是向對方比一個「請你先說」的手勢。我們在這趟旅程中首次聊到購物這檔事，眞是段無聊至極的購物心得對談。

「你眞的認爲他有多重人格嗎，艾利克斯？他眞的知道瑪姬．蘿絲發生了什麼事嗎？桑傑或許知道，但默菲知道嗎？」

「以某種程度而言，他是知道一切的。某次當他談論到桑傑之時他曾感到懼怕。不論桑傑屬於他分裂性格的一部分或是他眞實的性格，他都顯示出懼怕的模樣。桑傑可是知道瑪姬．蘿絲發生了什麼事。」

「只可惜一切的眞相我們永遠也無法得知，看起來事情會以這樣的方式了結。」

「是吧。我認爲自己可以從他口中套出實情，只是需要多點時間。」

機場附近的交通眞是亂成一團，這裡有數千人正和我們一同親身經歷。車流量多到幾乎癱瘓了交通，排隊等候計程車的旅客多到繞回航廈裡頭，每一個人都被淋成了落湯雞。

潔西和我都沒雨衣可穿，因此我們兩個都被淋個全身濕透。生命突然間變得令人如此沮喪，而且現實面的殘酷再度降臨。陷入泥淖的調查案正在華盛頓特區如火如荼地進行，審訊議事即將召開，我想辦公室桌上大概已躺著皮特曼局長的留言了吧！

「讓我們回去面對這一切吧，讓我們把這一切的不利扭轉過來。」潔西抓住我的手，並且在通往達美航空交通車的門前將我拉近她的身邊。

她的身體充滿溫暖而熟悉的味道，這點令我感覺愉快極了。可可油和蘆薈的餘香依舊淡淡入鼻。

每個人經過時都會特別轉過身盯著我們瞧。他們一邊看一邊品頭論足，幾乎所有人都會向我們瞧上一眼。

「我們快點離開這個鬼地方。」我這樣說道。

54

碰！時間是星期二下午兩點半（我在十一點回到華盛頓特區），我接到桑普生打來的電話。他希望與我在桑德斯的家裡碰面，因爲他認爲我們可以爲綁架案和計畫性謀殺犯罪找出新的關聯性。他爲自己手頭上掌握到的線索而雀躍不已，努力工作顯然讓我們在其中一項調查工作取得掌握線索的優勢。

我已經有數個月未曾回到桑德斯家的命案現場，這一切對我來說眞是悲傷且熟悉。從外邊看起來窗戶內是黑漆漆的一片，我懷疑這間屋子是否找得到買主，甚至有人願意承租與否都是個大大的疑問。

我的車停放在桑德斯家的車道上，我坐在車裡讀著原先承辦此案的警探所撰寫的報告。報告內容無一不是我所熟知的事項，而且我還看了不下數十次之多。

我持續盯著屋內瞧，泛黃的窗簾已被拉攏，因此看不見屋內的動靜。桑普生究竟在何處，而且爲何他非要選在此處與我碰面？

他的車在三點整的時候停在我的車子後面，然後他爬出那輛已被壓扁的日產轎車，一屁股坐進我的保時捷跑車前座。

「哇塞，你跑去曬得跟黑糖一樣健美，看起來眞是秀色可餐啊！」

「你還是一樣又肥又醜，模樣一點都沒變嘛。說說你在這裡到底得到哪些情報。」

「警方已經盡全力調查此案了。」桑普生回答道。他邊說邊點燃手上的長雪茄。「順帶一提，你吩咐得持續追查此案是對的。」

在車窗外頭，狂風呼嘯且夾雜著大雨。肯塔基州及俄亥俄州正被龍捲風襲擊。在我們離開美國本土去度假的上個週末，天氣變化得異乎尋常。

「你有去白人專屬的俱樂部，好好享受一番潛水、駕船出遊以及打打網球的樂趣嗎？」桑普生調侃的問道。

「我們可沒時間做那些高檔的享受。我們花了很多時間在進行一些你不會瞭解的心靈交流。」

「是啊是啊。」桑普生開始裝起黑人女孩跟手帕交談心時慣有的腔調，而且他演得還挺好的。「我也很想跟男孩子談談心呢，妳想嗎，我的好姐妹？」

「我們到底還要不要進去屋內？」我沒好氣地問道。

有幾幕景象此時從我的腦海中浮現，而且持續數分鐘之久，沒有一個是令人愉快的記憶。我記得十四歲大的桑德斯姐姐的臉龐，以及年僅三歲的小馬斯塔夫，我還記得他們倆曾是多麼美麗的小孩子。我還記得當時他們橫死在這東南角時，根本沒人在乎這一切。

「事實上，我們此行的目的是要拜訪隔壁屋子裡的鄰居。」他終於將目的說了出來。「我們得上工了，這裡發生了一點我無法解決的事情，但是這件事關係重大，艾利克斯，我需要你的協助。」

我們拜訪了桑德斯家的隔壁鄰居，薛瑞瑟家。這是個關鍵時刻。我立即全神貫注起來。

我知道妮娜．薛瑞瑟和蘇澤特．桑德斯在還是小女孩的時候便已結爲好友，這兩個家庭從一九七九年開始便一直相鄰而居。妮娜和她的父母一直無法從這宗謀殺案的傷痛中走出來。如果他們在財力上負擔得起，應該早就搬離這個傷心地了。

爲我們應門的是女主人薛瑞瑟太太，她對著樓上大喊妮娜的名字，告訴她有訪客到來。

我們被安排坐在廚房餐桌的四周，牆上還掛著一幅微笑的魔術強森照片（譯註：魔術強森為NBA退休名將）。空氣中仍然飄盪著一股香菸的餘味以及燻豬肉的油煙味。

當妮娜．薛瑞瑟終於現身於廚房之際，她一副冷靜的模樣，似乎刻意與我們保持距離。她看起來面無表情，年齡大約在十五至十六歲之間。我可以察覺她根本不想到廚房來。

「上個星期，」桑普生替我發言省得我多嘴，「妮娜跑去找東南區的教師助理，並告訴那個人，她可能在謀殺案的前幾晚便已看到兇手。她一直以來都很懼怕聊到此事。」

「我瞭解。」我回應道。要找到一個目擊證人與康敦或藍格立地區的警察溝通，是件幾乎不可能的事，甚至在華盛頓特區其他的黑人居住區亦復如此。

「我看到壞人已經被抓起來了。」妮娜用一種不友善的態度回話，她的表情木然，用她那雙漂亮而混雜著其他顏色的眼睛直盯著我瞧。「我現在已經不像之前那麼怕了，雖然想到還是會有一點害怕。」

「妳是怎樣認出他的樣貌呢？」我問妮娜。

「我在電視上看到他，我知道他還犯下了滔天的綁票案，」她回應我的問題，「新聞整天都在報導此事。」

「她認出蓋瑞．默菲了。」我向桑普生說道。這表示她過去就曾見過蓋瑞．默菲，而不是在學校老師的指導後才認識的。

「妳確定跟電視上出現的是同一個人嗎？」桑普生再次向妮娜確認。

「是的，他曾在我的好友蘇澤特家的外頭窺探，我那時感到很詫異，因爲這附近不常出現白人。」

「妳是在白天還是晚上看見他？」我再次向這女孩發問。

「晚上，但我確信就是他。桑德斯家走廊上的燈通常都是晝夜明亮，因爲桑德斯太太害怕不熟悉的每件事物及陌生人。可憐的蘇澤特，我到現在都還記得跟她聊天的一些細節。」

我轉身向桑普生說道：「把他列入謀殺案可疑嫌犯。」

桑普生點了點頭並回頭望向妮娜。她的嘴巴嘟了起來，而她的雙手則是不停在玩弄自己的辮子。

「可以告訴克羅斯警探妳還看見些什麼嗎？」他拋出這個問題。

「他附近還有另外一名白人男子，」妮娜．薛瑞瑟說道，「當其中一個人下來窺探蘇澤特的家時，另一個人就在車上等著。他們兩個是一同行動的。」

桑普生把廚房的椅子轉過來面向我坐著。「他們急著把他送到審訊庭，」他說道，「但是他們對案件背後的眞實線索可說是**一無所知**。反正他們只是想草草結案，讓事情眞相被埋葬。艾利克斯，或許**我們**會得到眞正的答案。」

「截止目前爲止，我們是唯一得到部分線索的人。」我如此回應道。

桑普生和我離開薛瑞瑟的家，而且分別駕車進城裡。我的心裡正在將目前得到的線索一一過濾。我得從數以千計的假設當中，篩選出最可能的幾種推論；這就是警探的工作，每次總得抽絲剝繭，緩慢地完成辦案進度。

我正在試圖回想布魯諾．豪夫曼和林白之子綁架案的結局。當他被逮捕後，雖有可能是有心人士意圖移花接木的結果，布魯諾・豪夫曼也是在很匆忙的情況下被送至審訊庭。豪夫曼雖直認犯案不諱，但天曉得眞的是他幹的嗎？

蓋瑞・桑傑／默菲通曉這一切。難道這又是他那些複雜的計畫其中一部分嗎？這是一個長達十年或十二年的計畫嗎？另一個白人共犯究竟是誰？是那個在佛羅里達州的飛機駕駛嗎？還是某一個像賽門・康克林一樣，都是蓋瑞在普林斯頓大學所結交的朋友？

這個案件有可能在一開始便有**一個共犯**未曾現身嗎？

當天晚上稍晚，我和潔西相聚。她堅持我在八點以後便得停止工作。一個多月以來，她總會拿到一些我最想看的喬治城大學籃球隊比賽的門票。就在我們抵達球場之前的路上，我們做了一些平常不太會做的事：我們只聊工作進展而不講其他的事。透過告訴她「共犯假設可能性」的這項發現，我成了點燃導火線的最後一根香菸。

「我對於這整個案件的其中一個有趣環節有不解之處。」潔西在聽完我陳述有關妮娜・薛瑞瑟的說法以後做出以上回應。她對這個綁架案的入迷程度仍然跟我不相上下，雖然她儘量裝作無所謂，但我還是看得出來她非常關切此案。

「那妳何不問問我這個百科全書，我知道所有深奧難解的謎，我也知道如何解開它們。」

「好吧。這個女孩自稱是蘇澤特・桑德斯的朋友，不是嗎？她跟他們的關係如此親近，然而她遇到這件事卻不去報案，難道只因爲那個社區與警察始終不睦的關係嗎？我不知道是否該接受這種結果。一時之間，就是在這當下，她這個線索就出現了。」

「我相信她，」我如此告訴潔西，「大都會的警察多到就跟害蟲一般討厭，而且還常在你鄰近的地方出沒。假使你住在這兒，他們就會緊盯著你，你雖無奈但也只能接受這個事實。」

「這種說法對我而言仍是太過牽強了，艾利克斯，它就是說不上來的奇怪。這兩個人本應是彼此間無話不談的朋友。」

「這樣的說法聽來是有點奇怪，但是若想讓住在東南社區的居民主動找警察報案，還不如期待巴勒斯坦解放組織先與以色列達成共識，機率都來得比較高。」

「好吧，那麼你在聽過薛瑞瑟小女孩以及她所揭露的眞相後，你的想法有何改變？你對這位……共犯有何感想呢？」

「我的腦海裡到現在還理不出一個頭緒，」我向她坦承，「不過這也代表目前所發生的每一件事，在未被推翻前都算合理推論。我相信薛瑞瑟小女孩眞的有看到某個人。只是，他到底是誰呢？」

「艾利克斯，我必須提醒你，你目前掌握的新線索聽來就像海底撈針般困難。我希望你不要成爲這宗綁架案的吉姆・賈里森。」（譯註：吉姆・賈里森是當年負責調查美國總統甘迺迪被刺一案的檢察官。）

快要八點之前，我們抵達馬里蘭州路華市的首都中心球場，今天對戰雙方是由地主隊喬治城大學迎戰來自紐約市的聖約翰大學。潔西手上有季賽門票，這就可以證明她跟城裡的居民很熟。混進去看一場大學表演賽，的確比觀看某些東區球隊季後賽容易多了。

我們一邊牽手一邊散步橫越停車場，並朝向華麗的首都中心球場前進。我喜歡看喬治城大學籃球隊的比賽，而且也很欣賞他們的教練。那是一個名叫約漢．湯普生的黑人。過去桑普生和我每個球季都會來主場看個兩、三場球賽。

「我眞是迫不及待想看那些『東區野獸』了。」當我們靠近球場之際，潔西向我眨眼並同時試圖說些籃球術語。

「是喔，那野獸要對抗的便是喬治城的豪野斯隊囉。」我告訴她。

「豪野斯隊就是我所謂的『東區野獸』，」她用口香糖吹起一個泡泡並向我做鬼臉，「別向我裝可愛啦！」

「妳對每一件稀奇古怪的事都能以如此聰明的方式應對。」我不禁莞爾一笑，她過去向來如此。要找到任何一個主題是她過去沒聽過、或沒經歷過的事，可謂難如登天。「好，請問聖約翰大學的籃球隊名稱叫做什麼？」

「聖約翰大學紅人隊，克里斯．穆林就曾是該隊球員，他們又被稱做小強尼隊。克里斯．穆林現在人在加州打ＮＣＡＡ，所屬的隊伍是黃金戰士隊。」

我們同時間停止說話，不論我想說什麼，都因爲那聲音的出現而卡在喉嚨內，發不出聲音來。

「喂……喂，那個愛黑鬼的傢伙！」有人在停車場的另一頭大聲嚷嚷。「出個聲音吧，膽小鬼！」

潔西的手將我的手握得更緊密了些。

「艾利克斯，你得冷靜下來，繼續往前走就對了。」潔西告訴我。

「我現在就站在這裡，」我告訴她，「我已經盡最大可能冷靜以對。」

「別理他們，跟我走進球場一切便沒事了，他們都是渾人，根本不值得你去搭理。」

我放開她的手，朝那三個出聲的人走去，他們就站在一輛銀藍相間的四輪傳動跑車後面。他們看來不像喬治城大學的學生，也不像聖約翰大學紅人隊的球員。這些人穿著毛皮外套與尖頂帽，上頭印有某個公司或隊伍的徽章。他們看起來就是那種吊兒郎當的成年白人（超過二十一歲），這種年紀應該已通曉社會上的人情事故了。

「剛剛那些話是誰說的？」我向他們發問。我的身體因過於僵硬而感覺不適。「是誰說『喂，愛黑鬼的傢伙』？你們覺得這種講法很有趣嗎？還是我根本不懂得這是一種幽默？」

他們當中有一個人站出來準備跟我幹架。他從一頂繡有紅人隊螢光徽章的尖頂帽緣下發出聲音。「你有毛病嗎？難不成你想以一敵三，小飛俠？我看你快倒大楣了。」

「我知道這樣有點不公平，要我一個人挑你們三個，但是我已經決定這麼做了。」我這樣告訴他。「或許你們很快就需要找第四個幫手過來。」

「艾利克斯，」我聽到潔西的聲音從背後傳來，「艾利克斯，別跟他們一般見識，這次就放過他們吧。」

「去你的，艾利克斯，」其中有一個人用粗話罵道，「難不成你還要女人幫你求饒？」

「妳喜歡艾利克斯嗎，小美人？這個艾利克斯就是妳的男人？」這句話直灌入我耳內。

「他就是妳最愛的小黑鬼囉？」

我聽到有一聲很急促的揮擊從我視線所不能及之處傳來，這個揮拳聲音聽來非常眞實，我發現自己被擊中了。

我一拳擊向那個戴紅人隊帽子的傢伙，隨即流暢地轉身，對著第二個人的太陽穴揮出第二拳。

第一個被我打中的男子重重倒地，他的球帽就像飛盤一樣直飛出去。第二個傢伙嚇到腿軟跪了下來，只能用一隻腳撐著，說不出話來。他看來再也無法動粗了。

「我對剛才發生的事已感到不勝其擾，我對這種事感冒到了極點。」我邊說話邊搖頭。「先生，他實在是喝過頭了。事實上，我們三個都喝太多酒了。」剩下一個唯一還站著的人向我說道。「他已經醉得一塌糊塗了，因爲這些日子他遭逢巨變才會藉酒澆愁。拜託，我們都跟黑人一起工作，我們也有黑人朋友，我還能跟你怎麼解釋呢？對於我們的行爲我實在感到抱歉。」

我也是這麼覺得。我對這些小混混已懶得再多說一句。於是轉過身來與潔西一同走回車內。我的手腳感覺像石頭般僵硬，但心跳劇烈得猶如油井鑽頭。

「對不起，」我向潔西懺悔，我覺得有點不舒服，「我實在嚥不下這口鳥氣，我無法再坐視這些欺人太甚的事而不理會它。」

「這些我全都瞭解，」潔西輕聲的說道，「你只是做了你該做的事。」她是站在我這一邊的，不管是好是壞，她都全力支持我的所做所爲。

我們在車內緊緊相擁了好長一段時間。然後我們直接回家，度過剩餘的夜晚。

55

今年十月我所要做的第一件事便是再見蓋瑞・默菲一面。「發現新證據」就是我所持的理由。到了這個時候，整個警界大概有一半的人都跟妮娜・薛瑞瑟交談過了。「共犯理論」也開始找到信徒了。

我們在薛瑞瑟住家附近展開地毯式的搜索。我讓妮娜・薛瑞瑟試過各式各樣的指認方法，包括嫌犯的照片集、外觀側寫。但是，目前爲止，仍沒有辦法幫她確認任何一個可能的「共犯人選」。

我們知道他是名白人男性，而妮娜則認爲他相當魁梧有力。聯邦調查局宣稱會強力搜索佛羅里達州的那位駕駛員，我們就來看看結果會如何演變。我又重新回到這場比賽裡了。

坎貝爾博士陪我走過洛頓監獄戒備森嚴的走廊並深入其中。當我們走過的時候，裡面的囚犯喜歡盯著我們瞧，我就瞪回去，我也是個很厲害的瞪人高手。

終於，我們來到囚禁蓋瑞・桑傑／默菲的囚室之前。

囚禁桑傑／默菲的牢房及整個走道燈火通明，但他卻從柵欄後瞇起眼瞧我們，看來就像他是從一個漆黑的山洞往外窺視一般。

他花了好一會時間才認出我來。

他認出我之後，臉部露出微笑的表情。他看起來仍然像個小鎮上的年輕和藹男子。蓋瑞・默菲，他的性格活脫是《大富之家》（譯註：一九四六年的電影，描寫一個小鎮青年想到大城市闖蕩的故事）這部電影主角的九○年代翻版。我還記得他的朋友賽門．康克林曾告訴我，蓋瑞．默菲可以完美扮演任何一個他想成爲的人物。那就是他成爲百分之九十九以上菁英的秘訣。

「爲什麼你有好一陣子沒來見我了，艾利克斯？」他向我發問。他的雙眼看來十分憂傷。「這裡沒有人可以跟我交談，這些醫生根本就不想聽我說話，他們不是沒在聽，只是不想理會我的心聲。」

「他們有很長一段時間不讓我來這裡見你，」我這般告訴他，「但這個問題已經解決，所以我又在這裡了。」

他看來似乎有受傷。他正一邊咬著自己的下嘴唇，一邊向下盯著他那帆布製的囚犯鞋。突然間他的面部表情開始扭曲，然後大聲笑了起來，整個笑聲在這狹小的牢房裡產生迴音。

桑傑／默菲向我靠了過來。「你知道嗎，你只是另一個笨蛋罷了，」他得意的說道，「非常容易被我操弄，就像在你之前跟我接觸的其他人一樣。你是挺聰明的，但還不夠聰明。」

我直瞪著他瞧，感覺非常驚訝，甚至有點震驚。

「我已經把線索都告訴你們啦，可惜沒人跟得上我。」他對我臉上明顯露出的驚訝表情做出評論。

「不，我還跟得上，」我回應道，「我只是低估了你的實力，這是我犯下的錯誤。」

「被現實的一面給難倒了，我沒猜錯吧？」他臉上仍充滿那種令人作嘔的嘻笑表情。

「你確定自己知道嗎？你眞的確定知道你在做什麼嗎，我的警探醫生大人？」

我當然知道自己在做什麼。我剛才首次見識到蓋瑞．桑傑的眞面目，那是經由蓋瑞．默菲所引薦的。這個過程稱爲「快速回顧」。

這個綁架嫌犯此刻正盯著我瞧，他看起來是那麼的得意洋洋，不可一世，這是他第一次向我露出自己的眞面目。

這名謀害兒童的罪犯在我面前坐了下來。他是個精明的模仿者及演員，是他自稱的百分之九十九以上的菁英，也是林白之子。他具有上述這些特質，或許還有更多尙待我發掘。

「你還好吧？」他這樣問我。他正在模仿我先前對他提出的關心模樣。「你覺得一切都還好嗎，醫生大人？」

「我感覺好得很，一點都沒有問題。」我回答他。

「是嗎？你看起來一點都不好喔。有些事不太對勁，是吧，艾利克斯？」現在，他看起來對我的狀況關心極了。

「喂，你給我仔細聽著！」我最後終於忍不住提高音調。「去你的，桑傑，我這樣講聽起來有好一點了吧？」

「等一等，」他將自己的腦袋前後搖晃，那殘忍的咧嘴而笑的表情在臉上一晃即逝。

「你爲什麼叫我桑傑？這算什麼嘛，醫生大人？到底發生什麼事啦？」

我看著他的臉部表情，然而對自己親眼所見幾乎不敢相信。

他的表情又變了。霎時間，蓋瑞．桑傑已經消失。他的人格在幾分鐘之內就換了兩個不同的人，甚至是更換了三次以上。

「難不成你是蓋瑞．默菲？」我試探性地問道。

他點了點頭。「我還會是誰啊？請嚴肅點好嗎，醫師大人，你到底有什麼毛病？還是發生了什麼事？你就這樣消失了好幾個星期，然後現在又突然冒出來。」

「告訴我剛剛發生了什麼事？」我質問道，繼續盯著他瞧。「就是現在，告訴我**你**認爲發生過什麼事。」

他的表情看起來很迷惘，似乎對我提出的問題感到困惑不已。如果這些表情都是演出來的，那可眞是我成爲心理醫生以來所見過最爲精采絕倫、最具說服力的演出了。

「我不明白，你方才到我的牢房前面，然後看來有一點緊張，或許是你因爲有點久沒來了，所以覺得很尷尬吧。然後你又稱呼我爲桑傑，這眞是讓人意想不到啊，你該不會是在跟我開玩笑吧？」

他現在是認眞的嗎？他完全不曉得六十秒之前發生過什麼事，有可能嗎？

或者眼前這位根本還是蓋瑞．桑傑，只是他還在跟我演戲？他竟然能夠在不同人格間，以如此容易且無瑕的方式轉換嗎？這是**有可能**發生的，只是極爲少見。如果這種情形眞的發生在此案件，那麼它就會創造出一個令人無法置信的法庭審訊結果。

它甚至能夠讓桑傑／默菲被無罪釋放。

這就是他的計謀嗎？這就是他在一開始便計畫好的逃亡方式嗎？

56

當她和其他人一起工作，一起在山坡上採收水果及蔬菜時，瑪姬・蘿絲便會試著回想家的模樣。剛開始的時候，她會嘗試「列舉」自己所記得的事物，以便找出一些非常基本且籠統的回憶事項。

大部分的時間裡，她會很想念媽媽跟爸爸，她幾乎無時無刻都在想念他們。她也想念學校裡的同學，特別是小蝦米。

她想念杜可多，她那剛出生的小公貓。

還有安吉兒，是隻可愛的小公貓。

還有任天堂遊戲以及她的衣櫃。

在放學以後辦場派對眞是棒呆了。

在家裡三樓邊洗澡邊俯看花園的感覺也好極了。

當她花愈多時間想家，她所記得的事就會愈來愈多，瑪姬・蘿絲就可以因此增加記憶清單上的名字。她還很懷念偶爾夾在父母之間的擁抱或親吻。「我們三個同在一起。」她總是如此稱呼這種情況。

她好懷念小時候爸爸幫她創造出來的那些卡通人物啊。她還記得有一個名叫漢克，是個帶著南方口音的父親，嘴裡總愛大叫著，「是誰……誰誰在跟妳說話呀？」還有一個角色叫做「蘇西・伍德曼」，只要瑪姬想成爲故事裡面的主角，蘇西就會代替她而化身其中。

他們在嚴寒天氣中進入車內還有一個儀式，就是會用盡全力大喊：「嗚拉拉，嗚拉拉。」媽媽則是會編一些歌曲並唱給她聽，打從她有了記憶以來，媽媽總是會唱歌哄她。她會哼著：「我好愛妳呀，瑪姬，我願爲妳做任何事，世界上所有的事。」瑪姬就會跟著哼：「那妳會帶我到迪士尼樂園嗎？」她的媽媽就會回答：「我願意呀，小瑪姬。」「那妳可以在杜可多的嘴巴上用力親一下嗎？」「當然可以呀，小瑪姬，世上沒有我不能幫妳辦到的事。」

瑪姬還記得她在學校上一整天課程的情形，上了一堂又一堂不同課程。她記得金女士會給她一個「特別的眨眼」。她也記得當安吉兒蜷曲著坐在椅子上的時候，會甜美地發出一聲「哇」的叫聲。

「我願爲妳付出所有，親愛的，我的一切，因爲妳就是我生命的全部。」瑪姬似乎還可以聽見她的母親對她哼著這些歌詞。

「可不可以請妳帶我回家？」瑪姬在腦袋裡吶喊。「可不可以請妳出現在我眼前，媽咪？」

但是這次卻沒有人唱著歌回應了，沒有任何人。再也沒有人唱歌給瑪姬．蘿絲聽了。再也沒有人記得她是誰了吧，她破碎的心裡已這般相信。

57

在接下來的兩個星期內，我和桑傑／默菲見了六次面。他不再讓我接觸心底眞實的一面了，雖然他宣稱並非如此。有些事情正在轉變，那就是我已失去更進一步瞭解他的機會，不，應該說是瞭解桑傑及默菲這兩種不同人格的機會。

十月十五日當天，一位聯邦法官下令此案暫緩審理，爲這樁綁票案的審訊法庭開幕日期畫上暫停記號。這該是替桑傑／默菲辯護的律師，安東尼．南森，所搞出來數次延遲開庭伎倆當中的最後一次了。

就在一個星期內，對於如此複雜的法律操縱手法而言，就像閃電般快速，最高審判長琳達．卡普蘭，將辯護律師延後開庭的要求駁回，要求強制上訴至最高法院的申訴也被駁回。南森在三大電視網露面，並公開宣稱最高法院根本就像「一群有組織的午餐大盜」在那邊領乾薪而不願做事，他並對媒體嗆聲表示這場戰火才剛剛開打。他的確爲這場審訊法庭建立了基本論調。

十月二十七日，這場**法治美國對默菲**的審訊好戲正式登場。當天早晨八點五十五分，桑普生和我前往位於印地安那大道的聯邦大廈，從後門溜了進去，我們盡可能保持低調以便不驚動外界。

「你想輸點錢給我嗎？」當我們走在印地安那大道轉彎處時，桑普生開口問我這個問題。

「我希望你該不是在跟我討論，要把這場綁票跟謀殺案的審訊結果，做爲賭錢的工具吧？」

「哈，聰明小子，被你猜中啦，我這麼做只是想打發時間罷了。」

「那麼賭注是什麼？」

桑普生點起了可樂那雪茄，並噴出象徵勝利般的菸霧。「我要賭……我先猜桑傑會被送往聖伊莉莎白醫院，或是其他那些專爲精神病殺人犯設置的療養院，這就是我的賭盤。」

「所以你認爲我們國家的法治系統治不了他的罪囉？」

「我從頭到腳的每一個細胞都是這麼認爲，尤其是目前這一刻，更是堅定不移。」

「好吧，那我就打賭他會被判有罪好了；綁架兩個小孩有罪，謀殺一人也會被判有罪。」

桑普生又吹起另一個勝利般的菸霧。「你現在就想認輸付我賭金了嗎？輸我五十元對你來說不算太多吧？」

「五十元可以，我賭定了。」

「等著瞧吧，我很樂意到時收下你這份小小的賭金。」

在第三街街口，有大約上千人聚集並圍繞在法院入口處之外。大約還有兩百來人，包括了七排記者，早就在法院內等著採訪。檢察官曾嘗試禁止媒體現場採訪，但提案遭到駁回。

有些人早就拿著印好標語的看板在四處遊行，看板上寫著：**瑪姬・蘿絲還活著！**

人們在審訊庭現場傳遞玫瑰。自動自發的人們，在印第安那大道前後傳送著免費的玫瑰，還有一些人在販賣紀念徽章，最受歡迎的物品則是人們把小蠟燭立在家裡的窗臺上，以表達對瑪姬・蘿絲的懷念。

有一大群的記者正在法院的後門等待，這個地方是保留給快遞服務，以及一些天性害羞的法官或律師們的出入口。大部分會到這個法院的老經驗警探，若是不喜歡擁擠的人群，也會選擇由後門進入。

我們一出現，麥克風就立刻湧向我和桑普生，電視臺攝影機也立刻對準我們。依我看，這世界上再也沒有其他的器具可以嚇著我們了。

「克羅斯警探，請問您是否眞的被聯邦調查局下令不得再接觸此案？」

「不，我和聯邦調查局的關係一向都很不錯。」

「你還會去洛頓監獄探視蓋瑞・默菲嗎？」

「你這種說法聽來好像我倆正在約會似的，我們的關係還沒認眞到那種地步。我是負責探視他的醫療團隊當中的一名成員。」

「既然這宗案件牽涉到你，其中有夾雜任何種族膚色上的內幕嗎？」

「我想有很多事情的內幕都跟種族問題有關吧，在這宗案件部分，倒是沒有什麼特別之處。」

「另一名警探的想法呢？您是桑普生警探吧！長官，您同意這種說法嗎？」一名身著蝴蝶結的年輕人問道。

「嗯，您還是稱呼自己爲長官比較妥當，我們不是正要走進法院的後門嗎？我們是所謂的走後門專家。」桑普生面對鏡頭做了個鬼臉，他還是沒把墨鏡摘下來。

我好不容易走到電梯旁，而且試圖不讓記者跟我們搭乘同一部電梯上樓，這可不是件容易的事。

「我們得知一個已經過確認的謠言，安東尼・南森律師將會以他的被告當時屬於暫時性的心神喪失來做爲抗辯的託辭，您對這種說法有任何評論嗎？」

「一點都沒有，你想問應該去問安東尼・南森才對。」

「克羅斯警探，您會站上證人席去指認蓋瑞・默菲其實根本沒發瘋嗎？」

這扇年代古老的電梯門終於關上。電梯開始咕轆轆地向上爬升，直往七樓邁進，即將到達「七重天」（譯註：Seventh Heaven是回教的說法，意指真主阿拉所居住的極樂世界），就像傳說中的那般遙遠。

七樓從沒有那麼安靜過，或者應該說那麼的有秩序。平日常見像火車站般的景象，例如四處充斥著警察、年輕的暴徒及想保釋他們的家屬，壞心的竊賊、律師及法官們常在這裡出沒，但現在都被命令禁止，只因此樓層嚴格限制只審理一樁案件，可知這案件的重要性有多高，可稱此案爲「本世紀頭號大審判」了吧。而這不就是蓋瑞・桑傑最想要的嗎？

這裡不見吵雜與混亂，整個聯邦大樓就像一個老人在早晨起床般無精打采。從東邊教堂式建築窗戶透進來的清晨陽光，將每一個人臉上的皺紋及腫脹，照得清晰可見。

我們到的正是時候，剛好來得及看見檢察官走進法庭。瑪莉・華納是名三十六歲、身材矮小、且來自於第六審判法庭的控方委任律師。她在法庭上應該可以和辯方律師安東尼・南森成爲棋鼓相當的對手。就像南森一般，她也未曾嘗過敗訴的滋味，至少沒有在任何大案子失手過。瑪莉・華納最著名的特點便是不曾鬆懈的資料準備，以及萬無一失、又具有高度說服力的法庭質詢。曾跟她對簿公堂並打輸官司的對手便曾如此評論過她：「跟她打對臺就像跟某人打網球，而對手總是直攻你背部。」當你主動發球攻擊時，她懂得如何閃避；等你降低防禦時她再伺機進攻。或遲或早，她便有法子打敗你。

據稱華納小姐是被傑若德・郭德堡欽點出來負責此案的，而郭德堡其實可以找尋任何一名適任的檢察官。沒想到他竟然選擇華納小姐而放棄了詹姆士・道德，以及其他早期被認爲可能出線的人選。

卡爾・蒙瑞市長也來到現場，身爲市長的他，就是一刻也離不開人群的包圍。他有看到我，但並不想就此走過來，他站在大廳的另一端，露出他那招牌式的微笑表情。

如果我本來不知道市長其實跟我是同一國的，那麼現在知道了。拔擢我當到一個分隊隊長，已經是他能做到的極限。但他們這麼做的目的，也是希望證明當初我被選進人質救援小組，是一項對的抉擇，爲他們決策的正確性錦上添花；順便也爲我在邁阿密的私下辦案提供了掩護。

在審判庭開議當天，華盛頓特區裡最受矚目的事情，將是財政部長郭德堡親自介入這宗起訴案件的偵辦調查。當然，他的對手便是由安東尼・南森擔任辯護律師。

南森一直以來就被《華盛頓郵報》形容爲「**法庭上的忍者**」，自從他被桑傑／默菲聘用的第一天起，每天固定會在頭版刊出有關消息。關於南森這個人的事情，蓋瑞並不想跟我提及。在某種巧合的情況下，蓋瑞曾經問過：「我是不是該找一個好一點的律師呀？南森先生說的話可以說服我，他也可以依樣畫葫蘆去說服那些陪審團成員。艾利克斯，他還眞是有夠狡猾的。」他只有狡猾而已嗎？

我問過蓋瑞，「南森是否跟你一樣聰明呢？」蓋瑞聽了一邊微笑一邊說道：「我根本就不夠聰明，爲什麼你們這些人總是認爲我很聰明？如果我眞的夠聰明，現在就不會待在這裡吃牢飯了。」

他以蓋瑞．默菲的性格對外呈現而未曾改變的現象已過了數週。他也拒絕讓自己被催眠以回到桑傑的性格。

我瞧著蓋瑞聘請的明星律師——安東尼．南森，以可憎的態度在法庭前大言不慚地陳述。他必定患有某種躁鬱症，最出名的便是他總喜歡在交叉詰問目擊證人時惹惱他們。蓋瑞眞有足夠沉著的勇氣選擇南森做爲他的辯護律師嗎？到底是哪陣風把這兩個人湊在一堆的？

但是，若從另一個角度來看，這兩人的搭配可謂天下無雙——一個極富爭議性的狂人，替另一個瘋子展開辯護工作。安東尼．南森早已公開宣稱：「這件案子如何收尾絕對精采可期，這是一場有罪與否的世紀大辯論。我向你們保證，這會是場門票可以叫價數千元的精采表演。」

當庭長終於在審判開始前站起來，並宣布開庭後，我的脈搏開始加速跳動。

我看到潔西也在此時穿越這個房間。她的打扮就好像今天是代表特勤局出席般的正式：直條紋套裝、高跟鞋，以及閃閃發亮的探員公事包。她也看見我了，還向我眨了一下眼。

在法庭房間的右手邊，我看見凱薩琳．蘿絲以及湯瑪士．鄧尼這對夫妻，他們的現身更爲本案增添了一種不眞實的迷離氛圍。我不禁想起查爾斯和安妮・摩洛・林白夫婦，以及六十年前發生在他們身上那起著名的綁票案件。

審判長琳達・卡普蘭一向以擅於辯論及富有精力著稱，這些特質讓律師在法庭上不能輕易擊敗她。雖然她坐上這個位置還不滿五年，但是已經審理過華盛頓好幾件著名的大案。通常在審訊期間她習慣站立聆聽，她喜歡絕對掌控整個法庭局勢的個人偏好也早已爲人熟知。

蓋瑞・桑傑／默菲自從出現後一直默不作聲，他可以說是由警衛秘密護送到被告席。他已經就座，行爲看起來相當配合，就像蓋瑞・默菲過去的一貫風格。

幾位知名的記者也有列席，他們當中，至少有好幾個出版過探討綁架事件的書籍。

被告一方的律師團成員看來相當有自信，而在開庭的第一天似乎也是有備而來：可惜的是，他們所面對的是這種難如登天的案子。

審訊會以響亮的小喇叭旋律——很誇張的開場鈴——拉開序幕。在法庭的正前方，默菲太太忍不住開始啜泣。「蓋瑞並沒有傷害任何人。」她幾乎是用吶喊的方式向在場陪審團喊話。「蓋瑞是不可能傷害其他人的。」

此時法庭中有一名聽衆大喊出來：「這位太太，少在那裡假仁假義了吧！」

審判長卡普蘭敲起她的小木槌並且下令：「肅靜！審判議事進行當中，不得出聲干擾！你們眞是鬧夠了。」她說的眞對。

我們就這樣斷斷續續地進行這場審訊。蓋瑞・桑傑／默菲的世紀審判大會正式展開。

58

天地萬物似乎處於無止盡的移動和混亂，但是我和這宗調查案的關係，以及審判庭開審後的情形，似乎更是雜亂無章。當天法庭休會後，我做了一件對我而言十分有意義的事：我和孩子們打了幾場美式橄欖球賽。

戴蒙及珍妮精力十分旺盛，整個下午輪流想要引起我的注意，並試圖不斷提出需求以分散我的注意力。他們這麼做讓我忘卻不愉快的事情，而這些煩人事物在接下來的好幾個星期，原本應該會讓我很不開心。

當天晚餐過後，我和娜娜媽媽坐在餐桌前多喝了兩杯咖啡，因爲我想聽聽她的想法。反正該來的總會來，所以在整個用餐時間，她的手臂及手腕一直拚命向我打暗號；就像大聯盟退休名投塞卻爾．派吉（譯註：職棒大聯盟第一位以黑人身分獲選進入名人堂的球員）一般，她會投出最拿手的螺旋球。

「艾利克斯，我相信我們倆應該好好聊一聊了。」她終於說出這句話。當娜娜媽媽有一些話想要說，她會耐不住性子想快點說出來，然後就會一發不可收拾，有時候一講就是好幾個小時。

孩子們正待在另一個房間裡看著《幸運輪》節目，這個節目會不時傳出歡呼及讚美等罐頭音效。

「我們應該來談些什麼呢？」我問她。「嘿，妳有聽說美國有四個小孩子，目前整日都生活在貧困當中嗎？我看再過不久，全世界只剩我們會關心這種事了吧。」

娜娜媽媽對於接下來所要談話的內容是既冷靜又貼心，看來她對這件事可謂有備而來，我可以察覺得到。她的雙眼瞳孔甚至因專注而變成灰色針孔般大小。

「艾利克斯，」她開始說話了，「你知道每次發生重大事件時，我都會支持你的。」

「是的，打從那時我初到華盛頓特區，身上只有一個露營背包以及七十五分錢的時候便是如此。」我這般告訴她。在我腦海裡依然栩栩如生地記得，被迫送至北方與我的祖母相依為命的那般光景；以及我坐上從北卡羅萊納州溫斯頓—沙倫市出發的火車，到達華盛頓聯合廣場火車站當天的景象。那時我母親才剛剛死於肺癌，而父親則是在前一年已過世。娜娜媽媽帶我到摩里森市的餐廳吃飯，那是我這輩子第一次在餐廳用餐。

當我九歲的時候，瑞琴娜．候浦帶我來到這裡。娜娜媽媽在當時可是被稱為「候浦家族的女王」，她是一名華盛頓特區的學校教師，那時她大概四十幾歲，而且我的祖父也過世了。當時我的三個兄弟們同時跟我來到華盛頓特區，他們也都跟不同的親戚朋友住在一塊兒，直到十八歲成年以後才離開這裡；只有我和娜娜媽媽一直住到現在。

我算是很幸運的小孩。在我成長的過程中，為了幫我導入正途，她偶爾會扮演討厭鬼的角色。她以前就教過像我這類型的小孩。她瞭解我父親的性格，不論是好的或是壞的一面，她也很愛護我的母親。從過去一直到現在，娜娜媽媽一直就是最富天才的心理學家，因此我在十歲時就將她取名為娜娜媽媽。從那時候開始，她就一直身兼母親以及祖母的雙重角色。

她的雙手已經交叉放在胸口，這代表她此時的意志有如鋼鐵般堅定。「艾利克斯，我相信自己此刻正對於你的男女關係感到不太高興。」她對著我說道。

「妳能告訴我理由嗎？」我如此問她。

「是的，我可以。首先，就因爲潔西是一名白人女性，而且我對絕大多數的白人都不信任。我有嘗試去相信，但總是做不到，而他們大多數人也對我們黑人相當不尊重。他們甚至會當著我們的面撒謊，這就是他們的行事風格，至少他們是如此對待那些不屬於自己同類的人。」

「妳這種論調聽起來好像一個街頭革命者會說的話，例如像法拉坎或桑尼・卡爾森。」（譯註：法拉坎是全美伊斯蘭聯盟教主；桑尼・卡爾森是黑人政治家，兩人都以提倡黑人種族主義而聞名。）我這般告訴她。我已開始清理桌面，把碗盤及瓷器塞進家裡那個老舊的洗碗槽裡。

「我並不是爲自己擁有這般情緒而感到驕傲，但是我也同樣無法克制自己這般想。」娜娜媽媽的眼神直盯著我瞧過來。

「難道這又是潔西的錯嗎？身爲白人女性究竟有什麼罪過？」

娜娜媽媽開始在她的座椅上煩躁不安起來。她調整了一下自己用麻線掛在脖子上的眼鏡位置。「她的錯便是跟你在一塊兒，看起來她會害你丟掉警探的工作，還有你在東南區的一切聲譽，所有你生命中做過的好事全會因此陪葬，甚至是戴蒙和珍妮。」

「戴蒙和珍妮看來並沒有因爲這件事感到不安或受傷。」我告訴娜娜媽媽。我的音調已經開始提高了，我就站在那裡跟她回話，手上還有尚未清洗的骯髒碗盤。

娜娜媽媽的手掌重重拍擊木質椅子的扶手，並且生氣地說：「好吧，你眞是該死，艾利克斯，你會這麼說是因為你被自己蒙蔽了。你對他們而言就像是太陽和天空般的重要，戴蒙很怕你會因此拋下他而離去。」

「只有妳去唆使才會使那些孩子們感到擔心。」我把當時的心裡感覺，還有我認為的事實一股腦兒講了出來。

娜娜媽媽沮喪地坐回自己的椅子上，她的嘴巴發出細微不可辨的聲響，我知道她被我傷害了。

「你這樣講我就是大錯特錯了，我保護這兩個孩子的心情，就像當年保護你一樣並無差異。我這一生都在照料別人，替他人打點一切，我是不會故意去傷害人的，艾利克斯。」

「妳剛剛已經傷到我的心了，」我說，「而且妳應該知道，妳這麼說我就會有這種反應。妳又不是不曉得那兩個小朋友對我而言有多麼重要。」

娜娜媽媽的眼角充滿淚水，但是她還是故作堅強。她的雙眼堅定地直視著我的雙眼，我們倆之間的愛屬於那種既堅強、但雙方又不會輕易妥協的那一類。一直以來，當我們出現爭執時，都會有這情況發生。

「待會我不想聽到你跟我道歉，艾利克斯。對我來說，你是否會為剛剛說了那些傷我的話而感到內疚並不重要；重要的是你這次眞的錯了，你竟然會為了一段明知不可能開花結果的戀情，而甘願放棄一切。」

娜娜媽媽起身離開廚房，然後向閣樓上走去，我知道我們的談話已到此結束。事情就像我剛剛想的一樣，反正她已下定決心，我也不可能再去改變她的想法。

我為了和潔西在一起眞的得放棄一切嗎？我倆之間難道眞的沒有未來可言？我現在對這一切的疑惑找不到答案，所以我必須靠自己的力量去找出一切問題的解答。

59

一整個醫療團隊的醫學專家們，開始為桑傑／默菲的案子而出庭作證，協助辦案的醫療檢驗小組成員也出庭列席。其中有些人就科學家的定義而言，可算是相當奇特而前衛。這些專家的背景五花八門，有來自於華特・李德陸軍醫學中心、有些出自洛頓監獄、有些則是軍中人物，最後還有些人屬於聯邦調查局的探員。

所有的照片以及四乘六大小的概要性素描，已被展示了無數次，而且解釋到令人厭煩。我們也一再探訪犯罪現場，並重新勘察位於神秘圖表上的地點，這些事在審訊的第一週通常會占據絕大多數的時間。

八名不同的精神科醫師及心理學家被邀請到證人席，以建立蓋瑞・桑傑／默菲犯案當時理智清醒的假設推論。他們想把他塑造為一個偏離常軌且反社會的人，而且他還是個理智與冷血兼顧的人，重點是個性非常瘋狂。

他被描述成一個「犯罪天才」，而且犯罪後不會有良知或後悔自譴；還有他是極度聰明的演員，「具有在好萊塢登場」的水準，這就是他之所以能夠在長久以來操控及愚弄那麼多人們的因素。

蓋瑞・桑傑／默菲是在意識清醒的情況下，蓄謀綁架兩個小孩；他已經殺掉其中一名，甚至可能連第二個人都已罹難。他還殺了其他人——至少有五個，甚至可能有更多人尚未被發現。他就是那種我們夜晚做惡夢會懼怕的人間野獸……原告律師團及那些專家們，用上述這些形容方法來描繪他。

來自華特・李德的首席精神病學家，在某一個下午的大多數時間都位於證人席，她已經和蓋瑞・默菲面談不下數十次。在她將蓋瑞小時候在普林斯頓所度過的不正常童年，以及青少年時期對人類及動物的暴力行爲，做了一個長篇大論的敘述後，瑪麗亞・魯沃蔻博士被法庭要求提出對蓋瑞精神狀態的評析。

「從我眼裡看到的，是一個極度危險的反社會分子。我相信蓋瑞・默菲是在意識完全清醒下犯罪。**我堅決相信他決非一個擁有多重性格的人。**」

所以這就是瑪莉・華納每天巧妙地進行本案訴訟程序的做法。我欣賞她的細心，以及她對於精神病患案件處理流程的熟悉程度。她正在爲法官及陪審團們，將這份極度複雜的案情拼圖一一重新組裝回去，我過去已有數回與她交手的經驗，而這正是她最擅長的事。

當她把所有的案件相關細節呈現完畢以後，陪審團成員的腦海裡將會出現整個案情的完整輪廓；他們也同時會知道蓋瑞・桑傑／默菲的腦袋裡在想些什麼。

每一個新的審判日，她都會將注意力集中在爲整個謎團當中的一塊新事件解惑，她也會讓陪審團成員們看看這些謎團當中、個別事件的眞實樣貌。她會將這些事件詳細解說，然後再將這些事件放入整個案情當中，以待所有人釐清。

她會讓陪審團清楚看到，新的事件與先前發生的案情，彼此間有何關聯。曾有一、兩次，法庭中的出席聽衆被這些做法感動，並對說話有條不紊的檢察官及瑪莉·華納令人印象深刻的表現，給予鼓掌喝采。

她在完成上述這些案情陳述的同時，安東尼·南森對她所提出的每一項觀點幾乎全盤加以駁斥。

南森的辯護立論基礎相當單純，而且自頭至尾也從未改變過，那就是：蓋瑞·默菲是無辜的，因爲他並未牽涉到此案。

真正犯案的人是蓋瑞·桑傑！

安東尼·南森用他那種一貫咄咄逼人的態度，在法庭前面陳述案情。雖然他身著價值一千五百美元的量身訂做西裝，但是看來極不協調。這套西裝確實是剪裁合宜，但是南森的手勢動作太過誇張——看來似乎得穿上體育服，才能搭配他那大動作的手勢演出。

「我不是一個好人——」安東尼·南森在講出這句話時，正站在一群由七位女性、五名男性所組成的陪審團面前，時間是審訊開始後的第二個週一。「——至少在法院裡面不是。人們說我的嘴上總是掛著一副輕蔑的冷笑，暗指我是個自負的人，還說我是個令人無法忍受的自私鬼，所以人們無法與我相處超過六十秒的時間。**這些都是真的**。」南森對著那些被他的言論震懾住的聽衆發表這番演說。「我剛剛說的都是事實。」

「而且這些特徵就是偶爾會令我身陷麻煩的主因，因爲我總是說出眞相，我非常喜歡說實話，我對於聆聽那些半眞不假的謊言極度沒耐性，而且我過去從未接過一個讓我不能說出眞相的案子。」

「我替蓋瑞．默菲辯護的立場十分簡單，或許是我曾向任何陪審團陳述過的案件當中、最不複雜也最不具爭議的一個。這關乎事情眞相究竟爲何，而事情的眞實面貌已呈現在眼前。各位先生女士，請求你們用心聽我陳述下列事實。」

「華納小姐以及她的團隊知道我方辯護立場十分堅強，這就是她爲何會將愈來愈多的事實呈現在你們的眼前，這些報告數量簡直比華倫委員會（譯註：負責調查甘迺迪被刺案的委員會）所做的還多；但是這兩者都只能證明同一件事——就是這些事實對案情完全沒有幫助。如果你能夠盤問華納小姐，而她也願意誠實回答，她就會告訴你我所說的答案。這樣我們不就都可以提早結束回家，這樣難道不好嗎？是的，這樣的結果才是對大家最有利的結局。」

他的發言一結束，法庭四周便傳來聽衆的竊笑。幾乎是在同一時間，陪審團的某些成員身體向他挪近，以便更進一步聽他說話以及觀察他的動作。每次當南森經過陪審團座席前面，他所站的距離就會離他們靠近半步。

「某些人，你們當中的某些人，曾問我爲何要接這樁案子。我告訴他們的答案，就像我現在要告訴你們的答案一樣簡單，就是所有的證據顯示被告贏定了。事實眞相對於被告而言，實在是太強而有力的支持。我知道你們現在或許還不能相信我說的話，但是你們總有一天會信的，總有那麼一天。」

「讓我來告訴你們這宗調查案件的**背後黑幕**。華納小姐其實不想在這個時候便將此案交付陪審團裁決，但是她的老闆，也就是財政部長，逼她把這個案子儘速送審。在他的逼迫下此案的送審速度還創下記錄，若非有人背後推動，法務部的辦案速度怎可能那麼快。你該知道，這雙背後操控的手，是不會爲你和你的家人做出任何奉獻犧牲的，這就是我要讓你們都知道的眞相。」

「但在這個特別的案例當中，由於郭德堡先生及其家人所承受的巨大痛苦，這雙背後黑手才會迅速推動辦案進度。而且也因爲凱薩琳．蘿絲．鄧尼和她的家人是有名有勢的家族，而且非常有權力，他們也希望自己承受的痛苦趕快終結。誰可以因爲這樣的理由而責怪他們濫用特權呢？我是不會這麼做的。」

「**但是，絕對不可以因上述理由便犧牲一個無辜者的性命！這個人，蓋瑞．默菲，不應該像他們兩家人一般承受如此的苦難才對。**」

南森說完便走到蓋瑞的座位前面。留著一頭金髮，擁有運動員體態的蓋瑞．默菲，看起來就像一名已成年男童軍般乖巧。「這個男人就像各位可以在法庭上看到的任何好人一樣的善良，我也將在日後向各位證明。」

「**蓋瑞．默菲是一個好人**。記得這件事，我還要告訴你們另一個事實。」

「剛剛那件事情是兩個事實的其中一件，我想講的只有兩個事實，希望各位可以牢記。另外一件事實便是蓋瑞．桑傑是個瘋子。」

「現在，我必須告訴你們實情，那就是我也有一點瘋狂，但只有輕微的瘋狂傾向。你們剛才想必已經見識過，華納小姐已經向各位介紹我並引起注意。好吧，但你們可知**蓋瑞．桑**

傑是比我瘋狂上一百倍的人，他也是我這輩子遇過精神狀態最爲瘋狂的一個人。既然我已見過桑傑，**你們將來也有機會見到**。」

「我向各位保證，你們全部都會見到桑傑，而且一旦你們見到他，就再也沒辦法判定蓋瑞·**默菲**有罪了。你們最後會喜歡上蓋瑞·**默菲**，並且**支持他**向桑傑這個人格自我挑戰。蓋瑞·**默菲**並不能以謀殺及綁票案被起訴……犯下這些案件的人都是蓋瑞·**桑傑**……」

安東尼·南森隨後開始輪番請出他的證人上臺作證。令人驚訝的是，這些人包括華盛頓私立小學的員工，以及一些學生，甚至於還有默菲家遠在德拉瓦州的鄰居。

南森對這些證人的態度總是溫文有禮，而且總是能辯才無礙地與他們對談。他們看起來似乎滿喜歡南森這個人，而且也願意相信他。

「可否請妳向在場聽衆大聲陳述妳的姓名呢？」

「南西·探金博士。」

「再來要請問妳的職業是？」

「我目前在華盛頓私立小學教藝術。」

「妳是在華盛頓私立小學認識蓋瑞·桑傑的嗎？」

「是的。」

「桑傑先生在華盛頓私立小學教書的時候，可以算是名好老師嗎？妳有觀察到任何現象會讓妳覺得他不是名好教師嗎？」

「不，我沒發現過這種情況。他一直是個很好的教師。」

「妳是憑哪些事實做出這樣的結論呢，南西・探金博士？」

「因爲他對於自己所教授的科目具有熱情，而且也很樂意傳授給他的學生。他是學校裡面最受歡迎的老師之一。學生替他取的暱稱叫『晶片』，就是『晶片先生』的簡稱。」

「妳剛剛已經聽到有些醫學專家聲稱他是瘋子，而且擁有嚴重的人格分裂特質，妳對於這些說法有任何評論嗎？」

「老實講，這是讓我弄清楚究竟發生什麼事情的**唯一**解釋。」

「探金博士，我知道在這種情況下回答這一題有點困難，但是我還是想請問，被告是妳的朋友嗎？」

「是的，他是我朋友之一。」

「那他現在還算是妳的朋友嗎？」

「我想讓蓋瑞得到他需要的醫學幫助。」

「我也是這麼想的，」南森如此回答，「我眞的是這麼想的。」

安東尼・南森在開庭後第二個週五的稍晚，抛出他第一記眞正致命的武器，因爲這件事改變幅度相當大，所以令人多麼措手不及。整件事的開端便是南森、瑪莉・華納以及法官卡普蘭正在法官席協商。

在整場協商當中，瑪莉・華納少見地在這場審訊會議中提高講話聲響。「庭上，**我反對**！我必須反對這件事……這是在耍噱頭，徹頭徹尾的噱頭！」

整個法庭原本發出吵雜的喧鬧聲。但是媒體記者，以及前排座位上的聽衆已經察覺有異。卡普蘭法官似乎剛剛做出一個對被告有利的判決。

瑪莉・華納回到她的座位，但是她已喪失平常那種冷靜沉著的模樣。「爲什麼我們沒有在事前被告知此事？」她大聲喊出來。「爲什麼這件事在審判庭召開前我們並不知情？」

南森舉起他的手，而且也讓整個房間立即安靜下來。他向在場每個人宣布這件消息。

「我將艾利克斯・克羅斯視爲本案的被告證人之一，我會稱他是具有敵意且不會與我們配合的證人，但無論如何，他仍具備被告證人的身分。」

我就是那個「噱頭」。

第四部

紀念瑪姬・蘿絲

60

「讓我們再看一遍這部片子好不好呢，爹地。」戴蒙跟我提出這個要求。「我現在很想再看一遍。」

「噓，安靜點，我們現在要看的是新聞，」我這樣告訴他，「或許你可以從中得知，生命裡不是只有蝙蝠俠才重要。」

「但是那部電影很好看啊。」戴蒙試著跟我講起道理來。

「新聞也很好看啊。」我並沒將現在眞實的感覺告訴兒子。

我沒告訴他的眞相便是，我竟然不可思議地對週一即將上法庭作證這件事感到緊張起來，**我將為被告出席作證**。

就在當晚的電視新聞當中，我從新聞片斷得知，湯瑪士・鄧尼可望出馬角逐加州參議員資格。難道湯瑪士・鄧尼是想藉此重拾自己往日的生活嗎？還是湯瑪士・鄧尼本身或多或少就跟本案脫離不了干係？直到現在為止，我仍無法排除任何可能性，對於這件綁票案的這麼多相關線索而言，我似乎變得過於偏執。在加州是否還有比報告上所呈現的更多背後內幕尙待調查？我已向上級提出兩次要求准許我到加州進行調查，但是這兩次請求都被回拒。潔西從中幫助我，她在加州有認識接頭的人，但至目前為止仍沒有任何結果回報。

我們在客廳的地板上看新聞，戴蒙和珍妮蜷伏在我的後頭。在看新聞之前，我們已經把那捲《魔鬼孩子王》看了第十遍，還是第十二遍，或許我們已經看過二十遍也說不定。

孩子們認爲我應該取代阿諾史瓦辛格成爲男主角，我私下認爲阿諾已經成功轉型爲一名喜劇演員，也許我其實偏好他在《叢林赤子心》或《小姐與流氓》等片中軋上一角。

娜娜媽媽正在廚房裡忙著和蒂雅阿姨打牌，我還可以從這裡看到掛在牆壁上的電話。話筒並非放在電話機上頭，而是垂掛在吊鉤上，以防止記者或是狗仔隊打進來問東問西、騷擾我們。

當天晚上我開始接聽的媒體電話，最終都指向同一類問題：我能夠在充滿人群的法庭內催眠桑傑／默菲嗎？到底桑傑會不會跟我們透露瑪姬・蘿絲的下落？我認爲桑傑究竟是名精神病患，還是個反社會者？我對這些問題都不予置評。

大約清晨一點鐘的時候，前門的電鈴聲響起。娜娜媽媽早就上樓睡覺了，我也在九點的時候把戴蒙和珍妮趕上床，就在我們一同分享大衛・麥考利的神奇魔法書《黑與白》之後。

我走到漆黑的餐廳並拉開棉布窗簾，窗外站的是潔西，她來的正是時候。

我走到走廊外面並給她一個擁抱。「艾利克斯，讓我們啓程吧。」她低聲說道。她心裡已有一份計畫，雖然她說過她的計畫通常都是「無厘頭」的，但是現實生活中，潔西很少做出沒意義的事情。

潔西的摩托車在寧靜的夜晚發出巨大聲響。我們快速地超越其他的車輛，對我來說，它們看來都像靜止不動一般，凝結在這段時間及空間裡面。我們穿越漆黑的房屋、草地，還有文明世界的一切。速度已提升至三檔，我們正在飆馳。

我等著她將排檔切換至四檔，然後是五檔。ＢＭＷ摩托車的引擎持續且穩定地在我們胯下發出怒吼，單一車頭大燈的亮光刺穿前面馬路。

當車子換到四檔的時候，潔西很輕易且頻繁地切換車道，然後她將排檔一口氣切到五檔並用全速前進。我們正以時速一百二十英里奔馳在喬治華盛頓公路上，然後再以時速一百三十英里切換到九十五號公路。潔西曾跟我說過，一旦她騎車出遊，時速從來沒有低於一百英里，我現在相信她了。

我們馬不停蹄地急馳，穿越時間與空間的重重距離，直到下了高速公路，停靠在一處位於北卡羅萊納州藍伯頓市、破舊的艾克森美孚石油的加油站前面。

現在已經是早晨快六點鐘。對於加油站裡面那些當地駕駛來說，我們應該是他們這輩子所見過最瘋狂的騎士。映入眼簾的是一個黑人、一個金髮白人小妞，以及一輛重型摩托車。對這種古老小鎮而言，實在是太過震撼的景象。

加油站的服務生看來情緒有點低落。他的灰藍色牛仔褲旁放了一塊滑板，年齡看來大約二十出頭，留著一頭所謂的「刺蝟頭」，就是那種在加州海灘最容易見著的那一類。這種前衛的髮型怎麼會這麼快便流行到北卡的這種小城鎮呢？是否人類心靈的暴戾之氣已然成形？還是現在流行訊息的傳遞已愈來愈快速？

「早安，勞瑞。」潔西對著那名男孩微笑打招呼。

她從兩臺加油機的縫隙中偷瞄我並向我眨眼。

「勞瑞的值班時間是晚上十一點至早上七點，這兩旁公路都是每五十英里才設有加油站。別跟這裡的人說些你不確定的事。」她降低聲音向我說道。「勞瑞到處販賣這些禁藥，任何幫你度過漫漫長夜的東西他都賣。來點大黃蜂、黑美人（譯註：安非他命）或安眠藥嗎？」

她的說話聲音開始緩慢拉長，聽起來極爲悅耳；而她的金髮散落一肩，也是我最喜歡看到的一幅景象。「還是要合成迷幻藥、甲基苯丙胺（譯註：一種比安非他命更強的興奮劑）呢？」她持續照著清單唸下來。

勞瑞對著她搖搖頭，好像她已經發瘋了一般。我可以察覺到這小子喜歡她。看著夢想中的金髮從眼簾飄過，他喃喃自語：「我的天啊，眞是美呆了。」這個小子還眞是個伶牙俐齒的年輕人。

「別介意艾利克斯。」她向這個加油站青年又回眸一笑。他留著那頭刺蝟髮讓身高看來多了三吋。「他是跟我同路的，只是從華盛頓來的另一名警探罷了。」

「我的老天爺！潔西，妳瘋了嗎？天啊！妳把條子帶來這做啥？」勞瑞急速轉動腳下輪鞋的輪子，就好像被火炬燒著了一般。他在這裡工作應該已見過不少瘋狂的事情，在各地州際公路休息站應該有不少怪人，但我們兩位鐵定是最瘋狂的一對。

不到十五分鐘，我們已抵達潔西的湖邊小屋。這是一間小型的金字頂式小屋，坐落於湖水正中央，湖的四周環繞著冷杉及白樺樹。天空幾乎是晴朗無雲，小陽春般的氣候，比正常該來的時間稍晚了些。全球暖化的現象造成這個問題。

「妳沒有把自己是個有產階級的事告訴我唷。」我們正加速向圖畫般美麗的曲折小路前進，我向她開玩笑地說道。

「這件事很難啓齒，艾利克斯。這間房子是我外祖父留給母親的。我的外祖父曾是個地痞流氓、小偷，但是他也因此累積了點小財富。這是我們家族當中唯一成功的人，諷刺的是，他成功的辦法是藉由犯罪。」

「這就是那些罪犯之所以犯罪的最大動機。」

我跳下潔西的機車，並且立即伸了伸緊繃已久的背部肌肉以及雙腳。我們倆一同進入屋內。這間屋子大門沒鎖，讓我又多了幾分想像空間。

潔西檢查了一下電冰箱，發現裡面的存糧還挺多的。放了一捲布魯斯・史普林斯汀的音樂帶以後，她便閒晃到屋子外頭。

我跟她走到閃閃發亮、藍黑色的湖水旁邊。水面上已搭好一座新的船塢，狹窄的走道盡頭立著一排桌椅，我還可以聽到《內布斯加》這張專輯的歌曲聲音，不停鑽進我的耳裡。

潔西脫下靴子，然後是藍色條紋的襪子。接下來她把一隻腳浸入完全平靜無波的水面。她的那雙長腿不但具備運動員般的完美線條，同時也相當修長且勻稱有致，眞是人間難見的一雙美腿。就在這個時刻，她讓我想起那些來自各地的選美佳麗。我至今尙未發現她的身體有哪一處是不讓男人欣賞且著迷的。

「說出來你可能不會相信，這個湖水的溫度高達七十五度。」她邊說臉上邊露出和緩的微笑。

「一度都不差嗎？」我問她。

「應該這樣說，是最少七十五度。你想不想試試看？」

「妳的鄰居會說話吧，我既沒穿泳褲，也沒帶上其他應有的裝備。」

「這就是我跟你說過的計畫呀，**不要去預設任何計畫**。發揮你的想像力才重要。這是個沒有負擔的星期六假日，沒有煩人的審判庭在你眼前，也沒有媒體來採訪你，更不會有鄧尼家族的成員會攻擊你，類似湯瑪士・鄧尼本週上賴瑞金脫口秀的那些言論你也聽不到。所有那些抱怨調查行動主導審判庭走向的說法，不會在這裡肆意流傳。不再會有那種驚天動地的綁票案來害你失意頹喪。就只有我們倆身處在這個不知名的地方。」

「我喜歡最後一句話聽起來的感覺，」我告訴潔西，「我們現在處在一個無人聞問的地方。」我看了看四周，眼神直接連接到地表盡頭那些與藍天接軌的冷杉林。

「那麼，這就是我們給這個地方的暱稱了：北卡羅萊納州的無名之地。」

「講眞的，潔西，鄰居的感覺眞的不用管嗎？我們不是在北卡羅萊納州嗎？我可不希望莫名其妙地得罪北卡人。」

她微笑道：「這附近的住戶距離至少都在數十哩之外，艾利克斯。信不信隨你，這附近並沒有其他房子。除了漁民之外，現在這個時間對任何人都嫌太早了一點。」

「我同樣不想看到一群粗野的北卡漁夫，」我這般回答，「在他們的眼裡，我可能是條黑鱸魚。我已經讀過詹姆士・迪基的那本名著——《解救》。」

「漁夫全部會跑到湖的南邊垂釣，相信我吧，艾利克斯，讓我爲你寬衣，這樣會讓你覺得舒服點。」

「好吧，我們彼此幫對方脫掉衣物。」我還是抵擋不住向她投降了，爲這個美妙的早晨行動拉開序幕。

在湖灣的船塢上，我們幫對方解除身上的束縛。朝陽煦煦生暖，湖面上吹向我赤裸皮膚的微風令我特別有感覺。

我用腳踝試了試水溫，潔西對於湖水溫度的說法一點都沒有誇大。

「我說過沒騙你了吧，認識你以來我還沒向你撒過謊。」她一面說一面露出微笑。

她完美地跳進湖水裡，湖面上幾乎沒有濺起任何水花。

我順著她呼吸出來的氣泡痕跡跳了下去，當我穿越水面，腦海裡所浮現的景象便是：一個黑人和一個美麗的白人女性在一塊游泳。

這個奇蹟發生的地點是在美國中南部，神蹟再顯的一年，這就是一九九三年。

我們變得不顧一切，甚至開始有點瘋狂。

這麼做究竟有沒有錯？一些人或許會說有，要不然就是心裡這麼想，只是嘴巴沒有說出來。但是他們爲何要這樣做呢？我們在一起相愛有傷害到其他人嗎？

湖水表面的確挺溫暖，但是湖面下五、六呎的水溫可就低得多了。湖水看起來呈現藍綠色，或許是因爲它屬於天然礦泉水之故。在接近湖底之處，我可以感受到強勁的湖底潛流衝擊我的胸口及生殖器官。

我的心裡此時出現一個濃濃的念頭：**我們倆有可能陷入深深相愛的情境嗎？這就是我此時此刻的心情寫照嗎？**我把這一切的答案留給上蒼爲我解惑。

「你有碰觸到湖底嗎？你的第一次潛水日一定要碰觸到湖底才行唷。」

「不然會怎樣呢？」

「不然你就是個膽小鬼，然後你會溺斃，要不然就是在天黑以前、在深邃的叢林裡永遠迷失方向。這是個眞實的傳說故事，我曾在這個『無名之地』見證過很多次呢。」

我們像小孩般在湖裡戲耍著，因爲我們過去一直都辛勤工作；幾乎有一年的時間都過於認眞工作，而未曾好好放鬆。

在湖邊有一個用杉木做成的階梯，讓我們可以輕易爬上船塢。這個梯子是新近弄好的，我還可以聞到上頭傳來木片香味，而且階梯很光滑，尙未有木片屑。我在想潔西是否獨自完成這一切——在她上回休長假的時候——也就是在綁票案發生之前。

我們先緊握住階梯，然後再彼此擁抱。在湖面遙遠的某處，野鴨發出叫聲，聲音聽起來有點可笑。在我們之間有一個漣漪散了開來，微小的波浪輕拍著潔西的下顎。

「當你像現在這樣的個性時，我好愛你。你看起來變得容易親近多了。」她向我說道。「這時你內心深處的眞實個性，便會開始表現出來。」

「我覺得在過去這麼長一段時間裡，所有的事情看來都好不眞實。」我告訴潔西。「從綁票案開始，追緝桑傑的蹤影，一直到華盛頓正在進行的審判，一切都是那麼的不眞實。」

「那麼現在這一件事是唯一眞實的事，好嗎？我喜歡與你**以這樣的方式**在一起。」說著潔西把她的腦袋移過來靠在我的胸前。

「妳喜歡**以這樣的方式**嗎？」

「是的，我就是喜歡**以這種方式**。你看到這有多麼簡單了嗎？」她向這個風景如畫的湖，以及深邃的橡木林比了比手勢。「你沒有看出來嗎？這件事就是那麼單純，一切都會沒事的，沒有粗野的釣魚客會出現在我們之間製造破壞。」

潔西是正確的，這麼長久的一段時間以來，我第一次感覺所有的問題似乎皆可迎刃而解——從這一刻起，任何轉機都有可能發生。事情變得愈來愈緩慢、並沒有那麼複雜，而且還愈來愈有好轉跡象。我們兩個人都不想讓這個週末那麼快便畫下休止符。

61

「我是華府警局的兇殺組探員，正式官階是資深副警長。有時候我會被分派到暴力犯罪組的工作，因爲有暴力傾向的某些犯人，也兼有心理上的問題，掌握此關鍵對破案極有幫助。」

我身在一個擁擠但寂靜的華盛頓特區法院裡，在進行宣誓之後，我向法官及陪審團呈報上述事實。現在是星期一早晨，上個美好的週末，現在想起來，似乎已距離我有好幾百萬英里這麼遙遠。我的頭皮上開始布滿顆粒般大小的汗珠。

「你能告訴我們爲何你會被分派到心理異常犯人的案件呢？」安東尼・南森向我發問。

「我是一名心理學者，同時也是個警探。在我加入特區的警力服務之前，我曾經開過私人診所。」我如此回應。「更早之前，我曾在農業界工作，曾經有長達一年時間我倚賴四處打工討生活。」

「請問你是哪裡畢業的？」南森不受我的干擾，一心想把我塑造爲心理學權威人士。

「如同你早已知曉的，南森先生，我的博士學位是約翰霍普金斯大學頒給我的。」

「喔，那不是全國最好的學校之一嗎？特別在心理醫學這個領域，更是在全美國排名屬一屬二。」他如此評論道。

「庭上，抗議，這是南森先生一廂情願的看法。」瑪莉・華納此時提出合理的反對。

卡普蘭法官裁定抗議有效。

「你過去曾在精神病學專業學術期刊發表論文，例如像《精神病學資料庫》或是《美國精神病學期刊》？」南森試圖繼續陳述他想講的話，完全不把華納小姐以及卡普蘭法官看在眼裡。

「我過去是有寫過一些期刊論文，但那實在沒啥了不起的，南森先生。其他還有很多心理學專家也都會發表學術論文。」

「但並非是在《精神病學資料庫》或是《美國精神病學期刊》，克羅斯博士。這些學術論文所研究的主題是什麼？」

「我在其中撰寫了罪犯心理探討，但是我可以用其中三、四個字的精華，便講完你那所謂的學術性論文的重點，那些文章根本不算什麼。」

「我很尊崇你的謙虛，我真的很欣賞你。那麼請告訴我別的事情，克羅斯博士。既然你已經在過去這幾週對我進行過詳細觀察，請問你會如何形容我的人格特質呢？」

「我需要一些私底下的診療時間才能做出定論，南森先生。而且我也還不確定你是否有足夠財力，負擔得起這筆診療費用。」

整個法庭因我這番話而傳出笑聲，即使連卡普蘭法官都難得地露出微笑。

「不入虎穴焉得虎子，」南森持續說道，「我倒是願意試試。」

安東尼．南森的反應敏捷，並且擁有相當具有創造力的腦力，他是個創意十足的人。他已經替我塑造出我是個當事人的見證者，而非僅僅是個「心理學專家」的形象。

「你是個有點神經質的人，」我微笑回應，「甚至於還會有點偷偷摸摸。」

南森面對著陪審團，把手掌舉起來說道：「至少這個人講話是誠實的。如果你沒有發現別的症狀，那我可算是在今早賺到一次免費的心理診療。」

陪審團席位上傳來更多笑聲。這一次，我得到一個感覺，部分的陪審團成員已經開始改變他們對安東尼．南森的心理觀感，甚至對他的客戶觀點也有了轉變。

一開始的時候他們極度不喜歡這個人，而現在呢，他們眼中看到的是南森對此案的投入，而且絕頂聰明。他正在為他的客戶進行著非常專業、甚至可說是傑出的辯護工作。

「那麼你和蓋瑞．默菲總共面談過幾次呢？」他又開始向我發問。「是蓋瑞．默菲，而不是桑傑唷。」

「在一段長達三個半月的時間裡，我們總共進行了十五次的診療。」

「我相信在這麼長的一段時間後，你應該對他的心理層面有了一些想法及意見才對。」

「精神病學並非完全等同於科學。如果可以的話，我本來想跟他進行更多次的診療會談。不管怎麼說，目前我的確已經有一些初步的診斷意見。」

「那麼你的意見是？」南森向我發問。

「抗議！」瑪莉．華納此刻又站了起來，她看起來可真是忙碌。「克羅斯警探剛剛已經說過，他需要更多診療機會才能做出一個正式的醫學結論。」

「抗議無效。」卡普蘭法官裁決道。「克羅斯警探也陳述過他已得到一些初步推斷，我想聽聽內容究竟是什麼。」

「克羅斯博士，」南森繼續與我的對話，彷彿剛剛的打斷從未發生過一般，「不同於其他見過蓋瑞．默菲的精神病學家與心理學者，你可是在本案一開始便積極介入調查的人——你同時兼具警探以及心理學專家的雙重身分。」

瑪莉．華納此刻再度打斷南森的談話，看起來她已經失去耐性。「庭上，我想請問南森先生，究竟是否有其他問題想問克羅斯警探？」

「你還有問題想問嗎，南森先生？」

安東尼．南森轉頭面對瑪莉．華納，然後輕蔑的向她捻捻手指，「要我發問問題？好啊！」他又轉回身子面向我。

「身爲一個從此案調查之初便積極涉入的警探，而你又身兼經過專業訓練的心理學家身分，你可以向我們說說你觀察蓋瑞．默菲這個人的專業意見嗎？」

我看了默菲／桑傑一眼。他目前看來像是蓋瑞．默菲的人格特質。此時此刻的他，看起來就像一個深富同情心且正派的好男人，卻被迫陷入一場超越任何人所能想像的、最糟糕的惡夢中。

「我的第一個直覺以及最眞實的印象，是非常簡單且具人性化的。由一名老師策畫的綁票案令我既震驚又困惑，」我開始說出我的答案，「它的發生全然違反了信任原則，而且情況還更糟糕。我親自見過麥可．郭德堡飽受凌虐的遺體，這是我這輩子永難忘懷的夢魘。我也和鄧尼夫婦談論過他們的小女兒，我感覺自己似乎已經認識瑪姬．蘿絲．鄧尼。我也看過在透納及桑德斯家中罹難者的屍體。」

「抗議！」瑪莉．華納再度站了起來。「抗議！」

「你所知道的遠不止如此，」卡普蘭法官用一個極為冷酷的眼神望向我，「直接從調查記錄中刊載的事談起便可。陪審團成員們可以不將他方才所談論的話列入考慮。目前沒有任何證據顯示被告曾涉入剛剛他所提及的任何一起事件。」

「你不是要誠實的回答嗎？」我向南森這麼說道。「你不是想聽聽看我的信念是什麼，我剛才講過的話就是你想聽到的事。」

當南森走向陪審團座席區時正不斷點著頭，然後他轉身面向我。

「很好，非常好，我很相信我們可以從你的口中聽到眞實的答案，克羅斯博士。姑且不論我是否喜歡你那誠實的答案，或是蓋瑞．默菲喜不喜歡它，你都可以算是一個極具誠信的男人。因此我不會打斷你陳述眞實的意見，只要檢察官也同意不打斷你即可。請你繼續說下去。」

「我當時極力想將綁票者緝捕歸案，不只我這麼想，整個人質搜救小組的成員都是同樣的想法，這件事對於我們大部分人來說都是感同身受。」

「其實你是很痛恨這名綁票犯吧！不論是誰犯的案，你應該很想看到他接受最嚴格的法律制裁對嗎？」

「我當時的確這麼想，直到現在也還抱有這種念頭。」

「當蓋瑞．默菲被逮捕的時候，你也在現場，他被控犯下綁票與殺人罪嫌，然後你與他進行了幾次心理訪談治療。那麼你現在對於蓋瑞．默菲的眞正觀感又是如何？」

「其實我現在眞的不知道要相信哪一個蓋瑞．默菲才是他眞實的性格。」

安東尼．南森不錯過任何可以窮追猛打的機會：「所以你會這麼想：**背後一定有合理的解釋了囉？**」

瑪莉．華納站上法庭的地板，取得一個注目焦點後便發聲：「抗議，這種做法是在引導證人的證詞。」

「陪審團成員可以不必理會剛剛的問題。」卡普蘭法官發言。

「告訴我們，在此時此刻你對於蓋瑞．默菲的感覺。請給予我們一個專業的意見，克羅斯博士。」南森又向我說道。

「我實在沒辦法確定他現在**是不是**蓋瑞．默菲──還是蓋瑞．桑傑。我無法確定這個傢伙是否眞具備雙重人格。我相信他的確有具備雙重人格的**可能性**。」

「那麼如果他眞的具備雙重人格呢？」

「如果這是眞的，那麼蓋瑞．默菲可能對於蓋瑞．桑傑所犯下的惡行全然不知曉。但是他也有可能只是一個聰明到家的反社會分子，利用這種手法操弄我們每一個人的觀感，其中當然也包括你在內。」

「好的，我可以接受你剛剛所提出來的那些變數因子，至目前爲止你都講的很好。」南森說道。他把雙手緊抱在胸前，就好像他正抱住一顆小球一般。很顯然他正試圖從我這裡，挖到有關這個案情的更嚴格定義。

「既然心中存有懷疑，似乎就會對案情的判定產生關鍵性的影響，不是嗎？」他持續說道。「這是一場牽一髮動全身的球賽，我因此想讓你幫助陪審團做出這個重要的決定。克羅斯博士，我希望你能夠**對蓋瑞・默菲施以催眠！**」他終於宣告這個重大消息。

「這裡，就在這個法庭上，讓陪審團成員們在看過以後自行判斷，而我對這個陪審團以及他們所做出的決定，具備最大程度的信心。我具備堅定無比的信心，相信當這些陪審成員看過所有的證據之後，他們便可以達成一個正確的結論。你不是也可以這麼做嗎，克羅斯博士？」

62

次日早晨，兩張造型簡單的紅皮扶手椅被搬到法庭當中，就是為了讓我幫蓋瑞進行心理治療。為了讓他放鬆、忘卻周遭的環境以進行催眠，法院頂上的大燈因此熄滅。我們兩人的身上都裝設了擴音器，這是法官卡普蘭女士唯一允許可使用的額外聯繫設備。

本來我們可以用錄影存證的方式來進行，這是個變通辦法，但是蓋瑞說他堅信自己可以在法庭內被催眠，他希望試上一試，他的委任律師也希望他一試。

我已打算讓這個催眠進行的方式，是模擬桑傑／默菲仍在他的牢房裡的情境。因此將法庭上某些明顯的干擾物遮蔽住是相當重要的，我其實也對這種做法是否奏效沒什麼把握，甚至於這麼做的結果如何我也不得而知。當我坐上其中一把扶手椅的時候，胃部突然開始打結。我試著不要去注意法庭內觀眾的動態，其實我並不喜歡登臺表演的感覺，特別是在這個時候。

依照過去慣例，我會在蓋瑞身上使用一些單純在言語上具建設性的技巧。我們這次在法庭上的催眠也使用相同辦法。催眠他人並不像大部分人想像的那般艱難。

「蓋瑞，」我說道，「我希望你坐在椅子上試著放鬆自己，然後我們可以看看接下來會有什麼事發生。」

「我會盡自己所能去嘗試。」他回應道，聽起來就跟他外表一般的眞誠。他現在正穿著一身海軍藍的外套、有朝氣的白襯衫，以及直條紋領帶，他看起來比自己所雇用的律師更像一名法律從業者。

「我即將再次催眠你，因爲你的律師認爲，這樣做可能對你的案情會有幫助。你也告訴過我自願接受這個催眠幫助，我上述所言全都正確嗎？」

「是的，全部正確。」蓋瑞如此回應我。「我想向你們大家說出眞話……我想知道**眞實的我**究竟是什麼樣子。」

「好吧，那從現在開始，我要請你從阿拉伯數字一百倒數過來，我們之前已試過這種方法。確定你自己是在很輕鬆的狀態下讀出每一個數字。你可以開始數了。」

蓋瑞・默菲從一百開始往前倒數。

「你的眼睛即將開始緊閉，你現在感覺更舒暢了……就像睡著了一般深呼吸。」我用一種愈來愈低沉安靜的聲音說話，幾乎只剩下單音調。

法庭幾近於靜止無聲，庭上所傳出的唯一聲響，就是從這個房間的冷氣機所傳出來的，密集的嗡嗡震動聲。

蓋瑞最後終於停止不再倒數了。

「你現在覺得舒服嗎？一切都還好嗎？」我詢問他。

他的灰棕色眼睛十分具有光采，而且眼眶還泛著淚水。他似乎相當容易進入被催眠狀態，但是也不可以那麼容易就確信。

「是的，我很好，我覺得很放鬆。」

「如果你想停止治療，不管是任何理由，你應該曉得怎麼做才能回到現實。」

當他講話的時候一邊還緩緩點了頭。「我知道，我的狀況一切沒問題。」他看起來似乎只把我說過的話聽進去一半。

在這麼多的壓力，以及法庭審訊這種緊張的氣氛下，他看起來似乎無法假裝沒事。

我說：「過去幾次診療中，我們曾談到你在麥當勞清醒過來的事，你曾告訴我：『醒著的感覺又好像在做夢一般。』你還記得這番談話吧？」

「是的，我當然還記得。」他回應我。「我在停靠於麥當勞門外的一輛警車中清醒過來。我不曉得自己怎麼會到那裡去的，但是警察已經在那裡等著我了，他們正試著想逮捕我。」

「當警察把你抓起來的時候，你心底有什麼感覺？」

「我覺得這件事根本不大可能發生，沒有道理，這一定是場惡夢。我告訴他們自己的職業是銷貨員，並告訴他們我住在德拉瓦州的何處，任何我能想到的、能告訴他們抓錯人的說詞都用盡了，我說自己不是罪犯，而且我在警局也從沒留下任何記錄。」

我說：「我們談到的正巧是你被捕之前所發生的事。那一天，當你走進那一家連鎖速食餐廳之前。」

「我不行……我不確定自己是否可以回想起來。讓我試著去回想看看……」蓋瑞似乎感覺有點不適。這又是在演戲給大家看嗎？又或者是他已經回憶起此案內容，並且對於事實無法接受嗎？

最早的時候，在某次監獄的訪談裡，我對於他會向我坦露桑傑性格一事感到震驚，我倒想看看今早他是否會再一次露出馬腳，特別是目前的環境更為險峻。

「你停下腳步並前往麥當勞裡頭的洗手間，然後你還點了杯咖啡，為了讓你在稍後開車時能夠保持清醒。」

「我記起來了……我開始有一點印象了，我可以清楚地看見自己正在麥當勞，我記得自己曾到過那裡……」

「慢慢來不要急，我們有的是時間，蓋瑞……」

「那裡有好多人呀，我指的是用餐區有好多人。我走到有洗手間的那一層樓面，但是我卻為了某些原因而**沒有進去**，我不曉得是為了什麼。說起來可笑，但是我就是想不起來是為了什麼。」

「你那個時候的感覺是什麼？當你還在洗手間外頭的時候，你還記得自己感覺如何嗎？」

「情緒相當激動，或許還更糟，我可以感覺血液往腦袋上面集中，我不曉得是爲了什麼。那個時候感覺十分沮喪，但也不曉得原因爲何。」

桑傑／默菲直盯著前方瞧，他的視線集中看著我所坐位置的左方。我對於自己可以那麼容易便忽略法庭上所有正在看著我們的群衆，也感到相當驚訝。

「**桑傑**當時也在餐廳裡面嗎？」我詢問他。

他輕微地將頭偏了一偏。這個姿勢有點不太自然。

「**桑傑**正在裡面。是的，他正在麥當勞裡頭。」他變得興奮起來。「他假裝想買咖啡，但是他看起來相當憤怒。我想他當時非常不爽。桑傑是個脾氣暴躁的傢伙，一個十足的壞胚子。」

「那他爲什麼會不高興呢？你知道原因嗎？到底是什麼事情惹得桑傑不開心？」

「我想這是因爲……事情在他身上搞砸了。警察實在是非常幸運，而他想要出名的計畫就這樣泡湯，完全被毀掉。現在他覺得自己就像布魯諾·理查·豪夫曼一般，只是另一個失敗者。」

這倒是新鮮事，因爲他以前從未曾談論過綁票案的眞實情況。我對於法庭上所發生的事已渾然不覺，我的雙眼只盯住蓋瑞·桑傑／默菲猛瞧。

我盡可能讓自己的聲音聽起來很隨興，而且不具任何威脅性。放輕鬆慢慢來，試著用和諧而緩慢的態度詢問下去。他好似在峽谷的峭壁上行走，而我可以給予他幫助，要不然我們會一起跌落。「桑傑的計畫究竟出了什麼差錯？」

「所有可以出錯的地方全都出錯了。」他說道。他目前仍是蓋瑞・默菲，我可以分辨出來。他尚未轉變爲桑傑的人格，但是蓋瑞・默菲知道蓋瑞・桑傑所從事的行動；在催眠的狀態下，蓋瑞・默菲能清楚瞭解桑傑的想法。

整個法庭仍然保持肅靜而且沒人敢移動，在我視線可及的範圍內，沒有任何移動的影像出現。

蓋瑞開始陳述更多關於綁架案的細節部分了。「他對郭德堡這個小孩做了檢查，這個男孩已經死亡，他的面容全變成藍色。一定是給他施打太多巴比妥酸鹽了……桑傑無法相信自己竟會犯下這種錯誤。一直以來他都是非常小心翼翼、計畫周全，他甚至曾爲此和麻醉科醫師討教過該怎麼做。」

我問了一個關鍵性問題：「爲什麼這個男孩的屍體被凌虐得遍體鱗傷？他到底對郭德堡這個小孩做了什麼事？」

「桑傑爲此有一點失控了。他無法相信自己竟會那麼倒楣，於是他用大鐵鏟反覆敲打郭德堡的身體。」

他在談論桑傑的模樣，截至目前爲止都是十分可靠的，畢竟他仍有可能本身便是個多重人格的受害者。但這個結論會改變審判庭認知的一切，甚至可能會影響陪審團的裁決。

「那是個什麼樣式的鐵鏟？」我繼續追問他。

他的講話速度愈來愈快。「這個鐵鏟就是桑傑用來替他們兩個小孩挖洞的那枝。他們被埋在一個穀倉底下，那裡頭有幾天的空氣存量可以維持呼吸暢通。就像是你知道的那種演習時躲避用的防空洞。那裡的空氣維生系統運作得相當順暢，每一項設備都正常運轉。桑傑自己發明這些東西的，他還親手打造這些設施。」

我的脈搏開始急速跳動，喉嚨現在覺得非常乾。「那麼桑傑又把那名小女孩如何處置？瑪姬・蘿絲究竟怎麼了？」我追問下去。

「她的身體狀況還好。桑傑再度給她施打鎮定劑，好讓她繼續陷入昏睡狀態。她當時飽受驚恐並持續尖叫——因爲地底下是如此漆黑、不見一絲光亮，場景就如同《星際傳奇》那部電影刻畫的那般。但是實際上並沒有那麼糟糕，桑傑自己還遇過更糟的地方，就是他家裡的**地窖**。」

我在這個時間點以非常小心謹慎的方法進行下去，因爲我不想在這個關鍵的節骨眼讓他跑掉。地窖的情況又是怎麼一回事呢？我稍後會試著回來談論地窖這個議題。

「瑪姬・蘿絲現在又在哪裡？」我詢問蓋瑞・默菲。

「他不曉得。」默菲回答得毫不遲疑。

不，**她死了嗎**？也不是，她應該還活著……桑傑自己也**不知道**。默菲爲何不透露這個線索？是因爲他曉得我想要這個資訊嗎？還是因爲在法庭上的每個人都想知道瑪姬・蘿絲・鄧尼的命運究竟爲何呢？

「桑傑回頭去找她，」默菲又接下去說話了，「聯邦調查局已經同意支付一千萬美元的贖金，每一個付款細節都已談妥。但是她的人影卻消失了！當桑傑回到穀倉時，瑪姬・蘿絲已經不在那裡。**她就這麼憑空消失了！一定有其他人把這個小女孩從那裡帶走了！**」

法庭內的旁觀群眾開始鼓譟起來，但我仍選擇將注意力放在蓋瑞身上。

卡普蘭法官不願意敲擊小木槌以下達肅靜的命令，她只是站起身來，示意大家安靜，但根本無效。**還有其他人從那裡把女孩帶走了。這就是說目前有其他人綁走了這個小女孩。**

我趁著這個法庭秩序失控前搶著多問了幾個問題，而或許桑傑／默菲也願意配合我。我的聲音聽起來仍相當柔軟，在這種情境下還能保持異常的冷靜。

「是你把她挖出來的嗎，蓋瑞？是你將這個小女孩從桑傑的手中救走的嗎？你知道瑪姬・蘿絲現在究竟身處何處嗎？」我向他追問下去。

他看來不大喜歡我剛剛提出的一連串問題。他開始大量出汗，眼皮開始翻動。「當然沒有。不，我和此案一點關聯也沒有，全部都是桑傑自己一個人幹的好事。我無法控制他，世界上沒有人制得住他，這一點難道你還不明白嗎？」

我的身體從椅背上向前傾。「桑傑此刻是否在現場？今天早晨他是否與我們同在一起呢？」

要是在其他的情境底下，我是不會試著將他逼入此種境地的。「我可以請問**桑傑**，瑪姬・蘿絲究竟遭遇了什麼事情嗎？」

蓋瑞・默菲不斷地搖著頭。他知道現在起有某些事情即將發生在他的身上。

「這一切實在太嚇人了。」他回應道。他的臉上不斷滴下汗水，而且頭髮也全濕了。

「那真的太恐怖了，桑傑遇到一場災難！我不能再提起他的事情了，我也不想講了。請你幫助我，克羅斯博士！拜託你幫幫我。」

「好的，蓋瑞，一切都已經結束了。」我立即將蓋瑞從催眠的狀態中喚醒。在這種情況下，這麼做是一種人道的行爲，我已別無選擇。

突然之間，蓋瑞・默菲回過神來，並見到我坐在法庭之內。他的眼睛盯著我的雙眼，除了恐懼之外，我並沒有看出其他的情緒包含在其中。

整個法庭民衆的情緒已失控，電視與平面媒體記者急忙打電話回辦公室，卡普蘭法官不斷敲著手中的小槌子要求現場群衆肅靜。

還有其他人綁走了瑪姬・蘿絲・鄧尼……這有可能發生嗎？

「一切都已經沒事了，蓋瑞。」我向他安慰道。「我明白你爲何會感到害怕。」

他的雙眼先是注視著我，然後非常緩慢地掃視整個法庭內鬧哄哄的群衆。「究竟發生了什麼事？」他詢問道。「這裡方才究竟發生了什麼事呢？」

63

我仍然記得一些卡夫卡小說的情節。尤其是那個令人驚悚的《審判》的開場情節：「某些人一定在約瑟夫的案情上說了謊，我沒有做過什麼錯事，就在一個早晨莫名其妙被逮捕了。」這就是蓋瑞・默菲希望我們相信的事：他是無辜被捲入這場惡夢的，所以他就跟約瑟夫一樣無辜。

當我離開法庭之前，已讓攝影記者拍了不下數十次我的照片。每一個人都有問題想向我發問，但是我對此仍沒有任何評論。我沒有錯過這個絕佳的緘默時期。

瑪姬．蘿絲是否還活著呢？新聞媒體極力想查明清楚。我不想透露自己的想法，因爲我認爲她很可能已經**遇害**了。

當我正要離開法院的途中，看見凱薩琳以及湯瑪士．鄧尼朝我走來。他們的左右兩側已被電視及平面媒體的新聞從業人員團團包圍。我想跟凱薩琳交談一番，但卻不想跟湯瑪士對話。

「你爲什麼要幫助他？」湯瑪士．鄧尼提高他的音調。「**難道你不知道他在撒謊嗎？**克羅斯，你到底是抱著什麼樣的心態啊？」

湯瑪士．鄧尼看來極度激動，氣得滿臉通紅，他已經失去控制了，在他前額突出的青筋看來再清楚不過。凱薩琳．蘿絲看起來相當悲傷、淒楚的模樣。

「我被他們稱爲充滿敵意的見證人，」我如此告訴鄧尼，「我剛才只是在執行任務罷了，事情就是這麼簡單。」

「是嗎？那你可真是把這個任務給搞砸了。」湯瑪士．鄧尼持續地攻擊我。「你不但把我們的女兒在佛羅里達州弄丟了，現在你又試著幫助這名綁架犯脫罪。」

我終於受夠了湯瑪士．鄧尼的言論，他已經當著媒體及攝影鏡頭前面對我做出人身攻擊。就算我有多麼想幫他把女兒找回來，也不想再承受來自於他的任何一分怒罵。

「好，那我去下地獄總行了吧！」當攝影機鏡頭不停在我們四周打轉並發出聲響時，我大叫回罵。我本來已經放手不想再管這檔事了，因為有人不讓我管，可是突然之間，又把我牽扯進這宗調查，結果意外讓我成為令案情得以出現進展的關鍵人選。

我拋下鄧尼夫婦並且飛快地奔向一排陡峭的下樓階梯。我瞭解他們心中的痛苦，但是湯瑪士．鄧尼已經糾纏我好幾個月了，他不但失去理智，還把個人的情緒摻雜在裡面，這是他不對的地方。我是唯一一個仍想努力找出瑪姬．蘿絲下落的人，這麼簡單的事實，卻似乎沒人能瞭解。

當我快要走到階梯的最末端時，凱薩琳．蘿絲從後頭追了上來。她一直在後面追趕我，在她後面還有攝影師追著她跑。這些人無所不在，他們自動相機的快門喀嚓聲，就像發瘋般地響個不停，媒體已陷入瘋狂的搶新聞狀態。

「我對剛剛所發生的事情感到很抱歉。」她在我能夠想到任何字彙回應之前，就先開口說明來意。「失去瑪姬這件事已毀掉鄧尼，也毀了我們的婚姻。我知道你已經盡全力幫忙了，我也明白你經歷過哪些事。我覺得很抱歉，艾利克斯，對於發生在你身上的任何事我都感到歉意。」

這真是一個氣氛非常奇怪的時刻。我伸出雙手，緊緊握住凱薩琳．蘿絲．鄧尼的手。我向她所說的話致謝，並向她保證，我不會停止突破此案的努力。攝影師仍不停地拍照，於是我快速離開現場，拒絕回答其他問題，尤其絕對不跟他們談論剛才我和凱薩琳之間究竟交談了些什麼內容。沉默是給這些狗仔隊最好的報復手段。

我開車回家，一路上仍然在思考瑪姬・蘿絲・鄧尼的可能藏身處——但是我得從桑傑／默菲的心裡開始找起。她眞的有可能是在肉票藏身的現場被其他人給帶走嗎？爲什麼蓋瑞・默菲要告訴我們這些資訊？當我的車駛進東南區時，我不禁對蓋瑞・默菲在被催眠的情況下所講過的那番話起疑。蓋瑞・桑傑是不是在法庭中漂亮地擺了我們衆人一道？的確有可能如此，如果眞是這樣那就太恐怖了。這一切全都是他驚人計畫的一部分嗎？

次日早晨，我試著將桑傑／默菲再度催眠。**令人驚奇的克羅斯警探／博士又再度登上舞臺！**這就是晨間新聞所播報的標題，隨它去吧！

這回催眠不再有效。蓋瑞・默菲上回實在是受驚過度，至少他的律師是這麼宣稱的。而擠滿人群的法庭也太過於吵鬧，卡普蘭法官曾有一次下令淨空法庭，但也沒有發揮效用。

當天我同時也接受了檢察官的交叉質詢，但是比起質詢我的學經歷是否相符，瑪莉・華納更有興趣把我逼下證人席。我在這個審判中的角色已結束，這對我來說反而是件好事。

那個星期的後半段，我和桑普生都沒有再到法庭旁聽，那幾天的排程只是讓更多的專家去作證罷了。我們兩個又重新回到街頭執行勤務，因爲又被指派新的任務了。我們同時也試著去修正關於綁架案發生當天的一些未解問題之假設。我們再次將所有的細節拿來分析，花了好幾個小時坐在充滿檔案的會議室裡討論案情。如果瑪姬・蘿絲已經被他人從馬里蘭州的藏匿地點帶走，就有可能仍然存活在人間，我們仍保有些微希望。

桑普生和我再度回到華盛頓私立小學，並跟學校裡頭的某些老師進行面談。溫和一點來說，他們大部分的人再次看到我們都不是太開心，因爲我們仍在測驗此案「共犯理論」的可能性。蓋瑞・桑傑打從計畫一開始便與某人聯手策動此案，是絕對有其可能性的。那個人有可能是賽門・康克林，他在普林斯頓的朋友嗎？如果不是康克林，又會是誰呢？在學校裡的每個人都不認爲有其他人選，可以符合我們口中定義的「與蓋瑞・桑傑共謀」這個條件。

我們在中午以前離開這家私立學校，並且到位於喬治城的羅傑斯速食餐廳吃午餐。這家餐廳的雞肉比較好吃，而且辣雞翅也比較大塊。桑普生和我最後一共點了五份雞翅以及兩杯三十二盎司的可樂。我們坐在餐廳裡兒童遊戲區旁邊的一張很窄小的野餐桌用餐，這樣吃完飯以後或許可以去玩一下翹翹板。

我們吃完午餐決定駕車前往馬里蘭州的波多馬克市。當天一整個下午，我們都在盤查栗色大道及其四周圍的街道。我們拜訪了數十間房子，而且就像當年伍德沃德和伯恩斯坦（譯註：卡爾・伯恩斯坦也是當年揭發水門案的《華盛頓郵報》記者之一）一樣受歡迎，竟沒有人對我們冷言相向。

沒有人曾注意到任何可疑車輛或陌生人在此鄰近地區出沒，在綁架案發生前後都沒有。沒人有印象曾見過不尋常的貨運車輛，甚至連正常的卡車都沒見過——維修公共工程、運送鮮花以及雜貨的車輛都不曾見到。

當天下午稍晚我獨自駕車前往馬里蘭州的克里斯費德市，那裡是瑪姬・蘿絲和麥可・郭德堡被綁架後、頭幾天藏匿在地底下的落腳處。**他們是被關進地窖嗎？還是被關在地下室？**蓋瑞・桑傑／默菲曾在被催眠的時候提及「地下室」。他在孩童時期也曾被囚禁於黑暗的地下室。在他漫長的人生中，一直沒有結交到朋友來幫助他。

這回我想親自一人檢視這個農場一番，此案的一些「不連續」線索帶給我辦案時極大困擾。所有未成形的想法在我腦海中盤旋，就像子彈碎片般亂竄。有可能會出現某個人將瑪姬．蘿絲從桑傑／默菲的手中搶走嗎？我想就算是愛因斯坦復生來調查此案，所整理出來的線索也不會比我更多吧——而這些線索背後代表的可能性，將會使他的腦袋天旋地轉，也許還會讓他的頭髮想到都豎起來了。

當我在這塊怪異、廢棄已久的農田上閒晃，我讓此案所發生的所有事實在心裡自然地流過一遍。我一直想到林白一案，而且發現林白的小孩也是被綁到一個「農莊」這件事。

桑傑口中的**共謀**是誰，到現在仍是個未解的謎團。

桑傑也曾到桑德斯家附近探察地形——如果我們可以相信妮娜．薛瑞瑟所說的話。這又是第二個難解的謎團。

這件案子是否眞的是多重人格者犯下的呢？心理學界爲了這個現象是否存在仍意見分歧。畢竟多重人格犯案者仍屬少數。難道這些拜占庭式的誇張劇情都是出自蓋瑞．默菲的安排嗎？他可以同時演出兩種不同的人格嗎？

瑪姬．蘿絲．鄧尼又遭遇到哪些事？所有的案情線索最後總是得回到她身上。瑪姬．蘿絲的下落究竟如何？

在我的保時捷扁掉的儀表板上，仍然放著一枝在華盛頓的法庭外面傳遞的小蠟燭。現在我把它點燃了。我在開車回到華盛頓的路途上，在紀念的夜晚點著蠟燭。**紀念瑪姬．蘿絲。**

64

當天晚上我和潔西有個約會，這件事讓我在白天已期待了好一陣子。我們在阿靈頓市的一家大使館隨扈旅館碰頭。因爲城內新聞媒體目前正在全力報導審判的新聞，我們對於彼此見面的事情更是格外小心謹愼。

潔西在我之後抵達旅館房間。她身上所穿著的這件低胸黑色短大衣，配上黑色條紋長襪及高跟鞋，看來是絕對的性感及吸引人。她的嘴唇畫上鮮紅的唇彩、具挑逗性的腮紅。一個銀色的髮簪在頭髮上隱約可見。這樣的穿著打扮深深打動我心。

「我中午趕赴一場重要的約會。」她藉此解釋了這一身穿著打扮的由來。她同時把高跟鞋踢在一旁。「我這身打扮可以進得了名媛社交場合嗎？」

「嗯，你在我的社交名人圈裡絕對可以發揮正面影響力。」

「我要暫時先離開一分鐘，艾利克斯，一分鐘就好。」潔西一溜煙地跑進浴室。

經過幾分鐘以後她從浴室向外探頭偷看我。

我正躺在床上。身體下的床墊正在替我紓解體內累積的壓力，如此一來生命才能再度變得美好。

「我們來洗個澡，好嗎？把路上的塵土都給清洗乾淨。」潔西說道。

「這些不是塵土，」我告訴她，「這只是我與生俱來的一種壓力。」

不過我還是起身走向浴室。浴缸是方型的，而且容量異常的大。牆壁上是隱約可見的白色與藍色瓷磚，潔西那套迷人的服裝便散落在地板上。

「妳剛剛那麼匆忙呀？」我向她詢問。

「是呀。」

潔西已經把浴缸裡頭的水加滿，好幾個泡泡從水面上浮了出來，而且消失在天花板上。氤氳的水蒸氣直往上冒，整個房間的味道聞起來就像一個國家花園。

她用指尖攪動了洗澡水，然後向我走過來，她的頭髮上仍然戴著那個銀色的髮簪。

「我現在感覺很興奮呢。」她向我說道。

「我分辨得出來，我察覺得到這些細節。」

「我想現在應該來做點治療囉。」

於是治療開始。潔西先動手解開我褲子上的鈕釦，然後扯開拉鍊。我們的雙唇早已緊黏在一起，從起初的輕柔、到後來變成瘋狂的親吻。

霎時間，當我們還站在冒著蒸汽的浴缸外面時，潔西帶領著我進入她的體內，但只有兩三遍的衝刺後——接著她的身體又再度滑開。此時她的臉上、脖子以及胸口都因爲興奮而泛紅。在那麼一瞬間，我瞭解接下來應該發生什麼事。

她的這番舉動讓我又驚又喜——先是震驚——後爲歡愉——進入她的體內，但卻又急速的分開。她那時**真的**很興奮，幾乎可以說是很狂野。

「妳現在是什麼感覺？」我問她。

「我感覺興奮得快要心臟病發了。」潔西喃喃自語道。「我們最好想出一個現在可以不做下去的藉口，喔，艾利克斯。」

她抓起我的手並把我拉進浴缸內，水是熱的，而且溫度剛剛好。其他的一切也是再好不過了。

我們愉快地笑了起來。我身上仍然穿著內褲，但小弟弟已經不聽話地往外露出頭來，於是我把上衣也給脫個精光。

我們在浴缸裡嬉戲，直到我們終於靜下來為止。潔西不知如何便騎到我的身上，然後我倆的身體再也不願分開。潔西將身體往後靠，然後把雙手環繞在她的腦後。她用一種充滿遐想的表情望向我，她脖子上及胸口上的紅暈變得愈來愈深。

她那修長的雙腿突然間從水面舉起，並且圈住我的脖子。潔西的身體因興奮而出現數度痙攣，然後我們同時進入高潮。她的身體變得僵硬起來，我們不停地扭動、大聲呻吟，一連串的水花從浴缸中濺出去。

不知何時，潔西把她的雙手環抱住我——她的雙手及雙腳此時都抱在我身上，我的身體在浴缸內往下滑落。

然後我滑的更深了，已進入水平面下，此時潔西整個人都在我的上面，那種近乎於高潮的感覺傳遍我的全身。我們倆的高潮同時出現，我有一種快要溺斃的感覺。我又聽到潔西的大聲呻吟，只是這回從水面下聽起來的聲音，有種模糊的感覺。

我達到高潮的同時，也感覺自己快要無法呼吸。我吞下好幾口水，然後劇烈咳嗽起來。潔西拯救了我。她將我從水底拉起，然後用她的雙手抱住我的臉龐。

放鬆，現在達到完全的放鬆狀態。

我們留在浴缸內、緊緊抱住彼此。同時感到精疲力竭，這是比較高雅的用語。此時我發現在地板上的水都比浴缸內來得多。

那時候我只曉得一件事，那就是我深深陷入愛情的漩渦了，那種感覺強烈到我無法不相信。我的餘生可能像團謎霧般難解而混亂，但至少已找到一個停泊的港灣，那就是潔西。

當晚約凌晨一點鐘的時候，我必須啓程返家。這樣一來，我才能在孩子們起床的時候即時抵達。潔西瞭解我的苦衷，我們決定在那場審判大會後，將之間的事做一個更妥善的安排。潔西想要試著更瞭解珍妮及戴蒙；但是那得在適當的場合下進行，這一點是我們兩個都同意的。

「我已經開始想你了。」當我準備離開時她向我說。「該死，**你可不可以不要走**……但是我又知道你必須離開。」

她把銀色的髮簪從髮上取下並放入我的雙手。

我推開門進入寧靜的夜晚，她的聲音仍在我的腦海裡盤旋不去。一開始的時候，外頭空無一物，停車場的周圍只有一片漆黑。

突然間，兩個男人出現擋在我的前方，我本能地抓住身上的手槍皮套。他們其中一個人轉亮了光線刺眼的手電筒，另一個則是用相機對著我的臉。

媒體發現我和潔西的蹤跡了。**噢，真是王八蛋！**這個綁票案實在是鬧得太大了，因此跟它有關的每一件事都可以被拿來炒作新聞。調查案一開始就是這種情況。

一個年輕女性在那兩個男人背後迎了上來。她留著一頭又長又捲曲的黑髮，看起來就像來自於紐約或洛杉磯的電影拍攝小組成員。

「你是警探艾利克斯．克羅斯嗎？」其中一個男人問道。同時間，他的搭檔則是拿著手上相機按了好幾下快門，閃光燈把黑暗的停車場給照得閃亮。

「我們是《國家星報》的採訪小組，我們想要採訪你，克羅斯警探。」我聽到的是英國口音，奇怪的是《國家星報》是總部位於邁阿密的美式八卦報紙。

「你們剛剛那種行爲是想做什麼？」我向那名英國佬問話，同時間我的手指正在口袋裡把玩潔西送給我的髮簪。「這是我的私事，也不是你們該報導的新聞，這根本不干別人的事。」

「這是否應該報導由我們來決定。」他發話道。「但我可不是像你這樣想的喔，老兄。這算不算是華盛頓警方與特勤局之間溝通管道的重大突破呢？該把它當做是場秘密任務呢，還是**其他的誹聞事件**？」

那個女人已經開始敲旅館的房門，而她的聲音就像重金屬搖滾樂團那般大聲。「我們來自《國家星報》！」她開始表明身分。

「不要出來。」我向門內的潔西大聲叫喚。

然而門還是開了，潔西盛裝打扮出現在門口。她的雙眼瞪著那個捲髮的女人瞧去，而且不避諱地露出不屑的態度。

「這一定是你們感到很光榮的一刻吧。」她向那些記者發話。「此時此刻的感覺，或許就跟你們已經拿到普立茲獎一樣開心對吧。」

「不，」記者也不甘示弱的予以還擊，「我不但認識普立茲本人，現在我還多認識了你們兩位。」

65

我正用鋼琴彈奏著凱斯史威特、BBD三人組、漢默以及人民公敵的流行歌曲。那天早上我在走廊上彈鋼琴給戴蒙跟小珍妮欣賞，一直彈到八點鐘左右。那是星期三早晨，潔西和我才剛剛在阿靈頓市被人逮個正著。

娜娜媽媽正在廚房讀著剛出刊的《國家星報》，那是我在超商幫她買來的。我正等著她看完以後把我叫進室內問話。

我一直等不到娜娜媽媽的呼喚，實在是坐立難安，忍不住從鋼琴椅上站起來，我還是自投羅網進房去找祖母好了。我告訴戴蒙和珍妮靜靜待在客廳。「你們兩個就乖乖坐在這裡玩，別亂跑好嗎？」

就像其他的清晨一樣，娜娜媽媽正在喝茶，臉上還殘留著吃過水煮蛋及吐司麵包的碎屑。那份八卦報整整齊齊地折好放在桌上。她到底讀過那則新聞了沒啊？我沒有辦法從她的表情或是報紙被翻閱過的折痕來判斷。

「妳讀過那份報紙了嗎？」我只好硬著頭皮問她。

「嗯，我已經讀過其中的精華了，也看到你的照片就登在頭版。」她如此回應我。「我相信一般人都是用這種方式在讀那種八卦報的。我對這種事總是百思不得其解，爲什麼人們在週日的早晨上過教堂後，還會去買這種報紙來閱讀。」

我選在早餐桌她對面的位置坐了下來，昔日的感覺與記憶一股腦兒向我湧來，我回想起過去曾經數次和娜娜媽媽有過類似的談話場景。

娜娜媽媽拿起一塊麵包皮，然後把它沾進橘子果醬中。如果鳥類能夠像人類一樣吃飯，牠們肯定像娜娜媽媽那麼勤於吃東西，她實在非常會吃。

「我確定她是位相當漂亮，而且應該也很風趣的白人女性，而你又是個英俊瀟灑的黑人男性，看起來魅力十足。然而就是會有很多人不喜歡你們倆湊在一塊兒，也不喜歡那張照片。聽到這你應該不會感到驚訝，對吧？」

「那妳是怎麼想的呢，娜娜媽媽？妳喜歡這張照片嗎？」我向她發問。

娜娜媽媽非常輕聲地嘆了口氣，然後把手中的茶杯匡噹一聲放在桌面。「現在告訴你我在想什麼，我不知道這種感覺在學理上應該怎麼稱呼，艾利克斯，但是你一直無法忘懷母親過世的傷痛。我從你還是個小男孩的時候便察覺這一點，我想我現在偶爾還是可以在你身上看到這種感覺。」

「那叫做『傷痛後壓力症候群』，」我告訴娜娜媽媽，「如果妳想知道它的學名我現在便告訴妳。」

當我把話題導入我們這一行的專業術語時，娜娜媽媽微笑了一下，她看過我先前用這種伎倆逗她。「我絕不會用你所遭遇的事來判斷你這個人的眞正個性，但是你的喪母之痛的確在你搬來華盛頓之後開始影響你的行爲。同時，我也注意到你在人群當中並非總是能如魚得水，不像有些孩子可以和群體處得很好。你喜歡運動，而且會和好友桑普生在店內偷東西，而你總是一副看起來很酷的模樣。但是你同時也喜愛閱讀，而且你的個性也非常纖細敏感。你知道我想說的重點嗎？或許你的外表看來是那麼剛強，但是內心卻絕非如此。」

我已經很久沒聽到娜娜媽媽對我的教訓了，但是她剛剛說出來的觀察心得眞是一語中的。我在華盛頓特區度過的孩童時代，的確是遲遲無法和當地小孩打成一片；不過我知道自己已經逐漸適應了，而現在身爲克羅斯警探／博士的身分，也已經取得當地民衆的認同。

「我不是有意要刺激妳，或者故意讓妳失望的。」我又繞回小報新聞這個主題。

「我對你的所做所爲並不曾感到失望，」我的祖母向我說道，「你是我畢生的驕傲，艾利克斯，你爲我每一天的人生帶來無比的快樂。當我看著你從小孩長大成人，看著你在鄰地區的一番作爲，而且知道你總是念茲在茲，想取悅我這個老女人的時候……」

「妳所提到的最後一件事是我最在意的。」我告訴她。「關於報紙上所提到的新聞，或許在這一、兩個星期還會炒得很熱，但是久了以後人們就會漸漸淡忘這檔事了。」

娜娜媽媽搖了搖頭，頭上的白髮此時看起來特別明顯。「不，人們會在乎的，有些人會一輩子永遠記得此事。這句話又叫什麼來著？如果你沒辦法抹掉他人的記憶，就小心一點別幹下壞事。」

我向她反問，「我到底做了什麼壞事？」

娜娜媽媽用她的叉子把桌上的麵包屑撥在一塊。「這就要你自己來告訴我了。如果一切事情都是光明正大的，爲什麼你和潔西．佛萊娜根要偷偷摸摸地在一起？如果你眞的愛她，那就去愛啊！你愛她嗎，艾利克斯？」

我並沒有立即回答娜娜媽媽的問題。我當然愛潔西，但有多愛她呢？還有我們倆接下來應該怎麼做？我們之間的戀情一定得有個結局嗎？

「這件事我並非十分確定，至少就妳這個問題，我是無法回答的。」我最後終於蹦出這番話來。「這就是我和潔西目前努力想找出的答案。我們都瞭解這麼做會有什麼樣的後果。」

「艾利克斯，如果你是眞心愛她的話，」我的祖母語重心長地跟我說，「那我也會愛她，因爲我愛你，艾利克斯。你目前就像在一塊非常大的帆布上作畫，有時候你就是太聰明了，以致於看不出自己的缺失在哪，而且你會成爲獨行俠——我指的是在白人的世界裡。」

「這就是妳那麼喜歡我的原因對吧。」我向她回道。

她也說：「這只是其中的原因之一，我的乖寶寶。」

當天早晨我和祖母在早餐桌前擁抱了好長一段時間。我的體型是如此壯碩，而娜娜媽媽雖然與我相比顯得很柔弱，但是心底卻一樣剛強。這場景就好像小時候一般，讓你感覺自己並非已完全長大成人，至少在你的父母或祖父母眼裡看起來不像，尤其是娜娜媽媽的心裡，這是我可以確定的事。

「謝謝妳啦，我的好祖母。」我向她說道。

「我爲你感到驕傲。」就像平常那般，她總是會用這句話結束我們之間的談話。

那天早上我打了好幾通電話給潔西，但是她卻不在家，或者是她不願意接電話，而且她的電話答錄機也沒有打開。我想到那天晚上在阿靈頓市的情景，那時的她好狂野，即使在《國家星報》發現我們的蹤影前就已經是那樣了。

我本想開車去她的公寓找她，但後來又改變了主意。我們不需要在這場審判會結束之前，被八卦報拍到更多照片或刊登更多新聞。

當天我去執勤的時候並沒有太多人跟我交談。如果我以前曾懷疑過誹聞的殺傷力有多大的話，這次的事件便狠狠地替我上了一課。好吧，我願意接受這樣的挑戰。

我走進自己的辦公室，獨自坐在我的座位上，桌上放了杯黑咖啡，然後我的視線盯住四面牆壁，上面貼滿關於這次綁票案的種種「線索」。我開始覺得有種罪惡感、憤怒，而且難以控制自己的情緒。此時的我好想敲碎玻璃，之前瑪麗亞被槍殺時，我眞的有做過一、兩次類似的舉動。

我正看著政府製造的青銅色桌子，這張桌子遙望著大門。我一直盯著本週的工作行事曆瞧，但是根本就心不在焉。

「你這個混蛋，準備好一個人陷入這場僵局吧！」我聽到背後傳來桑普生的聲音。「你現在可說是孤立無援，而且處境就像一隻待宰羔羊。」

「難道你認爲自己對於這整件事並不夠瞭解嗎？」我頭也不回地向他說道。

「我認爲當你想談這件事情的時候，你就會主動來跟我談。」桑普生回應道。「你知道我是**很瞭解**你們倆之間的關係的。」

在我的工作行事曆上突然出現一連串的咖啡杯響聲，引起了我注意。白朗寧效應（譯註：化學效應的一種）發生了嗎？到底發生了什麼事？我的心理和腦筋突然之間又回過神來。最後我轉過身面向他。他穿著一條皮褲、Kengol的鴨舌帽，以及黑色尼龍襯衫。他的黑色墨鏡與這身行頭可眞謂絕配。事實上，他想藉著這身穿著打扮，讓自己看起來既迷人又和藹可親。

「你認爲這件事在外頭傳開了嗎？」我向他詢問。「他們怎麼說？」

「沒有人對於這整件綁架案會如此發展而感到高興。高層長官絕對不會因此說聲『你們眞是幹的好！』。我想他們一定開始在尋找一些代罪羔羊，而你鐵定在那份名單之內。」

「那潔西呢？」我急著問道。但其實早就知道答案是什麼了。

「她當然也是其中一個。罪名是與黑人亂搞緋聞。」桑普生回應我的話。「我猜你一定還沒聽到外頭那些傳言吧？」

「聽到哪些傳言？」

桑普生先吐了口氣，然後告訴我最令人傷心欲絕的消息。

「她剛才並沒有出勤，或者說她不告而別地離開特勤局了。這件事發生在一個小時前，艾利克斯。」沒人知道她是自願還是被逼這麼做的。

我立刻打電話到潔西的辦公室，她的秘書說她「今天都不會再進辦公室了」。我還打電話到潔西的公寓，但也沒有任何回音。

我驅車前往她的公寓，在路上有幾次都超出行車速限。戴瑞克·邁克基堤正在WAMU

電臺主持脫口秀節目，即便我根本沒有在聽他說些什麼，我還是喜歡聽到戴瑞克的聲音。

潔西的家裡空無一人，至少也不見狗仔隊潛伏在一旁。我此刻又想到開車前往她那位於湖邊的小屋。我在街角處用投幣電話撥到她北卡羅萊納州的住所，但是當地的接線生告訴我這支電話已經停號了。

「這是什麼時候發生的事？」我的聲音帶點顫抖地問。「我昨晚撥過這個電話號碼還是可以接通的。」

「就是今天早晨，」接線生告訴我，「就在今早此號碼已經被停號了。」

潔西就這樣消失了。

66

愈來愈接近桑傑／默菲一案的審判終結日。十一月十一日整個陪審團都離開法庭，三天後又齊聚一堂，而外頭此刻正傳言紛紛，說他們對被告到底是該判有罪還是無辜仍無法決定。整個世界似乎都在等待他們的判決。

那天早上桑普生來接我一同開車到法院，在一絲冷空氣襲來、似乎預告冬天的降臨後，天氣稍稍暖和了起來。

當我們接近印地安那大道時，我想到潔西。我已經有超過一個星期沒見到她了，我猜想她會不會出席法庭以等待宣判結果。她有撥電話給我，告訴我她此刻人在北卡羅萊納州，這就是她跟我說過的全部訊息了。我又開始孤獨一個人，我並不喜歡這種感覺。

我在法院門外並沒有看到潔西，但卻看到安東尼・南森從一輛銀色的賓士轎車裡走出來。此刻對他而言正是個重要的日子。記者們將南森團團包圍，他們的舉動就像城市內的小鳥們，正在爭食不新鮮的麵包屑一般。

在我們可以脫身走向法院的階梯之前，電視及報紙記者們試圖拍攝我和桑普生的身影，我們兩個對於又要再度接受訪問這檔事根本興奮不起來。

「克羅斯博士！克羅斯博士，請留步。」他們其中一人大聲喊了出來。我認出這個尖銳的聲音，她便是當地電視臺的一名女主持人。

我們必須停下腳步，因爲她們不但站在我們的後方，而且我們前方也滿是人群。桑普生的嘴巴哼起一首小曲子，「沒地方逃了。」

「克羅斯博士，你覺得自己的證詞是否會幫助蓋瑞・默菲洗刷被控訴的謀殺罪名呢？也就是說你反而在不知情的情況下幫助他躲過謀殺罪的指控？」

我的心裡終於被這句話激怒了。「我們只是很高興能夠在超級杯美式足球賽的現場接受採訪。」我面無表情地面對一些迷你攝影鏡頭的拍攝。「艾利克斯・克羅斯將專注於他的賽事，其他的事他不想管。艾利克斯・克羅斯只想感謝上蒼，讓他有機會在這種層級的賽事中出場。」我向那個提出問題的記者靠了上去。「妳瞭解我在說什麼嗎？現在可以讓我們離開了嗎？」

桑普生微笑說道：「至於我嘛，我仍然歡迎運動鞋和其他飲料的廠商，與我簽下鉅額代言合約。」

說罷我們持續攀登那個陡峭的石階，進入了聯邦法庭。

當我和桑普生走進那凹洞般的聯邦法院大廳，吵雜的程度眞的把我們的耳膜快給震聾了。現場每個人都在互相推擠，只不過是用較文明的方式罷了，就像人們在甘迺迪中心穿著晚宴正式服裝，卻在互相推擠他人的背部一般。

以被告的多重人格特質而成爲案情攻防重點，桑傑／默菲一案並非首例，但它顯然是目前爲止最出名的一宗案件。它已掀起「有罪或無辜」的情感攻防戰，而且那些問題也的確讓陪審團陷入兩難——如果蓋瑞．**默菲**是無辜的，那他怎樣被判綁票與謀殺的罪名呢？他的律師已經在我們每個人的心底深深植入這個疑問句。

我在樓梯上又再次看見南森。他已達成每一個他想在法庭上達成的目的。「很明顯的，被告的心理存在天人交戰的雙重人格，」他在結案陳詞的時候，是如此告訴陪審團成員們，「其中一種人格就像你我一樣**清白**，你們**不能**宣判蓋瑞．默菲犯下綁票或謀殺罪名，因爲蓋瑞．**默菲**是個好人。蓋瑞．默菲是個好丈夫也是好爸爸。**蓋瑞．默菲是無辜的！**」

對陪審團成員來說，這眞是個棘手且兩難的問題。蓋瑞．桑傑／默菲是個聰明但邪惡的反社會者嗎？他到底是否知道，而且可以控制他的自我行爲？這宗綁票案到底是否有所謂的「共犯」，而且至少有一個是小孩的謀殺犯呢？或者是他從頭到尾一個人在演獨角戲呢？

可能除了蓋瑞自己之外，沒人知道全部的事實眞相，即便連心理學專家們也無從得知，警察更不可能知道，媒體也不知道，就連我也不知。

現在，那些看來像蓋瑞「同路人」的陪審團成員們，該如何做出最後的判決呢？

當天早晨這齣好戲的第一波眞正高潮，是發生在蓋瑞被押解進入滿布吵雜人群的法庭當中。他看起來就像平常那樣的面容整潔，而且還是穿著那一身素藍色套裝，十足的招牌大男孩裝扮，模樣簡直就像在小鎮銀行上班的人，一點也不像某個正在等待審判結果的綁票與謀殺嫌犯。

法庭內傳出稀稀疏疏的幾聲喝采，證明即便是綁票犯，在這個年代都可以找到一幫追隨他們的信徒。這場審判必定吸引了一定比例的怪人及病態者的注視目光。

「誰說美國不再出產個人英雄了呢？」桑普生向我說道。「他們就是喜歡蓋瑞的瘋狂舉動，你可以從那些人閃閃發亮的雙眼中察覺，他就像嶄新且進化版的查理・曼森（譯註：美國著名的連續殺人魔）。他不是個憤怒的嬉皮，而是個憤怒的雅痞。」

「林白之子的案子，」我提醒桑普生，「我正在猜測這是否就是他想要的結局。這些都是他想成名的偉大計畫當中的一部分嗎？」

陪審團成員已陸續抵達法庭，所有成員不論男女，看來神情都很慌亂而緊張。他們到底做出怎樣的決定——或許是昨天搞到很晚才做出決定的吧？

當他們一個接著一個前往桃木做成的陪審團席位時，有一名成員還因緊張而被絆倒。這個人其中一隻膝蓋著地，在他之後行進的魚貫隊伍因此被迫停下來。這一幕，正好替這整宗審判案的過程刻畫出其中缺陷與人性的一面。

我向桑傑／默菲站立之處瞥了一眼，覺得自己似乎看到一抹微笑掛在他的嘴角上。我剛剛看到的是錯覺嗎？他的腦袋此時此刻正在想些什麼？他預期自己會得到何種判決呢？

無論如何，家喻戶曉的蓋瑞・桑傑，這個「壞男孩」，都將非常感激這個諷刺的時刻到來。一切已準備妥當，這齣異想天開的瘋狂戲碼，由他擔綱演出。不論如何，此刻必定是他一生當中最重要的一天。

我要成為大人物！

「陪審團已經達成最後判決的共識了嗎？」卡普蘭法官在陪審團成員就定位後問道。

一小張折好的紙條被遞到法官面前。卡普蘭法官在讀過判決後仍面無表情。這時戲碼落在陪審團主席的身上演出，這是進入本齣戲劇完結篇的時刻。

這名至今一直站在座位上的陪審團主席，開始用清楚但有點發抖的聲音發言。他是一位郵政人員，名字叫做詹姆士・希金。大約五十五歲左右，有一張紅潤、幾乎可以說是緋紅的臉，那說明他有高血壓的毛病，又或者是這個審判給了他太大壓力。

詹姆士・希金開始宣告：「在被控訴的兩件綁架罪名部分，我們認為被告是**有罪**的；至於在被控謀殺麥可・郭德堡的罪名部分，我們認為被告也是**有罪**的。」值得注意的是，詹姆士・希金從未使用**默菲**這個名字，只是稱**被告**而已。

法庭開始陷入一片混亂，當聲響從石柱與大理石牆壁反彈出現迴音後，吵雜的聲音真是震耳欲聾。記者們奔跑到走廊上撥電話。瑪莉・華納正高興地接受所有她的年輕助理們的恭賀。安東尼・南森以及他的被告辯護團隊成員，迅速離開法庭以避免遭遇更多詢問。

在法庭前方，此時有個人感覺既奇特又心酸。

正當法庭的刑警要帶走蓋瑞的時候，他的老婆——美希，以及他的小女兒——羅妮，一同跑到他跟前。他們三個人深深地擁抱在一起，然後放聲哭泣。

我先前從未看過蓋瑞哭泣，如果這是他演出來的，那又是一場精采絕倫的好戲。如果他是想在整個法庭面前演出的話，這一幕絕對可以稱得上是扣人心弦。

我無法將視線從他身上移開，直到一對法警終於將蓋瑞架走、並帶他離開法院爲止。

如果他剛剛是在演戲，那麼他從頭至尾都沒出過一點錯誤。他當時是全神貫注地將精神放在他的妻子與小女兒身上，而且自始至終從未抬頭向法庭四處張望，去察看他這一幕演出是否有觀衆注意到。

他的演出實在太完美了。

或者蓋瑞·默菲眞的是個清白的人，但是剛剛卻無端被宣判綁架與謀殺罪名呢？

67

「壓力，壓力。」潔西跟著腦海裡大聲播放的旋律哼唱了起來。

潔西無所畏懼地全力飆馳在風速強勁的山間小路，前額皮膚因風速而感覺很緊繃。她極力俯身向前，並把摩托車加速到四檔。當她加速奔馳而過，身旁的冷杉、突出的圓石，以及年代久遠的電話線桿，開始在視線中變得模糊不清。她覺得自己在這一年多以來就像陷入無比的深淵，或許她整個人生都有這種感覺，她的情感因此快要全面爆發了。

沒有人可以瞭解，身處在如此巨大壓力下、這麼長的一段時間，會是什麼樣的感覺。即使在孩童時期，她連犯下一個細小錯誤都會一直很擔心，她害怕自己如果不是那個完美的小潔西，就不會再被自己的爸媽所疼愛。

她是完美的小潔西。

「好還要更好」；還有「只有好是不夠的，要向完美看齊」。她的父親當時幾乎每天都在她面前灌輸這個觀念，因此她在學業上便成爲一個永遠的第一名學生；她同樣也是最受歡迎的女孩；只要她想做的事沒有不是扶搖直上、順利完成的。歌手比利・喬在多年以前曾錄製了這首歌曲《壓力》，這就等同於她的人生當中每一日的生活寫照。她必須以某種方法讓她的人生壓力暫停下來，而現在或許她已找到一個方法。

當她接近湖邊小屋時，潔西將車速減低至三檔。屋內所有的燈都已點亮，除此之外，湖邊的所有一切看來是如此平靜。水平面看來就像一張柔亮光滑的黑色桌子，與山景幾乎要合而爲一。**但是屋內的燈被點亮了**，她離去的時候並沒有讓燈亮著。

潔西跳下摩托車且快速地進入屋內。前門並沒上鎖，客廳裡頭也不見人影。

「哈囉，有人在嗎？」她大聲叫喚出來。

潔西跑到廚房清查，所有的房間也巡過一遍，還是不見此人蹤影。除了燈光被點亮了之外，沒有人類到過這些房間的痕跡。

「喂，到底是誰，快出來吧？」

廚房的紗門也未扣上，她走到室外而且沿路一直到船塢。

什麼都沒有。

沒有任何人類的蹤跡。

突然出現的螺旋槳拍打聲從左方傳來，難以辨識的拍擊聲便是從水平面傳出的。

潔西站在船塢邊緣並長長地嘆了口氣，比利．喬的歌曲旋律仍然在她的腦袋裡頭播放著，像是在自我嘲弄。「壓力，壓力。」她在身上的每一吋肌膚都可以感受得到。

有人突然抓住她，這是一雙非常強壯的手臂，就像鉗子一般緊緊環繞住潔西。她退後幾步並放聲尖叫。

然後有某樣東西隨即被放入她的嘴裡。

潔西吸了一口，她辨識出這是哥倫比亞黃金，一種非常高級的毒品。她又再次吸入，抱著她的強勁臂膀此刻也放鬆了一些。

「我一直都在想妳。」她聽到一個聲音對著她說道。

比利．喬的歌曲旋律仍在她腦海裡放聲大唱。

「你到這裡來想做什麼？」她終於問道。

第五部

重啓調查

68

瑪姬・蘿絲・鄧尼再度陷入黑暗當中。她可以看見身旁有模糊的影像出現，她知道那些是什麼東西，而且也知道自己身處於何處，甚至她爲何會在這裡。

她又在計畫脫逃行動了，但是警告的念頭此刻在她的腦袋中蹦出來，總是這種警告的念頭讓她打退堂鼓。

如果妳試著逃離這裡，妳也不會被殺害的，瑪姬。結局其實很簡單，就是妳會被再度埋進地底下，妳會回到那個小墳墓裡頭。所以妳可別想試著逃跑，瑪姬・蘿絲，根本連想都別去想它。

她又開始忘卻很多事情，有時候她甚至連自己是誰都快記不起來。所有發生的事看來都像是場不好的夢，就像連番做惡夢一般，一場接著一場。

瑪姬・蘿絲在猜想，是否她的爸媽仍在找尋她？他們爲何要這麼做呢？她被綁架已經是很久以前的事情，這一點瑪姬是知道的。桑傑先生把她從華盛頓私立小學綁走，但是從此之後她再也沒見著他，剩下的只是警告標語罷了。

有時候，她覺得自己現在的處境，就好像那些她捏造出來的故事人物一般。

她的眼中噙滿淚水。外頭現在不會那麼漆黑了，因爲黎明已至。她不會想再去嘗試逃離這裡了，因爲她雖痛恨現在的處境，但絕對不想再被埋在地底下。

瑪姬・蘿絲知道那些身旁的模糊影子是什麼了。

那就是其他的小朋友們。
他們都被關進同一個屋子內。
而那裡沒有逃生的出口。

69

在審判結束的一週之後，潔西回到華盛頓特區。現在似乎是個重新開始的絕佳時機，我已經準備好了。謝天謝地，我已經準備好進行人生的重要計畫。

我們曾透過電話交談了一會兒，但並沒有聊太多有關她心裡的事。潔西的確有告訴我一件特別的事，說自己搞不清楚過去為何要投入那麼多的時間在工作上，而現在她完全不在乎自己的事業了。

一直以來，我想念潔西的程度遠超過自己的想像。當我在調查一宗因為一雙名牌運動鞋而犯下的兩起十三歲小孩被謀殺命案的當下，我的心裡也在想著潔西。桑普生和我逮到兇手，是一個從「黑洞」社區出來混的十五歲小孩。在同一個禮拜，我被賦予一項任務，就是成為「暴力犯罪逮捕計畫」（簡稱ＶＩＣＡＰ）的成員，並且成為華府警局和聯邦調查局之間的溝通橋樑。那個工作遠比我現在的差事位高權重，薪水又多，但卻被我斷然拒絕。這是卡爾・蒙瑞想買通我的辦法，我可是敬謝不敏。

我總是無法成眠，因為綁票案發生之初在我腦海內所形成的風暴，至今仍是揮之不去。

我仍無法將瑪姬・蘿絲・鄧尼的名字從腦袋裡頭完全剔除，我仍無法放棄此案的調查，我也不允許自己就這樣白白放棄。我整天都在觀賞ＥＳＰＮ頻道的節目，有時甚至到了凌晨三、四點還在看。偶爾我也會跑到醫院再過過當心理醫師的乾癮。桑普生和我會一起喝掉好幾箱啤酒，然後一起跑到健身房去消除啤酒肚。除此之外，我們就把漫長的時間花在工作上。

在潔西回到華盛頓的當天，我便駕車前往她的公寓。在抵達目的地的路途上，我還是聽著戴瑞克・邁克基堤在ＷＡＭＵ電臺的節目，就是我最鍾愛的脫口秀，聽他的聲音能夠讓我全身的神經都放鬆下來。我曾一度在深夜 call in 到他的節目中，我那時將聲音經過僞裝，暢談了瑪麗亞以及孩子們，但那已經是好久之前的回憶了。

當潔西開門迎接我的時候，我被她的模樣給嚇了一跳。她讓自己的頭髮自然留長並且散落在肩膀上，看起來好像瀑布般四射出來。不只如此，她的皮膚曬得黝黑，看起來就像八月的加州海灘救生員一般健康。目前她的人生看起來似乎再好也不過如此了。

我告訴她：「妳看起來精神飽滿。」其實我心底有點在埋怨她。她在審判結束以前便離開這裡，但是沒跟我道別，也沒留下任何一句解釋。那麼在她心裡，我到底算是哪根蔥呢？

潔西的身材一向就很苗條，但現在看起來是更瘦而且更結實了。在調查綁架案期間，她眼角邊屢次出現的黑眼圈也早已消失不見。她現在穿著一件丁尼布料的褲子，還有一件樣式老舊的短袖圓領汗衫，上頭印著「**如果你無法用聰明才華使人服氣，那就用天花亂墜的言語騙騙他人吧！**」她過去的確是聰明得讓人很服氣。

她溫柔地笑著出聲。「艾利克斯，我感覺好多了。我想我的心情已經幾乎完全平復了。」

她跑到走廊而且迎向我的雙臂之間，而我在瞬間也感覺自己心情開朗了一些。我一邊抱著她，一邊想著自己生長在這個奇怪的星球上，孤零零一人已經有好一陣子了。我可以看到自己仍是光棍的模樣，所以我應該讓自己勇於去追求新的所愛，再度學習去愛上一個人。

「告訴我發生在妳身上的一切事情，從俗世人間掉落至其他的境界，究竟是什麼樣的感覺？」我向她提出這些疑問。她的頭髮香味聞起來是那麼新鮮且乾淨，每一件有關於她的事在我看起來都是既新奇又新鮮。

「事實上，從俗世間掉下去的那種感覺其實挺不錯的。我從十六歲以來就沒有一天停止過工作，所以剛開始不去工作的頭幾天令我感到害怕，但是隨後便沒事了。」她在說這些話的時候臉龐仍藏在我的胸膛裡頭。「我在當時只錯過了一件事，」她低聲說道，「我當時好想要你陪伴在我的身旁，如果這句話當時能成眞，那該有多麼完美。」

那就是我最想聽到的一句話。「如果妳要我去，我一定會趕到妳身邊的。」我告訴她。

「我需要用自己的方式來自我沉澱，我也需要一次便把所有的事情給釐清。我沒有打電話給其他人，艾利克斯，除了你之外的其他人。我將關於自己的很多事情都想通了，或許我甚至已想清楚潔西．佛萊娜根究竟是個什麼樣的人。」

我將她的下顎輕輕抬起，並且直視她的雙眼。「告訴我妳的新發現，也告訴我到底潔西是個什麼樣的人。」

我們倆手牽著手，一同進入屋內。

但是潔西接下來並沒有跟我提及太多關於她到底是個怎樣的人，或者她在湖邊小屋發現關於自己眞實的一面，諸如此類的事情。我們又再度談論老話題，但除此之外，我必須承認，我已不再瞭解她的想法。我在猜想她是否仍在乎我，以及她究竟有多想回到華盛頓特區這個地方，我需要她給我更明確的答案。

潔西開始去解開我的襯衫鈕釦，而我根本就找不到方法來阻止她的行爲。「我眞的好想好想你喔，」她在我的胸膛低聲輕喚，「你也在想我嗎，艾利克斯？」

此時我必須微笑出來，此刻我的生理狀況已經爲她的問題下了最好的註解。「妳認爲呢？猜猜看。」

潔西和我在那個下午又再次陷入瘋狂的境地，我不禁想起那天晚上《國家星報》出現在我們旅館房門外的情節。比起那時候，她是明顯變得更瘦也更結實了，而她在離開這裡之前，就已經持續不斷在進行瘦身。還有，潔西現在是全身皮膚都曬得更爲黝黑。

「現在誰的皮膚看起來比較黑呀？」我邊問她邊笑。

「是我贏了，就跟烤麵包一樣的黝黑，在湖邊的那些人就是這樣說我的。」

「妳是在用自己的聰明讓我愈來愈迷戀妳吧。」我這樣告訴她。

「好吧，我們這樣下去還要維持多久呢？難道只是一直聊天與一直互相對望，都不要互相撫摸對方嗎？現在可以請你把自己襯衫上頭剩下的那些釦子解開嗎？」

「我這麼做就會讓妳感到興奮嗎？」我問道。我的聲音開始在喉嚨裡有一點卡住。

「是吧，事實上，你可以把襯衫脫掉了。」

「妳還沒告訴我關於自己的眞實個性究竟如何，以及在離開這裡的期間妳想到關於自己的哪些事情。」我再度提醒她。我想同時身爲她的告解者及愛人，這本身就是一個很性感的想法。

「如果你想親吻我，艾利克斯，你現在便可以行動。你可以把嘴巴湊上來親吻以外就不問其他的事情嗎？」

「嗯，這一點我不是很確定，讓我仔細想想，對了，我應該請問妳，是否想讓我閉嘴不再發問呢？」

「爲什麼我會想要這樣做呢，我的博士警探？」

70

我讓自己再度全心投入工作，並暗自許下承諾，無論如何一定要破解這宗綁票案。身爲黑騎士的我是不會被輕易擊敗的。

在一個淒涼、寒冷而且下著雨的夜晚，我經過長途跋涉再度去探訪妮娜・薛瑞瑟，因爲她仍是唯一實際見過蓋瑞・桑傑「共犯」的目擊者。反正我已經到了鄰近地區，乾脆就到她府上走一遭。

爲什麼我會在這個寒冷、還下著小雨的夜晚到這裡鬼混呢？因爲我對一宗已經發生十八個月之久的綁票案，仍無法獲得足夠的破案資訊，所以才會焦急到快發瘋。或許是因爲我生命裡的過去三十年來，一直是個完美主義者；也或許是因爲我必須知道瑪姬・蘿絲・鄧尼究竟發生了什麼事？更可能是因爲我至今仍無法忘懷馬斯塔夫．桑德斯命案的陰影。也可能是我想知道桑傑／默菲一案的眞正兇手。這些原因都是我持續激勵自己、並鞭策自己繼續下去的動力。

葛洛莉．薛瑞瑟看到我出現在她家大門口的確不大高興，在她終於肯來幫我開門之前，我已經在走廊上站了十分鐘之久，在那扇凹下去的鋁門窗上頭敲了不下六、七回。

「克羅斯警探，你又不是不知道現在很晚了，我們難道不可以忘掉此事，安靜地過自己的生活嗎？」當她終於打開大門之後問了我這個問題。「我們要忘掉桑德斯一家人的事情已經很難了，不需要你一再地來提醒我們。」

「我知道你們不需要我這麼做。」我同意這個既高大、年約四十好幾，正在給我白眼瞧的女子的說法。她有一對杏眼，在那張不算漂亮的臉孔上，卻有著一副美麗的眼睛。「但那些是謀殺案啊，薛瑞瑟太太，是非常殘忍的謀殺案。」

「兇手已經**被逮捕**了，」她向我做出如此回應，「難道你不曉得嗎，克羅斯警探？你沒有聽人說過嗎？還是你根本不看報紙呢？」

站在門外的我又再度感到被她羞辱了，我相信她懷疑我得了失心瘋，那麼她可是個聰明的婦人。

「喔，我的老天爺啊！」我搖了搖頭並且笑得很大聲。「妳知道的，剛剛妳講的事情絕對正確，我只是胡說八道的。我感到很抱歉，眞的很對不起你們。」

這麼一講就讓她的心防卸除不少，然後葛洛莉．薛瑞瑟便對我報以微笑。那是種善意、發自內心的微笑，偶爾你在這個社區附近也可以看到。

「妳就大發善心邀請我這個可憐的小黑進去喝杯咖啡吧。」我請求她。「我雖然有點瘋狂，但至少知道自己的毛病在哪，所以請幫我開開門好嗎？」

「好啦，好啦。你為什麼不等進來以後再說呢，警探先生。我們可以整件事再聊一次，但是僅此一次，下不為例喔。」

「就這麼一言為定了。」我同意她的說法。我單純地將自己眞實性格的一面表露出來，以做為破冰的開始。

我們在她狹小的廚房品嘗那劣質的沖泡咖啡。事實上，她實在是有夠愛講話。葛洛莉・薛瑞瑟詢問我有關那場審判的各式各樣問題。

她想知道上電視是什麼樣的感覺。就像其他人一般，她也對女演員凱薩琳・蘿絲的一切感到好奇不已，甚至對這宗綁票案都有自己的獨到見解。

「那個男人並沒有犯案，那個叫做蓋瑞・桑傑還是默菲的傢伙，是被其他人給設計陷害了，這是再明顯不過的事情了。」她邊說邊笑，我想她大概覺得把自己瘋狂的想法跟一個瘋狂的華府警探分享，是一件極為有趣的事情吧。

「就算是最後再逗我開心一次好了，」我說道，終於可以進入我眞正想要跟她談論的主題，「跟我說一遍妮娜那天晚上所看到的事情好嗎，告訴我妮娜跟妳說過什麼，就妳記憶當中最完整的部分向我說明。」

「你何苦這麼為難自己呢？」葛洛莉先向我問個明白。「你為什麼在晚上十點還要到這個地方查案子？」

「葛洛莉，其實我也不知道究竟是為了什麼。」我一邊聳肩，一邊啜飲著難喝到爆的咖啡。「或許是我想查清楚，在邁阿密的時候為何是我被那幫歹徒選上。其實我也不是很清楚背後原因，但是我反正就是到這裡來就對了。」

「這就是讓你瘋狂的理由了，不是嗎？那些小孩被綁架的案子正是原因。」

「是的，它讓我幾近瘋狂，快點再告訴我一次妮娜看到什麼，告訴我跟蓋瑞・桑傑待在車裡的那個男人的事情。」

「妮娜這個小孩子，從小就很喜歡坐在我們樓梯上那個靠近窗戶的位置。」葛洛莉又再度講起這個故事了。「對妮娜而言，這一面窗戶就像她整個世界，一直以來都是這樣的。她會蜷曲在那裡看書，或者是輕拍小貓的背。有時候，她甚至會直盯著窗外發呆。當她看到那名白人——蓋瑞・桑傑的時候，也是坐在那個靠窗的位置上。因為我們這個鄰近社區很少有白人出沒，大部分是黑人，有時候會有西班牙裔的人，所以桑傑便格外引起她的注意。她愈是觀察桑傑的舉動，就愈是覺得很奇怪。就像妮娜曾跟你說過的那樣，桑傑注視著桑德斯的住家，就像在窺探這個屋子或是另有其他企圖。至於另一個男人，就是坐在附近車子裡頭的那一位，他正注意著蓋瑞・桑傑的一舉一動。」

賓果！我那疲倦又已超過負荷的心靈，突然間，隱隱可以抓住剛剛那些話的關鍵字句。

葛洛莉・薛瑞瑟正準備再繼續說下去，但是我打斷了她。「妳剛剛說附近車內的那個男人正**注意**著蓋瑞・桑傑，妳剛剛說他正在**觀察**他的動作。」

「我剛才的確是這麼說的，不是嗎？我已經忘記自己說過什麼了。妮娜說這兩個男人是一夥的，就像一個銷售團隊或是其他什麼的。你知道。有時候他們出來探查整條街的時候就是用這種模式。不過話又說回來，她的確是告訴我，在附近車子裡的那個男人正注意著另一個人的動靜，我相信她講的每一句話，我幾乎可以百分之百確定那不會出錯。讓我去叫妮娜過來，我對這件事再確定不過了。」

很快的，我們三個人便坐在一起聊天。薛瑞瑟太太幫助我和妮娜溝通，最後她終於肯合作了。是的，她非常確定，附近車內的男人正注意著蓋瑞・桑傑的一舉一動，而且那個男人並沒有跟桑傑一起行動。妮娜・薛瑞瑟很篤定地記得，車子裡的男人正注意著另一個男人。

她並不知道車內那個男人是白人或是黑人，之前她之所以未曾提及此事的原因，在於這件事看起來並不重要，而且警察通常會繼續追問其他更多問題。就像其他在東南區長大的孩子一樣，妮娜痛恨警方，而且也很怕跟他們交談。

車內那個男人正在注意蓋瑞・桑傑的一舉一動。

或許根本就沒有所謂的「共犯」存在，而是某人趁著蓋瑞・桑傑／默菲在監視獵物的一舉一動時，一樣在監視著蓋瑞的行爲？那個人又會是誰呢？

71

我被允許可以去探訪蓋瑞・桑傑，但只能談論與桑德斯或透納謀殺案等等相關的事。我可以因爲那些或許永遠不會進入審判程序的罪案探訪他，但卻不能因爲一件可能會永久變成懸案的案件來找他。這正是官僚文化制度下的標準產物。

蓋瑞被囚禁的場所，馬里蘭州的佛斯頓市立監獄，有我認識的一名朋友在裡面。自從我加入華盛頓特區的警方以後，我便結識了華勒斯．哈特，他目前是佛斯頓市立監獄的首席精神科醫師。華勒斯正在那棟古老建築物的大廳，恭候我的大駕光臨。

當我跟他握手致意時，我說道：「我喜歡這一類型的個人治療，當然我也是第一次到這裡來參觀。」

「艾利克斯，你現在可成了一位名人啦，我在電視上見過你。」

華勒斯是名長得瘦小但卻有學者氣質的黑人，他臉上戴著圓鏡片，身上穿著寬鬆的藍色西裝。他的外表會讓人們想起喬治．華盛頓．卡佛（譯註：卡佛為美國的黑人發明家），或是混雜著一點伍迪．艾倫（譯註：艾倫是好萊塢知名編劇與導演）的味道。他看起來就像同時混雜了黑人與猶太人的血統。

「目前爲止你認爲蓋瑞是個什麼樣子的病患呢？」在我們乘著電梯直達最大安全警戒樓面的途中，我向華勒斯提出這一個問題。「病患的楷模嗎？」

「一直以來我對精神病患都賦予無限的同情，艾利克斯。他們會一直不斷地胡扯。想想如果人生中沒有眞正的壞人存在，那是一件多麼無聊的事情呀。」

「我的假設是，你並不相信世上眞有多重人格的可能性存在，對吧？」

「我認爲那的確是有可能存在，但數量實在微乎其微。不管怎麼說，在他心底的那個壞人眞是壞到骨子裡去了。只是我對於他會遇到麻煩倒是有點驚訝，我認爲他不應該會被抓到才是。」

我說：「想聽聽一個瘋狂的答案嗎？是蓋瑞．默菲抓到桑傑的，因爲蓋瑞．默菲無法控制桑傑的行爲，所以他便把桑傑交給法律制裁。」

華勒斯對著我的話大笑，對於一個臉這麼小的人來說，他的露齒而笑還算挺明顯的。「艾利克斯，我眞的很欣賞你的瘋狂想法，但是你眞的相信自己說出來的理論嗎？一個人的其中一種個性會出賣另一種個性嗎？」

「不，我只是想看看你是否相信這種說法。我已經開始猜想他打從一開始就是個瘋子。我只是需要知道他的病情發展至今已有多麼嚴重。當我看到他的時候，我曾觀察到一種明顯的偏執狂性格失序症狀。」

「我同意你的說法，他的個性的確多疑，又喜歡苛求他人；既自大、又常被壓力追著跑。但是就像我說過的那樣，我喜歡這個傢伙。」

當我終於可以看到蓋瑞時，還眞是有點震驚。他的雙眼凹陷，而且眼球旁邊也布滿血絲，好像已經感染結膜炎。他的臉部肌膚全都鬆垮了下來，不再具有朝氣，顯然他的體重也掉了很多，或許有三十磅吧；他是被帶去整理服裝儀容之後才來跟我會面的。

「哈囉，大夫，我看起來有點沮喪對吧。」他從鐵欄杆內望向我這裡，而且開口跟我說起話來。他又再度成爲蓋瑞．默菲，至少他現在看起來像是這個性格特質。

「哈囉，蓋瑞，」我也向他打招呼，「我沒有辦法不來這裡看看你。」

「你很久沒來看我了，這次想必是有求於我，讓我猜猜——你想寫一本關於我這個人的書，你想成為下一位安妮．盧爾（譯註：安妮擅寫真實人物的故事，並將之集結成書）對吧？」

我搖了搖頭。「我很早之前便想來見你了，但是我必須先取得法院的准許。事實上，我來這裡是想與你討論有關桑德斯或透納家人的謀殺案內情。」

「是嗎？」他看起來就像洩了氣的皮球，不但對此興趣缺缺，而且一副不想搭理我的模樣。我不喜歡看到他現在的態度，因為這讓我感覺他的人格可能要進入完全的轉變邊緣了。

「事實上，我只被法院允許和你談論有關桑德斯或透納謀殺案的事情，那就是我被賦予的權限。但是如果你願意的話，我們也可以談談薇薇安．金女士。」

「那麼我們倆就沒什麼好談的了，我對於那些謀殺案所知不多，甚至也沒有去閱讀報紙上的相關新聞，我用自己女兒的性命擔保，我沒有犯下那些案子。或許我們的朋友桑傑會知道內情，而不是我，艾利克斯。」他現在似乎可以很自然地喚我為艾利克斯。我很高興知道，我可以在任何地方都與人交上朋友。

「你的律師一定已經和你解釋過那些謀殺案的內容了，今年內可能會為此再度召開審判庭。」

「我不會再與更多律師面談，因為我與這些案件無關。除此之外，那些案件也不會有召開法庭公審的機會，因為那實在太勞民傷財。」

「蓋瑞，」我向他說話的感覺，就好像他是正在接受我治療的其中一名病患，「我想替你再度催眠。如果我能將其他繁瑣的例行公文搞定，你願意幫我簽下這份同意書嗎？與桑傑溝通對我來說很重要，讓我試著跟他談談看吧。」

蓋瑞・默菲先是微笑著搖搖頭，最後他終於點頭了。「事實上，我也想親自跟他對話。」他向我說道。「如果我有辦法，眞想殺掉他，我想殺了桑傑，就像我被指控殺了其他那些人一般。」

那天晚上我去會見前任特勤局探員麥克・狄凡，因爲狄凡是奉派保護財政部長郭德堡及其家人的兩人小組當中一員。我想請教他對於桑傑一案「共犯理論」的看法。

在綁票案發生一個月後，麥克・狄凡提出自願退休，因爲他才四十來歲，所以我假設他一直在積極找尋新工作。我們站在他那間用石頭建造的露臺外俯看波多馬克市，並且聊上好幾個小時。

對於一個目前單身的男人而言，這是一棟既高雅又設備完善的公寓。狄凡的膚色曬得很健康而且也精神飽滿。對於推廣警察人員應該趁早卸下工作的人們來說，他可眞是我見過最佳的活廣告。

他讓我想起約翰・麥當勞小說裡的神探查維斯・麥基。他是個肌肉發達，但是臉上表情十分豐富的人。他同時也把提早退休後的生活規畫得很好。我心裡不禁在想：一個具有像電影英雄般外貌、棕色捲髮、親切笑容的男人，背後一定有很多成功的故事。

「我的搭檔和我被迫離開工作崗位，這點你是知道的。」幾杯可樂那啤酒下肚以後，狄凡便對我坦誠以對。「一旦發生了這種類似第三次世界大戰的事件，我們兩個倒楣鬼在局裡就混不下去了。當然，我們長官也沒怎麼挺我們。」

儘量安慰他。

「這是一樁公眾事件，我想世界上總是會存在英雄跟小人。」我只能趁著冷啤酒下肚後

「也許發生這些事也好，」麥克．狄凡若有所思的說，「你曾經想過在自己變成老人癡呆以前，讓一切重新開始，趁著自己還有體力，做點不同的事業嗎？」

「我有想過開一間私人診所，」我告訴狄凡，「我是個心理醫生，而我現在偶爾還會在社區內幫窮人進行一些免費的診療服務。」

「但你太喜歡手邊的工作了，以致於不能放下它離去對嗎？」麥克．狄凡一邊微笑地講話，一邊瞇起眼睛望向水面上浮起的落日餘暉。此時正有一群灰羽毛的海鳥沿著陽臺飛過。眞美啊，這裡一切的景觀是那麼美好。

「聽著，麥克，我想要與你再重複檢視一遍綁架案發生前幾天的事情。」我告訴他。

「你眞的是有夠執著，艾利克斯。我自己已經把全案弄得滾瓜爛熟，相信我，你再也查不出其他的線索了，全案已正式偵查終結，不會再有新的進展。我已經試了又試，最後我終於得放下這種無意義的追逐。」

「我相信你所說的，但是我仍對於一輛被人在波多馬克市所目擊到的新款轎車行蹤感到好奇，很可能是道奇的車款。」我這麼回應他的話。那輛車就是妮娜．薛瑞瑟印象中停放在藍格立街的車子。「你曾經注意過有一輛藍色或黑色的轎車停放在栗色大道嗎？或者是停放在華盛頓私立小學附近？」

「就像我跟你說過的那樣，我已經一再重複地瀏覽我們的工作日誌，並沒有發現任何可

疑車輛，你可以自行去看看那些日誌。」

「我已經看過啦。」我這麼告訴他，而且對於案情的膠著只能苦笑以對。

麥克．狄凡和我又多聊上一會兒，他也沒辦法說出什麼新線索。交談到最後，我聽著他誇讚住在海灘旁邊生活有多麼棒，整日就是釣釣魚不想別的事，他的新生活看來才正要開始而已。很明顯，要論克服鄧尼跟郭德堡綁票案所造成的陰影，他的功力可是比我好得太多。

但是仍然有些事在困擾著我，就是所謂的「共犯理論」，或者我們該稱之爲「監視者」的陰謀。除此之外，我對於狄凡和他的夥伴有種直覺，但卻是一種不好的感覺；有些線索告訴我，其實他們知道的事，遠比願意講出來的要多上許多。

打鐵趁熱，趁著自己尙有衝勁的時候，我選擇聯絡狄凡的前任搭檔，查理．伽克立，就在同一天稍晚的時候。在他離職以後，伽克立和他的家人選擇至亞歷桑納州的坦佩市定居。

當時我這裡的時區已經是午夜十二點，而坦佩市則是十點鐘。我心裡想，應該不算太晚吧。「查理．伽克立嗎？我是艾利克斯．克羅斯警探，從華盛頓特區打來的。」我在他接到電話的時候主動報上大名。

在他開始回話之前，電話那頭先是暫停了好一陣子沒有反應，這是一種讓人很不舒服的沉默。然後伽克立便對我開始充滿敵意——對我而言，這一點實在很奇怪。這種反應只會激起我直覺上對他和他的搭檔更加起疑。

「你到底想做些什麼？」他發怒地說道。「你爲什麼要打電話到這裡找我？我現在已經從特勤局退休了，我正試著將過去所發生的事淡忘掉，請你讓我一個人靜一靜，離我和我的家人遠一點。」

「聽著，我對於打擾你這件事感到很抱歉……」我正要開始向他解釋下去。他立即打斷我的話。「別浪費工夫了，告訴你一個最簡單的辦法，克羅斯，那就是從我的生活中永遠消失。」

當我在跟他通話的時候，我開始在腦海裡回想查理．伽克立的模樣。我記得他在綁票案發生後那些日子裡的形貌。他只有五十一歲，但是看起來卻像已經超過六十歲一般蒼老，還留著啤酒肚。他大部分的頭髮都已經掉光了。他的眼神有點孤僻，甚至很怕羞。伽克立就是那種遭受職業傷害最活生生的案例。

「很不幸的是，我仍在負責偵辦幾宗謀殺案，」我這般告訴他，希望他能瞭解我的苦衷，「這些案子也有牽涉到蓋瑞．桑傑／默菲。他曾回到學校去殺害其中一名老師，叫做薇安．金，你認識她嗎？」

「我認為你應該不會想再騷擾我了吧。你為何不假裝自己從未撥過這一通電話，好嗎？然後我便可以裝作自己也從未接過這通來電。自從我住在這片滿布黃沙的沙漠以後，最拿手的便是這種偽裝遊戲了。」

「聽好，我可以拿到調查案件的傳票，你知道我是有辦法做到的。到時候我們就得在華盛頓繼續談下去，或者我也可以飛去你位於坦佩的家中，在某個晚上跟你來一場烤肉交友談心這類的活動。」

「喂，你到底是哪裡出了毛病？克羅斯老兄，你是哪裡不對勁？這個該死的案件已經結案。放下它別再提了，同時也離我遠一點。」

此時伽克立的語調非常怪異，聽起來他的情緒已經隨時處於崩潰邊緣。

「今晚我已經和你的搭檔聊過。」我告訴他。這麼說讓他還不至於掛斷我的電話。

「是喔，你已經和狄凡聊過，我自己有時候也會跟他通個電話。」

「我為你們二人現在過的生活感到高興，我會在問完問題後徹底消失，不再煩你，只需你回答我一、兩個問題便可。」

「最多只能問一個問題。」伽克立終於妥協了。

「你記得曾經看過一輛深色新款的轎車停放在栗色大道嗎？或者是在郭德堡及鄧尼家附近？或許就發生在綁架案的一、兩週之前？」

「沒有，完全沒看過。如果有任何不尋常的事物，早就登記在我們的工作日誌裡頭了。綁架案已經偵查終結，在我的認知裡面它已經結案，你也應該往這方面去想，克羅斯警探。」

說完伽克立便掛斷我的電話。

我們兩人之間對話的語氣實在過於奇怪。這個難解的「注視者」謎團已經把我搞得快瘋了，這眞是一個超大的難解習題，不管你是哪一種警探，它已經成為重要到讓你無法忽略的線索。我必須跟潔西談談麥克．狄凡和查理．伽克立這兩個人，以及他們所記載的工作日誌。他們倆有些不對勁，我相信他們一定有隱瞞一些事實而沒有說出來。

72

潔西和我花上一整天的時間待在她的湖邊小屋，因爲她需要跟我談談。她需要跟我聊聊她的心境已出現何種轉變，以及在她沉潛的那段日子內，對自己有了哪些新發現。此時有兩件非常奇怪的事情，發生在北卡羅萊納州這個「無名之地」。

我們在早晨五點便離開華盛頓，然後在早上八點半以前便抵達湖畔。當時已經是十二月三日了，但是氣候感覺起來竟跟十月初差不多。整個下午的氣溫都保持在七十多度，而且還會吹來和煦的山間微風，還有好幾種不同類的鳥鳴聲充斥於空氣當中。

當時夏季才會到此一遊的旅客們都已不見蹤影，所以剩下我們兩人在湖畔獨處。但是有一艘單人快艇在湖面四周航行了大約一小時之久，它那吵雜的引擎聲，聽起來就像在全國運動汽車競賽協會比賽的車輛一般。除此之外，就只剩下我們兩人獨處的時光。

在雙方都同意的前提下，我們之間的對話並沒有太快便進入很嚴肅的主題，我們先不去談論有關潔西近來的轉變，或者狄凡和伽克立的事，甚至是我對綁架案所得到的最新理論。

當天下午稍晚，潔西和我一同進入環繞在湖邊的針葉林，進行一場長途跋涉探險。我們順著流入環繞四周山谷的晶瑩小溪所帶出的路徑，以便深入叢林。潔西雖沒有化上任何妝，但她的頭髮是那麼的性感狂野。她身上穿的是一件剪破的牛仔褲，上衣則是剪去短袖的繡有維吉尼亞大學字樣的襯衫。她的雙眼是美麗的藍色，足以與湛藍的天空互相輝映。

「艾利克斯，我向你說過，我曾在這裡發現很多有關於眞實的自我。」當我們愈爬愈高並已深入叢林的時候，潔西開始向我說道。她的話語聲很柔軟，看起來就像個天眞無邪的小孩。我仔細聆聽她所說的每一個字句，因爲我想瞭解關於潔西全部的事。

「我想跟你談談有關於我的事，現在我已經準備好談論它了。」她向我說道。「我必須跟你講爲什麼我是這樣的人，以及我是如何變成這種類型的人，還有關於我一切的事情。」

我點了點頭，讓她繼續說下去。

「我的父親……我的父親是個徹底的失敗者，這是從他自己的觀點來談。他本是個很能夠在大城市生活中混得很好的人，他的社會交際能力也非常的好——我指的是當他想這麼做的時候。但是他出身相當貧苦，而且他時常引以爲恥。我的父親就是因爲有這種悲觀的人生態度，因此常常給他帶來不少麻煩。他也不在乎這種態度會如何影響到母親與我。因此他在四、五十歲的時候便常常酗酒，在他人生終結的那一天，沒有任何一個朋友來探望，甚至是家族內的任何親人。我猜測這就是爲何他會想自殺的原因吧。艾利克斯，我的父親是自殺身亡的，他選擇在自己那輛未登記的車子內了結餘生，在聯合車站內並沒有發生心臟病那段故事，那是自從我上了大學以後編出來的一段謊言。」

當我們往前行進的時候，雙方都沉默了片刻。潔西過去只有一、兩次跟我提到她的母親或父親的事蹟。我原本便知道他們都有酗酒的問題，但是我並不會催促她講下去——特別是因爲我無法充當潔西的心理醫生。當她準備好的時候，我認定她會說給我聽。

「我並不想成爲像我爸爸或媽媽那一種類型的失敗者，艾利克斯，這點始終是他們看待自己的方式。這就是他們談話時總會掛在嘴邊的論調。他們不僅僅自信心極低，根本就是對自己完全沒有自信。我不能讓自己也變成這種人。」

「那妳又是如何看待他們的呢?」

「就像他們認定的那種失敗者吧，我猜想。」一絲勉強的笑容隨著她的坦白浮現在嘴角邊，這眞是一個痛苦中的誠實微笑啊。

「艾利克斯，他們都是極度聰明的人，知道所有的事，也讀過很多書，他們的博學多聞足夠讓你們暢談任何一種話題。你去過愛爾蘭嗎?」

「我曾到過愛爾蘭一次，爲了出公差。那是我第一次、也是唯一一次去歐洲大陸，我沒有那麼多經費去旅行。」

「如果你去過愛爾蘭的一些小村莊，那裡的人口才眞好，但是他們的生活是如此貧困。看看這些『白人失敗者』居住的地方，每三家店面當中就有一間是酒吧，在那個國家有很多受過教育的失意者。我不想成爲那種聰明卻失敗的人，我已經告訴過你那是我心底的恐懼，對我來說，那種狀況就跟下地獄一樣可怕……所以我在學校求學時不斷鞭策自己，我必須成爲第一名，不計任何代價。直到進了特勤局以後，我不斷力爭上游，一路向上竄升。艾利克斯，不管怎麼說，我都對自己的事業成就很滿意，對我整體的生活也很滿意。」

「但是這一切都在郭德堡及鄧尼的綁架案發生後徹底瓦解，我變成代罪羔羊，不再是先前那位前程似錦的女孩。」

「就是因爲這樣，我的前途已經泡湯了，探員們在背後說我的閒話。最後，我終於受不了而離開特勤局，因爲我沒有其他選擇，這眞是既荒謬又不公平的一件事。因此我跑到這裡來，想清楚自己究竟是什麼樣的人，我得靠自己的力量解決這一切的困境。」

潔西伸出雙臂，就在這叢林深處緊緊地用她的雙臂抱緊我，然後開始低聲啜泣。我以前從未見過她哭泣。我也用雙手將潔西緊緊抱住，我從來未曾感覺與她如此親近過。我知道她正在跟我傾訴一些難以啓齒的秘密，這樣一來我便欠她一些關於自己的私密事情了。

我們到達預定的小山丘以後便停下腳步，開始安靜地談心。然後，我察覺有人在樹林裡窺視著我倆。我的心情試圖保持鎮定，但眼神已在此時射向我的右方，還有其他人在樹林裡面。

有人在**窺視**我們的舉動。

又是另一個**窺視者**。

「潔西，有人躲在樹林裡面，就在我們右方的山丘後面。」我向她輕聲喚道。她並沒有因此而朝那個方向望去，因爲她仍保有警察的本能。

「艾利克斯，你確定嗎？」她向我問道。

「我非常確定，這件事妳可以信任我，讓我們分頭前進，」我向她說，「不管在那裡的人是誰，只要他開始逃跑，我們就合力將他擒下。」

我們分頭行動，而且向著我看到窺視者的地方，以分頭包抄的方式前進。或許這種做法可以迷惑那個人的判斷力。

他開始逃跑了！

這個窺視者是男性，他穿著運動鞋，以及一身黑色套頭的跳傘裝，如此一來就與背景的叢林形成一種保護色。而且我無法分辨他的身高或體型大小，不論如何就是看不出來。

潔西和我追逐此人大約有四分之一英里遠，因爲我們都是打赤腳，所以無法有效拉近與此人之間的距離。在這趟全力衝刺的短跑賽程後，我們之間的距離可能還拉遠了好幾碼。樹枝與有刺植物不斷在我們的臉上及手臂上刮過，我們突然間穿出了這片針葉林，而且發現自己身處在鋪著柏油的鄉間小路。我們正好及時趕上聽見一輛汽車在鄰近轉彎處加速駛離的聲響，但始終沒有看到車輛的蹤影，甚至連車牌的樣子也見不著。

「這眞是一件怪到不能再怪的事情了！」當我們站在馬路旁邊，試著喘口氣時，潔西率先開口說道。此時我們臉上布滿汗水，心臟也跳個不停。

「有誰會知道妳習慣到這裡探險的事？有任何可疑人選嗎？」我向她發問。

「沒有人會知道的，這就是這件事很怪異的理由，那個人到底是何方神聖？艾利克斯，這件事怪恐怖的，你想出任何可能性了嗎？」

關於妮娜．薛瑞瑟曾看到的那名窺視者的眞實身分，我早已記下至少一打以上的理論來加以解釋，其中最有可能的解釋同時也是最單純的一個，那就是蓋瑞．桑傑早已被警方盯上。但是來自哪裡的警方呢？會有可能是從我的部門出來的人嗎？還是潔西所服務的特勤局裡頭的人呢？

這眞的是一件很詭異的事。

就在天色完全變黑以前，我們回到潔西的小屋。此時空氣中已充滿冬季冷颼颼的味道。我們在屋內升起火，而且還準備了一頓四人份的精緻大餐來享用。

晚餐包括了甜玉米、一大盤沙拉，每個人一客二十盎司的牛排，以及一瓶葡萄酒，這是一瓶標籤上還印著勃根地、雪桑．蒙哈榭的法國高級白葡萄酒。

當我們開始用餐以後，便抽出時間來聊聊麥克．狄凡和查理．伽克立這兩個人的事情，以及有關窺視者的一切。潔西沒有幫上我太多忙，她倒是告訴我，往特勤局的探員這個方向去調查可能是錯誤的舉動。她表示伽克立向來是那種容易情緒激動的典型，因此打電話到亞歷桑納州給他的這個舉動，可能就會讓他情緒爆發。她告訴我伽克立對這份工作早已心生不滿，所以想必他現在更是抱怨連連。在她的想法當中，麥克．狄凡和查理．伽克立都是優秀的人，但還稱不上是傑出的探員。如果在他們保護郭德堡一家人的勤務當中，發生某些值得注意的事情，他們應該早就要發現了，而他們的工作日誌也應該要正確記錄所發生的事。他們兩人當中，沒有一個聰明到會去掩飾自己做過的事，這一點是潔西非常確定的。

對於妮娜．薛瑞瑟曾提及，在桑德斯家命案發生的前一個晚上，她曾看見一輛車停放在街頭這件事，潔西並沒有懷疑，但是她不相信當時還會有人在窺視桑傑／默菲，甚至桑傑曾跑到那個社區的這個想法她都存疑。

「我已經不再負責偵辦此案了，」潔西最後向我表明想法，「我不再擔任財政部的利益關係人代表，或是其他人的代言。艾利克斯，跟你講講我眞心的感覺，你爲什麼不讓這件事就這麼過去呢？偵查已正式終結了，是該放手的時候。」

「我不能這麼做，」我告訴潔西，「這不是亞瑟王麾下圓桌武士的精神。我不能放棄調查此案。每次我嘗試著辦下去，就會有新的線索蹦出來，我的想法也會跟著改變。」

那天晚上我們很早便就寢，大約是在九點或九點十五分。那瓶葡萄酒的後勁開始發揮了，我倆之間不但熱情如火，而且彼此感覺到暖暖且溫柔的愛意。

我們親熱地擁抱在一起，然後開懷地笑出來，我們也沒有很快進入夢鄉。潔西替我取了一個「艾利克斯爵士，圓桌旁的黑騎士」的綽號，我則喚她「湖水女王」。最後我們在低聲喚著對方的綽號中，安詳地在對方的懷抱裡入睡。

當我起床的時候已不知是哪個時辰。我正躺在一床弄皺的被單上頭，而且氣候十分寒冷。壁爐當中還殘燒著餘火，燃燒木柴的連串爆裂聲依舊清晰可聞。我正在猜想，為何當爐火仍點著的時候，氣溫竟然還是如此寒冷。

我的眼睛所看到的景象，跟身體對溫度的感覺，一時之間搭不起來。為此我沉思了好幾秒。

我爬進棉被裡而且把棉被拉高至我的下顎上緣，覆蓋住我的身體。反射在玻璃窗上頭的火燄餘光看來有些詭異。

我又再度想到待在這裡跟潔西共處一室是多麼奇特的事。就在這個無名之地，我實在無法想像現在若不與她在一起會是什麼情境。

我試著要叫醒她，告訴她我現在的感覺。告訴她我心裡頭一切的秘密。我們是湖水女王和黑騎士，聽起來就像九〇年代的傑弗瑞．喬叟（譯註：喬叟被人稱為英國詩歌之父）的口氣。

突然間，我明白窗戶上閃爍的火燄光芒，並非來自於壁爐當中的餘火。

我下了床並跑到外頭一探究竟。我親眼目睹一件一生當中不斷聽人談起、但是從沒想到會見得著的景象。

潔西的草地上有一個十字架，正熊熊燃燒得明亮不已。

73

一個失蹤的小女孩，名字叫作瑪姬．蘿絲。

社區裡面的謀殺案。薇薇安．金女士令人毛骨悚然的虐殺事件。

一個精神病患者，蓋瑞．桑傑／默菲。

一名「共犯」，或者是一名神秘的窺視者。

在北卡羅萊納州熊熊燃燒的十字架。

這些片段的線索何時才會拼湊在一起呢？會有拼湊完成的一天嗎？從我上次待在潔西的小木屋開始，直到現在，我的腦海裡仍充斥著那些強而有力、但卻互相干擾的影像。我無法放棄調查此案，像潔西建議我做的那般瀟灑。發生在接下來幾個星期的事件，增加了我對此案調查到底的偏執程度。

星期一下班的時候已經很晚了，當我回到家，戴蒙和珍妮搶著爬到我的身上，不管我走到前門還是廚房都跟著我。

曲。「電話來囉！電話來囉！電話來囉！」當戴蒙在我身邊嘻鬧的時候，嘴裡還哼著這個小

娜娜媽媽從廚房把電話筒塞到我的手上，她說這是華勒斯．哈特從佛斯頓市立監獄撥過來的緊急電話。

「艾利克斯，很抱歉得撥電話到家裡打擾你。」華勒斯首先跟我致歉。「你能抽空到我這裡一趟嗎？有重要的事情發生了。」

我正試著脫下外套。聽到這句話我的動作便停了下來——一隻手仍在外套裡，而另一隻手已經脫好了。小朋友們也正在幫我的忙，算是另類形態的幫忙吧，他們簡直是要把我背包裡頭的東西全往外頭丟光似的。

「發生了什麼事，華勒斯？我今晚可能有點忙不過來。」我的嘴巴此刻正在親吻戴蒙和珍妮。「我家裡出了些狀況，但是可以解決，別擔心。」

「他要求和你見面。他說想和你談談，而且只有你一人才行，還說這件事很重要。」

「不能夠等到明天早上嗎？」我詢問華勒斯。我已經工作一整天了。除此之外，我也不認為蓋瑞．默菲會告訴我哪些新鮮事。

「他現在變成**桑傑**了，」華勒斯在電話那頭跟我說道，「**桑傑**說現在想跟你談談。」

我先是無言以對，然後勉強擠出一句話來：「我立刻上路，華勒斯。」

我在一個小時內抵達佛斯頓市立監獄。蓋瑞被囚禁在這座監獄的頂樓，其他一些有名的精神病患，例如琳奈．弗門（譯註：嬉皮年代典型的社會邊緣人物，曾刺殺福特總統，綽號「嘰嘎姑

娘」）、約翰・辛克萊（譯註：刺殺雷根總統未果後，以佯裝精神病逃避刑責）等人都曾經在那個地方被關過。那裡可以說是一個最高警戒層次的禁區，就像蓋瑞常想進駐的地點一樣。

當我抵達他的囚牢外面時，蓋瑞當時臉部朝上躺在一個狹小的帆布吊床內，身上並沒有蓋被單或毯子，有一個警衛日以繼夜地在看守他。他正在進行「特殊任務」，這是一對一看守他的那名警衛的說法。

華勒斯・哈特跟我說：「我正在考慮今晚要把他移監至一個比較安靜的地方，把他放置在特別看護之下，而且與他人隔絕一段時間，直到我們發現他到底出了什麼事情。艾利克斯，他看來像靈魂出竅。」

「在他性格轉變之際，有時會出現這種情形。」我表明看法，而華勒斯也點頭同意。

我進入蓋瑞的囚室當中，而且不經詢問便就地坐下，因爲我已經對詢求他人准許的過程感到厭煩。蓋瑞的眼睛正盯著天花板猛瞧，看來都快要翻白眼了。但是我仍確定他曉得我已經到這裡來看他了。艾利克斯在此！

「醫生，歡迎來到我的『皮茲胡斯卡』（譯註：精神病房）參觀。」他終於以一種聽來毛骨悚然、聲音又沙啞的單音向我打招呼。「你知道『皮茲胡斯卡』是什麼意思嗎？」沒錯，現在是桑傑在和我對話。

「在俄羅斯地區精神病患所住的醫院，在前蘇聯時期，那個地方也是他們處置政治犯所用到的監禁場所。」我向他回話。

「完全正確，你答得非常好。」他開始上下打量我。「我想和你談個新條件，修正先前的一些約定。」

「我不知道我們倆之間有任何約定。」我回答。

「我不想再浪費更多的時間耗在這個鬼地方了，我不能一直扮演默菲這個角色。你不也是寧願看見桑傑的本性顯露出來嗎？克羅斯博士，我相信你是這麼想的。如果成功的話你便可以走紅，你還可以在未來選擇想進入的任何一個領域，成爲舉足輕重的人物。」

我不相信這些話是他在靈魂出竅以後才敢講出口，以做爲他「逃離」這裡的方法。他似乎對自己正在講的話，還滿能夠掌握分量輕重的。

該不會他自始至終就都存在著蓋瑞・桑傑的個性吧？就是那個「壞小孩」嗎？從我們第一次相遇後他便開始僞裝自己，這個論點一直都是我的診斷心得，我也堅持這個想法到底。

「截至目前爲止你有聽懂我說的話嗎？」他躺在帆布床上詢問我，此時他還把腿舒服地向外伸長，而且一邊扭動赤裸的腳趾頭。

「你是想告訴我，現在你對自己曾幹過的每一件事都完全清楚，所以完全沒有人格分裂的問題，你也不再靈魂出竅。其實你是一人分飾兩角，而現在你對扮演默菲這個角色感到厭煩了。」

桑傑的眼神集中盯著我望來，而且非常緊張的模樣。

他的眼神比以往更冷酷，但同時也更爲銳利。

有些時候，對於嚴重的精神分裂者而言，幻想世界當中的一切生活，會比眞實生活更爲重要。

「你說的對極了，這就是我的心聲，艾利克斯。你實在是比其他人聰明得多，因此我很替你感到驕傲。你同時也是那位讓我覺得事情一直在保持新鮮感的人，你更是唯一一個，每次都能讓我將注意力長時間集中在你身上的人。」

「那你希望我們怎麼做？」我試著要讓他照著我的計畫前進。「蓋瑞，我又能幫上你什麼忙？」

「我需要你的一些協助，但其中最重要的，我只是想做回我自己。這麼說吧，我想讓他人認定我所有的成就。」

「那我們幫你的忙以後，又可以得到什麼好處呢？」

桑傑對著我微笑。「我會告訴你整個案件的背後眞相，而且是從頭開始。我會幫助你解開這個珍貴的謎團，我會跟你說實情的，艾利克斯。」

我等待桑傑繼續說下去，我也持續地回想到蓋瑞・桑傑在浴室裡的鏡子上頭寫下的宣言：**我要成為大人物！**或許他在最早的時候，滿腦子便充滿了搶著出風頭的想法。

「我老早就計畫要將兩個小孩**全部**殺光，我實在等不及這麼做。我對於童年生活存在著又恨又愛的感覺，這一點你是知道的。受難者的乳房被切除及陰毛被剔除，這會讓那些喪命於我手上的受害者看起來更像小孩子。不管怎麼說，就整個犯罪事件而言，殺掉其中小小的一顆腫瘤，是很符合邏輯且安全的結論。」桑傑此時又笑了，這是一個多麼詭異、不合常理的笑容，就好像他在說完一個白色謊言後便向我懺悔道歉一般。「你對於我眞正決定進行綁票案的理由仍然相當好奇，對嗎？還有爲什麼我會找上瑪姫・蘿絲以及她的朋友小蝦米・郭德堡呢？」

他提及被綁兩個小孩的綽號，用意是想激怒我——而且想擾亂原先這一切規畫，他很喜歡當個「壞小孩」。過去幾個月以來，他已逐漸透露出自己性格當中、專屬的黑色幽默感。

「我對於你想講出來的每一個細節都感到有興趣，蓋瑞，接著說下去吧。」

「你知道嗎，」他又繼續說到，「有一次我突然察覺自己已經殺了超過兩百個人，其中也有很多是小孩子。我只做我想做的事，不管當時有什麼樣類型的想法出現在我腦海裡，想到就去做。」

那種油條、又帶點微笑的表情再度出現。他再也不是蓋瑞．默菲了，再也不是那個出身德拉瓦州的威明頓市、長得一臉就像美國鄉間典型的雅痞丈夫和爸爸。難道他在身為小男孩的時候便一直在殺人嗎？

「你說的話是眞的嗎？你是不是又在試圖讓我受驚？」

他聳了聳肩，然後表示：「爲什麼我要這麼做呢？當我還是個小男孩的時候，我喜歡讀林白之子被綁票的故事；除此之外，其他都是跟大型犯罪有關的書籍！我把所有能夠在普林斯頓大學圖書館找到的報章剪輯，都影印並保存下來，這一些事情我應該跟你提過，不是嗎？我對於綁架兒童這件事是如何的迷戀、絕對的沉迷並且熱衷。我好想讓他們完全在我掌控之下……我想折磨他們，就像對待無助的小鳥一般。我和一個**朋友**一起練習過這些事，我相信你已經見過他，那就是賽門．康克林。醫生大人，他只是個不入流的精神病患，不值得你浪費時間在他的身上……他甚至還**不夠格**稱得上我的搭檔。我尤其愛上綁票案會讓小孩子的父母親傷痛欲絕的那種快感。大人們可以傷害其他的成年人，但神明卻禁止他們傷害任何一個小朋友。這眞是令人**難以置信，無法用言語形容**的一種犯罪啊！他們聽到我的想法後一定會這麼驚叫。眞是垃圾才有的想法，十足僞善的作風。想想下列的例子吧！每年有一百萬以上的黑皮膚小孩死於孟加拉，克羅斯大夫，根本沒有人關心這檔事，根本沒有人會想前去拯救他們。」

「爲什麼你要謀殺住在社區裡頭的那個黑人家庭？」我問他。「這到底跟其他的犯罪動機有何關聯之處？」

「誰說犯案一定得有關聯性的？這就是你在約翰霍普金斯大學得到的知識嗎？或許那些行爲就是我帶種的一種表徵。誰說我不能擁有社會責任感呢？每一個物種之間一定得取得**平衡**，我深信這個理念。想想那些我選中的受難者吧，都是絕望的煙毒犯，還有一個年紀輕輕的豆蔻少女就已經在當娼妓了，另一個小男孩則是早已註定會沉淪一輩子。」

我並不曉得是否該相信他所說的話，他愈講愈是天馬行空。「你有爲我們準備溫馨小故事嗎？」我向他詢問。「我想那會很感人肺腑的。」

他選擇忽視我那些諷刺的言語。「事實上，我曾經有一位黑人朋友，是的，她是一名女傭。如果你想知道的話，當我父親與我的生母離婚了以後，那個女人便負責照料我的生活起居。她的名字叫做蘿拉．道格拉斯。後來她拋下我回到底特律去了。她是一個又大又肥的女人，笑聲常常大到讓我啼笑皆非。當她離我而去以後，泰勒後母便開始將我這個既麻煩又過動的小孩鎖在地下室裡頭。」

「那時我看起來就跟一般的鑰匙兒童沒兩樣。在此同時，我那些同父異母的兄弟姐妹們，卻可以待在樓上我父親的房子裡頭玩耍！他們還拿我的玩具去玩，還曾經用車子的腳踏板欺負我。我每次一被關進地下室，時間便長達數週，這是我印象所及的範圍。你曾看過那些細小的電燈泡以及警告鈴聲不時在你頭上響起嗎，克羅斯醫生？想想看，在囚牢內被凌虐的小孩，以及被埋在穀倉裡的嬌生慣養小孩，這眞是既美妙又清楚的對比啊。所有的事情開始符合你的辦案邏輯了吧？我們的蓋瑞這回說的可是實話了吧？」

「你剛剛講的都是實話嗎？」我又再度向他確認。但是我認爲他的確是講了實話，因爲一切都符合事實。

「噢，是的，我那偉大的童子軍大人……關於華盛頓特區東南方的謀殺案件，事實上，我當時的概念是想成爲第一個有名的黑人連續殺人狂。當然，我並沒有把在亞特蘭大的那個呆子算在我的名單裡面。如果他們那些殺人狂發現我，就會知道什麼是人外有人，天外有天。韋恩．威尼斯根本就是個外行，他哪配稱得上『連續殺人狂魔韋恩』這個封號呢？別說韋恩．威尼斯了，即使是約翰．韋恩．蓋西都曾在西岸將三十二個人類肢解。」

「你沒有謀殺麥可．郭德堡嗎？」我回到一些先前他曾提及過的話題。

「不。我當時並不是故意這麼做的。我本來會想這樣做——如果是在正常的時候，因爲他根本就是個被寵壞的小壞胚，讓我想起我那個同父異母的『兄弟』，鄧尼。」

「那爲何麥可．郭德堡的屍體會出現那麼多挫傷及瘀青？告訴我發生了什麼事。」

「你這麼喜歡追根究底啊，醫生，這可讓我們又多瞭解了你一點，是嗎？好吧，當我看到那個小男孩死在我的手底下，我感到非常生氣，簡直是暴怒。我不斷踢打那混帳屍體，還用我的挖土鐵鍬擊打他的身體，其他還做過一些什麼事我便記不得了。反正我覺得衰到了家，所以把他的屍體插在樹枝上扔進河裡，是那條叫做枝幹河的裡面嗎？我倒不是很確定。」

「但是你卻沒有傷害那位小女孩？你沒傷害瑪姬・蘿絲・鄧尼對吧？」

「**不，我沒有傷害那位小女孩。**」

他摹擬我的焦慮聲音又重複了一遍，他學得可眞像。他絕對可以扮演各種不同的角色。跟他身處在同一個房間並看著他表演，實在是一件很嚇人的事。他有可能已經謀殺過好幾百個人了嗎？我想的確有此可能性。

「跟我談談有關她的事，瑪姬・蘿絲・鄧尼究竟發生了什麼事？」

「好吧，好吧，好吧，你想聽瑪姬・蘿絲・鄧尼的故事是吧。讓我們來點起蠟燭，唱聖歌給耶穌聆聽以取得上帝的憐憫吧。在我綁架她以後，她是全身無力的狀態，這是我第一次檢查她的身體狀況時得到的結論。她正從巴比妥納酸鹽的藥效中恢復過來。我在小瑪姬身上試玩了一下泰勒後母的遊戲，我當時講話的神情聽起來就像泰勒後母，總是在我們家地下室的門口後面發出聲音。『別吵……閉上妳的嘴巴，妳這個被寵壞的小賤胚！』我告訴你，那麼做可把她嚇得半死。然後我又把她挖了出來，小心地檢查過她的雙手脈搏，因爲我很確定聯邦調查局的探員們，需要這個小孩子還活著的一些證據。」

「她的身體脈搏一切都正常嗎？」

「是的，艾利克斯，好的不得了，我還把耳朵湊上去胸口聽她的心臟跳動聲音。為此我還控制自己嗜殺的天性，以求保護她的平安。」

「你為什麼要幹出全國性的綁票案？又為什麼專綁名人？為何要冒這麼大的風險呢？」

「因為我已經**準備妥當**。我已為此事演練過很長很長一段時間，所以絕對不是冒險。當然我也需要那筆錢，因為我本來就應該成為百萬富豪，每個人都應該享有這樣的權利。」

「次日你又回到那個地方去檢查小孩子的狀況是嗎？」我繼續追問下去。

「次日她的身體狀況仍然好得很。但是在麥可．郭德堡死亡以後，瑪姬．蘿絲也跟著消失了！我跑進去穀倉查看，埋藏她的地平面出現一個洞穴，從地表上看起來是個很大的洞。但是裡面空無一物！我並沒有傷害她，而且在佛羅里達州我也沒拿到贖金。顯然是有人拿走了。現在，我的好警官，你必須弄清楚究竟發生了什麼事，**我想我已經搞清楚了**！我想我知道背後的問題出在哪裡。」

74

凌晨三點我仍無法入眠。我在神遊物外，一邊還在走廊上用鋼琴彈莫札特、德布希，以及比莉．哈樂黛等人的曲子。吸毒犯聽到可能會打電話給當地警方，抱怨我發出的噪音吧。

當天一大早我又再度造訪桑傑，我眼中的「壞小孩」。我坐進他那間狹小又沒有窗戶的囚牢裡，突然之間，他願意與我交談了。我想我知道這一切複雜的事情當中，他想要從哪裡開始談起，以及他即將告訴我什麼事情。當然，我仍得將我得到的結論拿來詢問他的看法。

「你必須試著瞭解一些跟你的本質學能認知極度不同的事情。」他先是這麼告訴我。「當我在搜尋那位該死的有名小女孩以及她的演員母親的過程中，我眞是心急如焚。其實我是個冒牌的藝術專家，而且還是個毒癮上身的人，因此我需要找到自己的心靈解藥。」當我聽到桑傑把他那些奇怪又畸型的個人經驗，牽扯進我們話題當中，我不禁聯想起我的那些虐童病患。聽到一個家暴事件的**受難者**，在跟你談論他手下的**受難者**，這是一件多麼變態的事情。

「醫師大人，我完全能夠瞭解受害者的心情呈現『驚恐狀態』。我自己的招牌歌曲便叫做《來自魔鬼的同情》，這是滾石合唱團的歌吧？我總是會試著做好適當的防範措施——在沒有破壞那些禁忌的前提底下。我早已經想好脫逃路線，備用的逃離途徑，以及我所進入每一個社區當中的出入動線。其中一條途徑還用到連接貧民窟外緣且直通國會山莊的下水道系統。我在隧道都留有衣服可供替換，其中還包括了假髮。我已經想好一切細節，因此絕不會被抓到，我對於自己的能力也很有自信，應該說我相信自己的能力可以戰勝上帝。」

「你現在還會相信自己的能力大過於天譴嗎？」這是個嚴肅的話題，我不認爲他會告訴我眞正的答案，但我反正就想聽聽他口中講出來的話。

他回道：「當時我所犯下的一個錯誤，就是被自己的成功以及欣賞我的喝采聲，沖昏了腦袋。他人的喝采就像是一種容易上癮的毒藥，你是知道的，凱薩琳・蘿絲便深受其擾。大部分的電影明星跟運動員也都有同樣毛病。你知道的，有數百萬人在爲他們喝采的同時，就等於是在說那些明星是多麼『特別』、有多麼的『聰明』，以致於有些明星忘記自己有哪些不足的部分，也忘記當初是藉由認眞努力才能達到今天所擁有的成就。我就是因爲這樣，在那個時間點得意忘形，這就是我爲何會被逮到的正確理由。**我相信當時本來可以從麥當勞成功逃跑的！**就像我之前總是可以成功逃跑那樣。我只想要攝取一點殺人的『樂趣』以後，便飄然遠去，艾利克斯，我還想學習每個著名殺人魔的行動以做爲範本。我想當一點邦帝、一點吉爾瑞、一點曼森、惠特曼以及吉力摩的綜合體。」

「那你現在有沒有覺得自己更像全能的上帝呢？因爲你年歲更大、經驗也更多，又更爲睿智了呢？」我如此詢問桑傑。既然他講話的態度對他人充滿諷刺，我假設自己也可以用這種態度跟他談話。

「我是你所見過最接近萬能上帝的人選，你可以透過我瞭解如何達到無所不能的狀態，不是嗎？」

他那種殺人魔專屬的奸笑，又再度出現於臉上，看了眞讓我想揍他。蓋瑞・默菲是個悲劇人物，而且還算是個可愛的人。但是桑傑便令人憎恨，是完全的邪惡分子，他是個人間野獸，徹底的畜生。

「當你在郭德堡及鄧尼住家外頭探查地形的時候，是否你的威力已發揮至最大極限呢？」

你那個時候還覺得自己像神嗎，笨蛋？

「不不不，醫生大人，就像你知道的，我已經變得有點懶散。我已經讀過太多新聞正在報導關於我在康敦街犯下的『完美』謀殺案。上頭寫著：『**沒有留下作案痕跡及任何犯罪線**

索，**這真是個天才殺人犯！**』即使是我本人看過這則報導以後，都對自己的行爲感到印象深刻。」

「在波多馬克市的時候又出了什麼錯？」我想自己已知道答案，但需要他的親口證實。

他聳聳肩：「當然是因爲我被跟監了。」

答案出現了，我向自己吶喊。就是那名「**窺視者**」。

「你當時並不知道自己被跟蹤嗎？」我詢問桑傑。

「當然不知道。」他對我的問題有點不悅。「我是在很久以後才發覺自己當時被跟蹤，然後在法庭開審的時候此事得到證實。」

「怎麼會這樣呢？你是如何發現自己已被跟蹤？」

桑傑瞪視我的雙眼，他似乎能夠直接看穿我的心思，因爲他認爲我的聰明才智仍遠不及他，我只是他談論心事的一個對象罷了。但是他發現跟我攀談要比跟其他人有趣得多，爲此我不知該感到驕傲還是難過。他對於我知道什麼、還有什麼事情不知道，也都甚感好奇。

「讓我說到這先停下來講重點，」他說道，「這件事對我而言很重要。我有秘密想跟你說，很多大大小小的秘密，其中有見不得人的，但也有些屬於很辛辣的。我現在便要告訴你其中一個，你知道其中原因嗎？」

「很簡單嘛，我親愛的蓋瑞，」我這麼告訴他，「對你來說，一舉一動處於**他人的控制下**實在像地獄般煎熬，你想重新獲得自由。」

「說得很好嘛，我的警探醫師。但是我眞的有一些不錯的情報可以和你做交易。時光回溯到我十二至十三歲的當時，各種犯罪便已盛行，亦有很多大宗犯罪至今仍尚未破案。相信我，我這裡有一堆寶貴的資訊可以和你分享。」

「我瞭解，」我向他回應，「我快等不及聽你開始說了。」

「你總是真的能夠瞭解我的意思，現在你必須做到的便是說服其他那些殭屍，讓他們除了會吃飯之餘，還學習如何思考。」

「其他的殭屍？」我為他這句不經意脫口而出的話感到好笑。

「抱歉，抱歉，我不是故意要對你那麼無禮的。你能替我說服那些殭屍嗎？你知道我所指的是哪些人。你自己都不比我來的尊重他們。」

這一點倒是眞的。我第一個要說服的對象便是警長皮特曼。「那麼你確定會幫助我嗎？你會給我一些實際有用的線索嗎？我必須查清楚那個小女孩發生了什麼事，這樣至少可以讓他們父母的心裡感到平靜一些。」

「好吧。我一定會說到做到。」桑傑答應我，結論其實很簡單。

等待，一切只能等待。幾乎每一案件的警方作業都是以這種方式進行。調查人員會詢問數以千計的問題，這是就字面上的定義。你會發現所有的公文都是不必要的文件作業。然後警方會再問更多問題，跟著追尋那些無頭線索，以致於無疾而終。隨後在突然間有了正確的線索，一切情況便會有所改變，每隔一陣子就會發生這種事。現在正面臨這種情況，我已為此案的調查付出了數千小時的工作時間，一直重複來探望桑傑，也總該有回報的時候了。

「我當時並沒有注意到背後有任何人在監視我。」蓋瑞．桑傑繼續說道。「而且接下來我即將告訴你的事情，沒有一件發生在桑德斯家附近，其實是發生在波多馬克的栗色大道。事實上便是在郭德堡家的門口。」

突然間，我對他在那裡大搞這些無聊的伎倆感到很厭煩，我必須知道他到底知道些什麼事。我已如此接近事實眞相。**告訴我全部的實情，你這個王八蛋**。

「繼續說下去啊。」我如此說道。「在波多馬克市究竟發生了什麼事？你在郭德堡家門前又見著了什麼東西？你到底看到**誰**？」

「在綁架案發生前，我跟往常一樣開車前往那裡，當時有一個男人正在人行道上行走，而我對他的企圖一無所知。我本來沒想起他的形貌，直到法庭審判時同一個男人出現才讓我想起來。」

桑傑突然沉默一段長時間。他又想要我了嗎？我可不是這麼想的。他直視著我，就像可以看穿我的靈魂一般。**他知道我真正的個性**。**他瞭解我，也許比我本人都更瞭解我自己**。

他到底想從我這裡得到什麼？我是他在童年時期遺失物品的替代者嗎？我爲什麼被選中來執行這個恐怖刑案的調查？

「你在審判庭裡認出哪一個人？」我追問蓋瑞·桑傑。

「他是一名特勤局的探員，名叫**狄凡**。他和他的搭檔伽克立，一定有看到我在探勘郭德堡以及鄧尼家的房子。他們就是曾經跟蹤過我的人，他們同時也把奇貨可居的瑪姬·蘿絲帶走！他們也是在佛羅里達州得到贖金的人。你應該一直從警界本身找起，因爲有**兩個警察**謀殺了這個小女孩。」

75

我對狄凡和伽克立的**直覺**，畢竟一直以來都是正確的。桑傑／默菲是唯一的目擊者，而且他也已經確認過這件事。現在該輪到我們行動了。

我必須親自將鄧尼—郭德堡案件的調查行動重新啓動；而我準備告訴他們的理由，則是華盛頓沒有一個人會想聽到的。

我選擇先跟聯邦調查局談談……**有兩個警察謀害了瑪姬・蘿絲**。調查行動必須重新展開，因爲本來綁票案就沒有被破解，現在整個亂糟糟的事件即將再度爆發一次。

我順道去拜訪我的老朋友，傑瑞・史考斯，就在聯邦調查局的總部。就在我坐在接待區久等了四十分鐘之後，史考斯爲我倒了一杯咖啡，並且邀請我進入他的辦公室。「艾利克斯，直接進去吧，謝謝你等了那麼久。」

他很客氣地聆聽我說話，聽完以後明顯感到憂慮。我將自己早先知道的事，以及桑傑跟我爆料特勤局探員麥克・狄凡以及查理・伽克立涉案的事，向他完整報告了一遍。他邊聽邊做筆記，並在黃色的筆記本上做了一大堆重點記錄。

當我講完了以後，史考斯說道：「我必須要出去打個電話，艾利克斯，請你耐心等待一下。」

當他回到辦公室以後，他邀請我一起跟他上樓。雖然他沒有說出口，但我猜想他對蓋瑞・桑傑所提供的消息感到印象深刻。

我被送到副局長位於頂樓的私人會議室。副局長名叫科特．威哈斯，是聯邦調查局裡的第二號人物。他們想讓我知道這是一場重要的會議，我想我已深知其中含意。

史考斯和我一同進入那間令人印象深刻、非常簡樸的會議室。四面牆壁以及大部分裝飾品的顏色都是深藍色，感覺非常的樸實且正式。這個房間使我回想起坐在一輛外國車駕駛座的感覺。黃色的拍紙簿及鉛筆已經放在桌上等我們使用。

從會議開始之初，我就清楚感覺這是威哈斯的主意。

「克羅斯警探，我們這回想要做到魚與熊掌同時兼得。」威哈斯的談話及動作神情，非常像一個既成功又非常酷的國會山莊律師；如果以談話能力而論，他果然就是這一類水平的高層人士。他身上穿著明亮的白襯衫，戴著一條法國名牌赫密士的領帶。當我進入這個房間的時候，他還把金屬框的眼鏡收起來。他今天的心情看起來似乎不大好。

「我想要讓你看看我們這裡所蒐集到的、全部有關狄凡以及伽克立探員的資訊，當然，我們必須要求你配合將此事完全保密。我現在所能告訴你的事……**便是我們已經觀察他們倆一段時間了**，警探。除了你之外，我們也正在對他們進行一項平行的調查。」

「我絕對會和你們充分配合。」我向他回應，一邊試著不對他告訴我的訊息露出驚訝的表情。「但是我必須繳交一份報告在我部門存檔備查。」

「我已經和你的直屬長官談過這件事情。」威哈斯無視於我提出的小伎倆，他已經把我的自尊心摧毀；他絕對希望我能服從他們的指示。「一直以來在這個案件的調查過程中，你好幾次都超前我們的進度。這一次，或許我們的辦案進展要比你來得前面些，算是扯平。」

「不公平，你們的人力比較多。」我提醒他這一點差異。

史考斯在那個節骨眼接替威哈斯的論點，他還是沒改變那種屈尊俯就的態度。「當綁架案發生後，我們便開始著手調查狄凡及伽克立探員。」他說道。「他們很明顯是嫌疑犯之一，但不是我們認眞鎖定的目標。在我們調查的過程當中，有很多外部壓力不斷跑了出來。因爲特勤局直接隸屬於財政部管轄，你可以想像他們的頂頭上司背景有多硬。」

「我手邊的很多資料可是第一手資訊。」我提醒聯邦調查局的這兩位高官。

史考斯點點頭，然後又繼續說下去。

「在一月四日的時候，查理・伽克立探員辭去特勤局的工作，他強調在綁架案發生前，他便一直在思考這麼做了。他說再也沒辦法應付他人的閒言閒語，以及所有媒體的追逐，而他的辭呈也立刻獲得批准。大約在同一個時間，這個探員所寫的工作日誌當中有一個小錯誤，也被我們給揪了出來，那就是有一個日期不小心寫顚倒了。其實那並沒什麼大不了，特別是當時我們正在檢查有關那件案子的所有資訊。」

「我們最後共投入九百名人力，直接或間接地涉入此案的調查。」這位副局長補充說明。我尙未搞清楚他說這段話的含意究竟是什麼。

「在這兩個探員的工作日誌裡，還有其他前後不一致的地方，最終也被我們發現了。」史考斯繼續說道。「我們的技術鑑定專家下結論指出，其中有兩份獨立的報告被篡改過。也就是說，有人將內容重新寫過。我們最終傾向相信：被拿除掉的部分跟那位教師蓋瑞・桑傑有關。」

「他們兩個探員曾在波多馬克市的郭德堡住家外面認出桑傑，」我補充說明，「當然這是指桑傑的話可以被信任的前提下。」

「關於這一點我想他的話是可以相信的，你近來跟他確認過的一些事符合我們的調查結果。我們相信那兩個探員曾觀察到，桑傑正在窺探麥可・郭德堡以及瑪姬・蘿絲・鄧尼的一舉一動。我們還認爲其中一名探員曾跟蹤桑傑，而且發現他在馬里蘭州克里斯費德市的藏身所在。」

「你們打從一開始，便在注意這兩個探員了嗎？」我詢問傑瑞・史考斯。

他的頭點了一次，就像以前那般的簡潔有效率。「大概進行好幾個月了吧。我們也已經有理由相信，他們曉得我們正在監視他們。伽克立辭職兩個星期後，狄凡也從特勤局離職，他的說法是自己跟家人也都無法承受發生這件事以後的壓力。但事實上，狄凡跟他的太太早已分居。」

「我先假定，伽克立與狄凡還沒有試著將到手的任何一毛錢花掉。」我如此說道。

「就我們所追查到的範圍內，還沒有。就像我先前說過的那般，他們兩人知道我們在起疑了，他們並不是笨蛋，因此一點也不會露出馬腳。」

「這件事現在已經變成有點棘手又錯綜複雜的等待遊戲。」威哈斯說道。「我們尚未能證明任何事，但是我們能搗亂他們的生活，可以完全地阻止他們花贖金裡的任何一塊錢。」

「那麼佛羅里達州的駕駛又是怎麼一回事？我絕不可能到那裡進行調查，你們已經查出來他是誰了嗎？」

史考斯點了點頭。聯邦調查局從過去到現在對我隱瞞很多事情，也對社會大衆有所隱瞞，這一點我倒是一點也不感到意外。「他是一個毒品走私犯，名叫約瑟夫．丹堯，我們的一些線民在佛羅里達州也認識此人，我們可以推測狄凡認識此人而且花錢雇用他。」

「那麼這位約瑟夫．丹堯最後的下場怎麼了？」

「爲了讓我們的疑慮找不到證據，伽克立與狄凡動了手腳——他們眞的下手了。丹堯在哥斯大黎加被謀殺身亡，他的喉嚨被人切斷，顯然有人不希望他被別人找到。」

「你們在這個時間點，應該還不會想把伽克立與狄凡緝捕歸案吧？」

「艾利克斯，我們手邊還沒有任何證據，一個也沒有。沒有可做爲呈堂證供之物。你從桑傑那裡得到的訊息，更加證實我們的看法無誤，但是在法庭上仍不能當成證據。」

「那個小女孩又發生什麼事？瑪姬．蘿絲．鄧尼究竟怎麼了？」我詢問威哈斯。

威哈斯並沒有說什麼，他的上嘴唇吐出一口氣來。我感覺他今天過得很疲憊，今年的日子特別難熬。

「其實我們也不知道，」史考斯回答我的問題，「瑪姬．蘿絲仍然音訊全無。這就是全案最令人吃驚的一部分。」

「其中還有一件複雜的事。」威哈斯告訴我。他正和史考斯坐在黑色的皮質沙發上面，兩個聯邦調查局的高官還同時傾靠在一張玻璃咖啡桌旁。一臺ＩＢＭ的電腦及印表機便放在桌子的另一頭。

「我很確定此案當中有很多複雜難解的事。」我告訴這名副局長，同時把這些疑難雜症留給聯邦調查局處理，他們便會一路幫我幫到底。如果我們一道合作，或許可以找到瑪姬・蘿絲。

威哈斯望向史考斯，然後眼光又轉向我。「潔西・佛萊娜根就是我們所指的複雜難解部分。」威哈斯說道。

我完全呆住了。我感覺自己好像被人在胃部重重打了一拳。從他們最後幾分鐘這種欲言又止的舉動看來，我知道他們還有一些秘密沒有說完。

聽完後，我只是靜靜坐在那裡，內心覺得既淒涼又空空蕩蕩，我已經快要變成**沒有知覺**的人。

「我們相信她和那兩個男人都深入地涉及此案，而且是早在事情最初便已計畫妥當。潔西・佛萊娜根和麥克・狄凡，好幾年前便是一對情侶了。」

76

當天晚上八點半，桑普生和我沿著紐約大道散步，這裡是華盛頓特區裡貧民窟的精華地段，也是桑普生和我在大多數晚上流連忘返之地。這裡可以說是我們的第二個家。

他剛剛才問我是如何挺下來的。「感覺實在很糟，不過還是謝謝你的關心，那你呢？」我回道。

他已經知道潔西・佛萊娜根的事情了，我已經把所知道的一切全告訴他。整個案情變得愈來愈複雜，我當天晚上的心情已經糟到不能再糟的地步。史考斯和威哈斯已經向我呈現一個牽涉到潔西的完整案件，她的確犯下此案，這一點是無庸置疑的。謊言總是一個接著一個出現，如果她向我說過一個謊話，那便有可能還說過其他數百個謊言。她從未曾退縮。撒謊的功力她可是比桑傑／默菲還厲害，因爲她說的總是既順口又充滿自信。

「你希望我閉嘴別再談論此事嗎？或者要我跟你講講自己的看法？」桑普生問我。「我會照你的要求去做。」

他的臉上看來面無表情，就像平常一樣。或許是他的太陽眼鏡創造出這種印象，但是我對這點保持存疑，因爲桑普生從十歲開始便是這副一號表情。

「我想找人聊天。」我告訴桑普生。「我可以借雞尾酒澆愁，我需要談談有關精神病學上的騙子理論。」

「我會替我們倆多叫點酒來喝。」桑普生說道。

我們前往「衆臉俱樂部」，那是一家打從我們首次投身警察行列以後，便一直造訪至今的酒吧。那裡的常客並不會介意我倆是難搞的華府警探。他們當中少數一些人，甚至承認我們爲當地社區帶來的好處遠大於壞處。

在「衆臉俱樂部」的大多是黑人，但是白人也會爲了欣賞爵士樂而前來捧場，還有他們也可以在此學習如何跳舞以及穿著打扮。

「潔西便是那個首先指派狄凡和伽克立看護任務的人嗎？」當我們在第五街停下來等紅綠燈之際，桑普生開始審視所有的事實。

一群當地的小混混，從停放在炸雞連鎖店前的車窗伸出頭來瞪我們。在過去，同樣性質的一群街頭垃圾應該待在同一個角落，只差沒有那麼多金錢或是槍械在口袋裡罷了。「喂，兄弟們。」桑普生向那些惡棍眨眼睛。他對著每一個人咒罵髒話，但是沒有一個人敢回嘴。

「是的，這就是所有事情的起源。」狄凡和伽克立是被派去保護財政部長郭德堡及其家人的小組成員。他們被歸派在潔西底下辦事。

「然而從來沒人懷疑過他們嗎？」他向我問道。

「一開始並沒有，是聯邦調查局把他們倆揪出來的。他們同時也將每個人的行蹤掌握得一清二楚。伽克立和狄凡的工作日誌動過手腳，被調查局查出，那就是他們倆開始被人懷疑的時候。有些局裡的監控專家發現工作日誌內容被竄改過，因爲他們投注於調查此案的探員人數是我們的二十倍。除此之外，聯邦調查局已經把那些曾遭竄改的工作日誌給移走了，所以我們絕不可能找得到那些文件。」

「狄凡和伽克立看到桑傑正在跟蹤其中一名小孩，這就是整個遊戲開始的因素嗎？所謂的螳螂捕蟬，黃雀在後。」桑普生現在已經能掌握整個案情的大綱了。

「他們跟蹤桑傑的休旅車直至馬里蘭郊外的農場，他們曉得自己正在跟監一個可能的綁票嫌犯。**某人**想到在眞正的綁票案發生**之後**，再將小孩擄走的點子。」

「這可是價值一千萬美元的主意哪。」桑普生怒目以視。「潔西．佛萊娜根小姐在一開始的時候便參與其中的策畫嗎？」

「我不曉得，但是我想應該是這樣的吧。我必須找個時間向她問清楚這件事。」

「嗯。」桑普生順著我倆的談話語氣點了點頭。「你說完以上的事情以後，對人的感覺有沒有改變？」

「這一點我也不是很確定。你遇見某一個像她這樣會欺騙你的人以後，你對於事情的看法都會跟著改變。老兄，這件事情是很難化解掉的。你有向我撒過謊嗎？」

桑普生向我露出他的部分牙齒，這種笑法可說是介於微笑跟咧嘴大笑之間。「從我的角度看起來，你的腦袋開始有點不大清楚了。」

「我也是這麼覺得。」我向他坦承。「我的人生起起伏伏，有過輝煌的日子，但也經歷過慘澹的時期。讓我們不醉不歸吧。」

桑普生向牆角的那些無賴們比了個敬禮的手勢，他們看了邊笑邊用眼神向我們示意。警察和搶匪竟然和平共處。我們穿過第五街走向「眾臉俱樂部」，到了這裡會讓人有渾然忘我的感覺。

這家酒吧目前人潮洶湧，而且將一直持續現況到打烊。認識我和桑普生的人跟我們打了一聲招呼。有一個過去我曾約過會的女子坐在吧臺，那是一個眞正美麗、非常和善的社會工作者，她過去曾和瑪麗亞一起共事。

我在回想爲什麼當初我們兩個之間沒有繼續下去，是因爲我天生有一些憂鬱的個性使然嗎？不，應該不是這個問題。

「你有看到阿薩海坐在那邊嗎？」桑普生比了比手勢。

「我是一名警探，所以我會注意周遭的所有事情，好吧。不要再跟我耍心機啦。」我告訴他。

「聽你的說法好像對自己的所作所為並不怎麼感到懊悔，我會說，這還眞是有點小諷刺啊。來個兩杯啤酒，不對，改成四杯好了。」他大聲呼喚酒保。

「我會度過這一關的，」我這麼告訴桑普生，「你等著瞧吧。我只是從未將她放在我們的疑犯名單上，這是我的失策。」

「你可眞是條硬漢啊，兄弟。這一點可是得到你那硬脾氣老祖母的遺傳基因。我們會幫你把事情解決的，」他跟我這樣說，「也會把那個女人的問題解決，我指的是潔西小姐的問題。」

「你過去覺得喜歡她嗎，桑普生？我說的是在這些事情尚未發生之前？」

「嗯，是的，她沒有一點會讓人不喜歡。她的偽裝技術可眞是高明，艾利克斯，說謊這方面她可眞是有天賦。這是我繼《體熱》那部電影之後，所見過最完美的演出。」桑普生回答我。「還有，我的答案是不，我從未對你撒過謊，兄弟，甚至連我該講謊話時我都沒這麼做過。」

最難熬的時間便是當天晚上我和桑普生離開酒吧回家之後。雖然已喝了不少啤酒，但是我大致上還能保持清醒，對那種極深切的痛苦已感到麻痹。而且「潔西一直以來都是這件綁架案的背後主謀」，這件事對我來說已不再是個衝擊。我記得她還引導我不去設想狄凡和伽克立是嫌疑犯，她也會試著套問華盛頓特區警方所獲得的任何新情報。其實她就是整個案件的幕後藏鏡人。她的行事風格是如此冷靜又充滿自信，演出實在完美。

當我回到家裡，娜娜媽媽尚未就寢。至目前為止我都還沒跟她說過潔西的事情，雖然現在也不是個講實話的好時機，不過啤酒的威力的確幫我壯了膽子，而我和娜娜媽媽過去聊天的美好經驗更是最主要的推手，因此我告訴她整個實情。她在聆聽過程中並沒有打斷我，這是一種她在消化這件事情的象徵。

當我講完以後，我們兩個人坐在客廳裡面，互相凝視對方。我坐在腳踏墊上頭，而我的長腿向她的方向伸展過去，四周充滿夜的寂靜。

娜娜媽媽坐在她的搖椅上，還鋪著一條燕麥色毛毯，她仍在輕微地點著頭，緊咬著上唇，腦袋裡在思考著我所告訴她的事情。

「我必須先起個話頭，」她終於說話了，「所以就讓我從這裡講起吧。我不會跟你說：『我早跟你說過會有這種結局了。』因為當時我也不知道下場竟是如此糟糕，當時我只是替你感到擔心，如此而已，但不曾想到竟會發生這種事情。我絕對無法想像會發生這麼可怕的事。現在在我上樓禱告之前請你給我個擁抱。今晚我會為潔西．佛萊娜根禱告，我眞的會這麼做。我也會為我們家人禱告，艾利克斯。」

「妳總是知道該說些什麼話來安慰我。」我告訴她心底的眞正想法。她知道該在什麼時間點拉你一把，阻止你的衝動；也知道什麼時機需要拍拍你，給予鼓勵。

我給娜娜媽媽一個擁抱後，她便步履蹣跚地向上走去，我則是待在樓下思考桑普生稍早講過的話——我們即將去解決潔西製造出來的問題。不是我們倆之間的感情出現問題，而是要為麥可．郭德堡和瑪姬．蘿絲．鄧尼討回公道。同時也為了薇薇安．金老師，她根本是為此案平白犧牲性命。也是爲了小馬斯塔夫・桑德斯的冤死一案。

我們總會用某種方式逮到潔西的。

77

羅伯特・費森豪爾是佛斯頓市立監獄的總監。今天，他認爲是自己的人生要出運的日子到了。費森豪爾相信他或許可能會知道綁架案的一千萬元贖金被藏匿於何處，至少是一大部分的贖金所在地。他正準備去進行一場找回贖金的躲貓貓。

他也得知一件寶貴的資訊，就是蓋瑞・桑傑／默菲仍在玩弄大家，他的做法一直是一流的，而且從未停歇。

當費森豪爾駕著他的龐帝克火鳥轎車在馬里蘭州的五十號公路時，有一連串的問題在他腦袋裡頭流動。到底桑傑／默菲是綁架案主謀嗎？他又眞的知道贖金的正確藏放地點嗎？或者蓋瑞・桑傑／默菲只是滿口胡說八道，這只是另一個佛斯頓市立監獄的瘋人事件呢？

費森豪爾心想他很快就可以知道一切。他在州際公路開了幾英里之後，認爲自己對此地甚至比任何人知道的更多，除了桑傑／默菲自己出面之外。

前方側邊小路是一條甚少使用的備用道路，直通農場，這條道路現在幾乎已經被覆蓋住了。費森豪爾認爲眼前這種景象，便是他方才駛下高速公路時轉對彎的證明。

香蒲和向日葵滿布在過去明顯是道路的土地上，在那片充滿腐土的道路上，甚至看不見輪胎碾壓過的痕跡。

前方的草木被人推倒，有人在最近幾個月進來過這個地方。這是聯邦調查局和當地警方的傑作嗎？他們也許已經將農場房屋的地表搜尋不下好幾十次。

但是他們把這片廢棄農場搜查得夠仔細嗎？羅伯特・費森豪爾對此相當存疑。這個問題的答案可是攸關一千萬美元哪，不是嗎？

大約在下午五點半的時候，費森豪爾將他那輛滿布塵土的紅色火鳥開到路邊，與位於一間主屋左邊、快要崩塌的車庫並排停放。他的腎上腺素現在正大量分泌，沒有一件事會像尋寶一樣，可以讓人那麼緊張又興奮。

蓋瑞曾在牢房裡胡言亂語地說道，布魯諾・理查・豪夫曼是如何將他從林白那裡得到的部分贖金，藏在紐約市家裡的車庫底下。豪夫曼受過木匠的專業訓練，因此他爲那些錢在車庫的牆壁上打了一個小隔間。

蓋瑞說他也在馬里蘭州的舊農場做過類似的事情。他發誓這件事是眞的，而且聯邦調查局永遠找不到這筆錢。

費森豪爾將他那輛火鳥轟隆作響的引擎關掉，突然四周變得一片寂靜，感覺有點詭異。這間舊房子看來當然是已被廢棄，而且非常令人不寒而慄。這個景象讓他想起一部電影《惡夜僵屍》的情節。差別只是：他目前身處在這片實景裡面。

到處都長滿野草，甚至還長出了車庫的屋頂，而流水的威力已腐蝕掉車庫的兩面牆壁。

「好吧，蓋瑞小朋友，讓我們來看看你是否滿口胡言亂語，我心裡衷心希望你不是在騙我。」

羅伯特・費森豪爾深深吸了一口氣，然後爬出他那輛底盤很低的跑車。他已經想好萬一在這裡被人逮到，他的說詞應該是什麼。他會說蓋瑞告訴他瑪姬・蘿絲・鄧尼被埋在這裡，但是費森豪爾覺得這只是蓋瑞的胡言亂語之一。

但這件事是否屬實仍讓他困擾不已。

所以他現在正在馬里蘭州的克里斯費德，發掘事情的眞相。事實上，他覺得自己很愚笨，也覺得有點罪惡感，但是這回他得親自前來尋求事情的眞相。一定要這麼做，因爲這是屬於他一個人的價值一千萬美元的樂透彩劵，他想將獎金兌現。

或許他正要發現小瑪姬・蘿絲・鄧尼屍骨埋葬的地方了。天啊，他眞希望這不是事實，或者他可以找到蓋瑞承諾他被埋在這裡的寶藏。

他和小蓋瑞已經聊過很多次了，每次都可以聊上好幾個小時，就在他那個小囚室裡。蓋瑞總是喜歡炫耀他過去的戰果多麼輝煌，還有他的**小孩**，這是指他的綁架計畫，還有他那些「完美犯罪」。

是啊，就是那麼的「完美」，他現在才會因爲瘋狂殺人罪而被判入警備森嚴的監牢裡度過餘生。

而羅伯特・費森豪爾現在卻在這裡，就在克里斯費德農莊那扇發霉的門前面。這裡就是他們常說的犯罪現場。

有一條被腐蝕得極爲嚴重的金屬門閂橫跨在大門上，費森豪爾因此戴上一雙冬天專用的高爾夫球手套——如果他目前在門外窺視的行爲被抓到的話，可是很難解釋那些裝備存在的目的。他把門閂舉起，然後必須將門把用力向自己拉過來，並穿越厚厚一層的雜草堆。

該是使用手電筒的時候了。他把照明器拿出來並且開到最亮的狀態。蓋瑞說他可以在車庫的最右邊找到那筆錢，精確一點來說，是最右邊的角落。

一大堆老舊、壞掉的農用機器四散在車庫裡面。當他往前走的時候，蜘蛛網還擋住他的臉部和脖子。每一件東西上頭都有強烈的腐爛味道。

走到車庫的一半以後，費森豪爾停下來而且轉過身來。他盯著敞開的大門瞧去，而且傾聽過去九十秒以來持續的聲響。

他聽到遠處某方向傳來噴射機的聲音，除此之外再也沒有其他聲音，當然那裡不會有其他人到訪。

聯邦調查局願意花多久的時間監視一個廢棄農場？絕對不會是在綁架案已發生的接近兩年以後！

滿意於自己仍是一個人在現場的狀況後，費森豪爾持續走到車庫後面。當他一旦到達那裡，便開始進行工作。

他拉起一個堅固耐用的老舊工作檯——蓋瑞說過那裡會有工作檯。他現在發現蓋瑞描述那個地方的狀況，是令人驚訝的準確，而且細節詳盡。蓋瑞也說過每一個報廢機器的準確放置處。他告訴費森豪爾的資訊，詳盡到幾乎每一塊木頭位在這個腐敗的車庫牆上的哪個地方，都說得一清二楚。

站在舊的工作檯上，費森豪爾開始將舊的板子拉走，從牆壁與車庫屋頂相接連的地方做起。**那裡還有一點空間**，就像蓋瑞說的那樣。

費森豪爾將自己手中的手電筒瞄準牆上的洞。看見東西了，那是蓋瑞・桑傑／默菲命中註定無法擁有的贖金當中的一部分。他實在不敢相信自己的眼睛。一疊紙鈔正放在車庫的牆壁當中。

78

次日清晨三點十六分，蓋瑞・桑傑／默菲將自己的前額壓在冰冷的金屬橫桿，此橫桿的作用便是將他的監牢與監獄走廊隔離。還有另一部精采戲碼等待他的演出，真像《*Hellzapoppin*》這部電影的情節。

他開始嘔吐在那些高度磨損的地面上——就像先前計畫好的那樣做作。他得裝作病得不輕，因此他大聲叫喊，一邊請求協助一邊喘氣。

負責看守他的兩名夜間警衛全部跑來查探究竟。自從蓋瑞第一天被關進這裡以後，就有人負責看緊他，以防止出現自殺事件。勞倫斯・沃比以及菲力普・海牙在聯邦監獄裡已有多年的看守經驗，因此算是老鳥。他們很不願意聽見囚房裡所傳出來的干擾聲音，特別是在午夜時分。

「你到底出了什麼事？」沃比大聲質詢，一面看著綠色和咖啡色的混合物慢慢在地板散開來。「你到底有什麼毛病啊，混蛋？」

「我想我被下毒了。」桑傑／默菲上氣不接下氣地出現氣喘現象，而且這個聲音是從他胸腔深處所發出來的。「某個人對我下毒，我被他人下毒了！我想我快死掉了，我的老天爺，我快死掉了！」

「這是我近來聽過最好的消息了。」菲力普．海牙跟他的同伴邊說邊笑。「眞希望我是先想到這個點子的人，毒死你這個大混蛋。」

沃比拿出他的對講機，要求晚間的監護人員到場協助。桑傑的自殺看護對於此監獄的高層而言可是件大事，因此沃比可不希望這件事發生在他輪班的時候。

「我又開始感覺不舒服了。」蓋瑞．桑傑／默菲呻吟道。他抱著鐵欄杆用力彎下腰來，開始二度劇烈嘔吐。

不久之後，這層樓的總監抵達該處，勞倫斯．沃比快速向他老闆報告發生了什麼事。這是他典型的、在出了事之後如何擦屁股的一種伎倆。

「他說被人下毒了，我不曉得到底發生了什麼事，或許他講的可能性也有，這裡有很多人相當憎恨他的行爲。」

「我會親自帶他去醫院做檢查。」羅伯特．費森豪爾如此告訴他的下屬。反正費森豪爾是掌管這裡的老大，沃比也相信他的決策能力。「他們必須把這傢伙的胃沖洗一遍，如果那裡面還有殘留任何東西的話。替我將他上手銬，手和腳都要，雖然依他今晚的狀況看來，也沒辦法製造出太多麻煩了。」

一陣子之後，蓋瑞・桑傑／默菲認爲自己離重獲自由之身只有半路之遙。監獄的電梯運行時聲響很大，牆壁上布滿大量用衣服做成的墊子，除此之外，這個電梯既古老又超級慢速。桑傑的心跳像個大鼓般跳個不停，這是他生命當中難得出現的小小恐懼時間，他好懷念那種腎上腺素大量分泌使他興奮的感覺。

「你還好吧？」當他和蓋瑞・桑傑／默菲坐著電梯用龜速下降時，費森豪爾拋出這個問題。在電梯天花板的一個破洞裡面，垂吊著一個淺色燈泡，發出微弱的燈光。

「我現在還好嗎？好的樣子看起來應該如何？我會讓自己看起來時好時壞，我現在**就是**病的很重。」桑傑／默菲告訴他。「爲什麼這個爛電梯不能動得快一點？」

「你又要開始吐了嗎？」

「很可能喔，只是一點代價嘛。」桑傑／默菲擠出一個淡淡的笑容。「羅伯特，只是付出一點點代價而已。」

費森豪爾嘴巴裡嘀咕著：「我想是吧，如果你決定要再吐一遍的話，記得要離我遠一點。」

電梯先是穿過下一層樓，然後再下一層樓，這邊都不會停靠，因爲這是一輛直達電梯，它會直接從頂樓抵達本棟建築物的地下室。在到達目的地時還發出「砰」的一聲。

「我們每一科都看，先來照一張X光片檢查。」當電梯門打開時費森豪爾如此說道。

「拍X光片的地點就是在地下室。」

「是的，我瞭解整個計畫內容，這可是我策畫的。」蓋瑞・桑傑／默菲說道。

因為當時是午夜剛過三點，因此當他們在監獄地下室那個漫長的通道中行走的時候，並沒見著半個人影。通道走到一半的時候，旁邊出現了一道門，費森豪爾用鑰匙打開它。門裡是另一條寂靜空盪的捷徑小路，然後他們就到了一扇安全門前。這裡就是整件事情的關鍵所在，因此桑傑／默菲必須發揮自己的實力才行。而且費森豪爾也想見識一下蓋瑞．桑傑／默菲是否浪得虛名，因為費森豪爾並沒有這扇安全門的鑰匙。

「羅伯特，把你的佩槍給我。想想那一千萬美元吧。我下次還可以再撈一票，所以你需要關心的只是屬於你的那一部分錢。」

就是這樣，桑傑讓這一切聽起來如此簡單。你只要**做這個、做那個，你就可以分到一千萬美金的一部分**。費森豪爾不情願地遞過他的左輪手槍。他並不想再去思考他現在的行為究竟是對是錯，因為這是讓他可以離開佛斯頓市立監獄而不用再辛苦工作的機會，這可是他唯一的機會。否則的話，費森豪爾知道他得在佛斯頓市立監獄工作到告老還鄉。

「羅伯特，再下來沒什麼訣竅了，但是這麼做仍會奏效。你把一切都演給凱斯樂看，這樣看下去就會覺得挺恐怖的。」

「我**的確是**已經被你嚇得半死了。」

「應該的，羅伯特。別忘了，我手上有你的槍。」

在安全門的另一端仍有兩個監獄的安全人員在看守，一扇齊腰高度的樹脂玻璃給了他們機會看到一個朝他們走過來的不可思議景象。

他們看到桑傑／默菲，將槍管抵在總監羅伯特．費森豪爾的左邊太陽穴上。桑傑／默菲的手腕及腳上都還戴著鐵銬，但是他手上有把槍。兩個警衛都快速站起來，同時也將手槍舉起來，他們沒有時間做出其他的反應。

「你們看到的是一個快走進死門關的守衛，」蓋瑞用盡全部的力氣放聲大喊，「除非你們將那扇門在五秒內開啓，不可以再拖了！」

「求求你們救救我！」費森豪爾突然向他的守衛同伴們大叫。好吧，這是因爲他很害怕。桑傑拿槍用力壓在他太陽穴上面。「他在樓上已經殺了沃比了。」

不到五分鐘的時間內，其中一名較年長的警衛——史蒂芬・凱斯樂做出他的決定。他轉動了鑰匙且打開安全門。凱斯樂是羅伯特・費森豪爾的朋友，而且桑傑已經算計到這一點。桑傑早就想到所有可能發生的事情。他早就知道羅伯特・費森豪爾是這個監獄裡頭的「終身職老兵」，也就是說他的工作就是被終身囚禁在那裡，跟囚犯們並沒有什麼兩樣。他已經跟費森豪爾聊過，瞭解他內心的憤怒和沮喪，所以就盯上了他。桑傑是羅伯特・費森豪爾所遇過最聰明的怪胎，他並且允諾會讓費森豪爾成爲一個百萬富翁。

他們倆朝向費森豪爾的座車方向前進，他那輛火鳥跑車停放處很接近前門，而且費森豪爾還故意不鎖上他那輛跑車的車門。

他們兩人在轉眼之間便進入車內。

「這輛車的輪胎不錯嘛，羅伯特。」蓋瑞・桑傑／默菲嘲弄他。「從現在起你將可以買得起林寶堅尼跑車了，兩輛或三輛都隨便你高興，只要你想賺到這筆錢的話。」

桑傑將身子躺低並翻到後座，他滑到一張費森豪爾的牧羊犬常常睡著的毛毯下，那條毯子聞起來狗味特別重。

「現在讓我們離開這個捕鼠之地。」桑傑／默菲從椅背後下達指令。羅伯特・費森豪爾啓動他那輛火鳥跑車。

距離監獄不到一公里處，他們便換了車。一輛福特野馬休旅車此刻正停放在路邊，他們很快就跳進車內。

幾分鐘以後，他們已經在高速公路上。路上車流量不多，但是已經多到足夠讓他們的跟監者迷路。

將近九十分鐘以後，這輛野馬轉彎至一個通往馬里蘭州老農莊、且雜草蔓延的道路上。在乘車過程當中，桑傑／默菲允許自己可以沉浸在這個小小的、但卻非常精緻、値得回味無窮的這一項原創計畫。他特別喜歡這個點子：兩年前，他眞的想過要留下一些錢並藏在車庫裡。那些當然不是綁架案的贖金，只是**緊急跑路費**，他是多麼有先見之明啊。

「我們到了沒？」蓋瑞・桑傑／默菲終於從毛毯底下傳出聲音。

費森豪爾沒有立即回答，但是蓋瑞藉由路上的顚簸程度知道他們已經到達。他在那輛狹窄的野馬休旅車後座坐起，他感覺幾乎就要回到自由可愛的家了。爲了自由他眞是不屈不撓啊。

「現在該是賺大錢的時候了。」他一邊說一邊大笑。「你有計畫在某個時間點幫我拿掉這些手銬和腳銬嗎？」

羅伯特・費森豪爾甚至不想回過頭來，就他疑心的觀點來看，他和蓋瑞仍然是監視者與被囚禁者的關係。「只要一拿到我在贖金當中應得的部分，」他的聲音透過嘴角邊傳出，「那個時候，直到那個時候，你便可以重獲自由！」

桑傑／默菲對著費森豪爾腦袋的背面講話。「羅伯特，你確定自己有這些鐐銬的鑰匙嗎？」

「先別擔心這個。你確定知道剩下的贖金藏在哪裡嗎？」

「我很確定。」

桑傑／默菲同時也確定費森豪爾身上有他需要的鑰匙。在過去的四個半小時裡，蓋瑞覺得快要得幽閉恐懼症了。蓋瑞之所以會出現心不在焉的情況，是有他的特殊原因的：他得進入偉大計畫的構思當中。在整段旅途，小時候在家裡後面地下室的記憶全數湧上心頭。他彷佛又看到自己的後母，也看到那兩個被寵壞的混蛋小孩。他又再度讓自己扮演可愛的小孩子——「壞小孩」的光榮冒險再度出發，而蓋瑞多采多姿的童年生活就這樣被奪走了。

當野馬休旅車非常緩慢地、一路沿著記憶小道顛簸地前進，蓋瑞．桑傑／默菲將他的雙手同時伸出來，繞過費森豪爾的頭部，而且邪惡地穿過他的喉嚨外面。他這個舉動眞是令費森豪爾震驚無比。蓋瑞將金屬手銬用力壓向這個監獄守門者的喉結。

「我該怎麼跟你講實話呢，羅伯特？好吧，畢竟因爲我是個患有精神病的騙子，所以你眞不該相信我。」

費森豪爾開始劇烈地扭動身體不斷掙扎，他快要不能呼吸，這種感覺就像他在海裡快溺斃了。

他的膝蓋用力撞向儀表板及方向盤。當晚此地的空氣中，充滿了來自他們兩個人既大聲、又像野獸般的叫喊。

費森豪爾試圖將他的雙腳一股腦兒塞進副駕駛座裡，而他的工作短靴已經踢到野馬休旅車的車頂，他的軀幹也向側面扭曲，就好像是被攪動的一般。他不斷喘息而且發出怪聲，聽起來就像金屬正在燃燒，在火爐上發出爆裂的聲音。

費森豪爾的掙扎鬆弛下來，終於停止，除了他的部分肢體仍在輕微抽搐。

蓋瑞重獲自由了。就像本案一開始的時候那般自由。蓋瑞・桑傑／默菲要重出江湖了。

79

潔西・佛萊娜根穿過走廊走到四二七號房間前面，她正在喬治城的馬爾畢旅館裡。她又開始覺得內心裡有一股強制力量迫使自己這麼做，這股力量不斷鞭策著她前進。她並不喜歡這種躲躲藏藏的約會，而且她在猜想這次碰面的目的爲何。潔西認為她已經知道，而且希望她的猜測是錯誤的，然而她總是猜對的機會比較多。

潔西用她的指關節輕敲房門，同時她也向四周環視有沒有被人跟蹤。她這樣做並不是偏執狂的行爲，因爲她知道華盛頓特區有一半的人，都在忙著監看另外一半人的行動。

「門沒鎖，請進。」她聽到裡面傳出聲音。

潔西打開門，然後便看到他躺在沙發上面。他訂的可是價格昂貴的小套房，這眞是一個不好的訊號，因爲這代表他開始想亂花錢了。

「這是特別爲我的甜心準備的套房。」麥克・狄凡躺在沙發上笑道。他正在看電視欣賞紅人隊的美式足球比賽，他的風采一點都沒變，就像以前那麼酷。在很多方面看來，他會讓潔西想起自己的父親。或者這就是她爲何會跟他譜出戀曲的原因，戀父情節這種幾近變態的心理，就是這段戀曲當中最刺激的一部分。

「麥克，現在這麼做是非常危險的。」潔西踏進房間內而且關上了房門，再把門閂拉上。她讓自己的語氣聽起來像是在關心他的安危，而不是在生他的氣。這就是甜美又乖巧的潔西。

「不管現在危不危險，我們倆都需要談談。妳應該知道，妳那位男朋友最近跑來找我。今天早上他的車還停在我的房子外頭。」

「他並不是我的男友，我只是利用他，套問他有關各種我們一直需要知道的資訊。」

麥克・狄凡微笑說道：「妳在套問他，他也在刺探妳，那麼所有人都開心了嗎？恐怕只有我被排斥在外頭吧。」

潔西在沙發上坐下來，緊靠著狄凡。他知道自己絕對是個很性感的男人。他有名星保羅・紐曼的外表，還有令人著迷的漂亮藍色眼睛。他也喜歡女人，而且這種態度顯露無遺。

「麥克，我不應該出現在這裡的，我們倆現在也不應該在一起。」潔西用自己的腦袋磨蹭麥克的肩膀。她溫柔地親吻他的脖子以及他的鼻子。她現在什麼都不想做，只想和他抱在一起。但是如果有需要，她也可以做些其他刺激的事，她可以爲了他做出任何事情。

「不，妳應該來這裡的，潔西。如果我們不能花掉這些錢，又不能在一起，那麼它的價值又在哪裡呢？」

「你這麼說，又讓我依稀記起最近我們在湖邊的那幾天逍遙日子。那是我的想像還是眞的發生過呢？」

「我不想再過那種偷偷摸摸的生活了。妳跟我一起遠走高飛到佛羅里達州吧。」潔西親吻他的喉嚨。他的鬍渣已經刮得很乾淨，而且他身上的味道聞起來總是很香。潔西把他身上襯衫的鈕子解開並把手滑了進去，然後讓自己的手指磨擦過他褲襠間的重要部位。她已經被激發出生物的本能情慾，不管如何，她已準備好進行下一步。

「我們或許應該想辦法把艾利克斯．克羅斯解決掉。我是認眞的。」他低聲講出這幾句話。「妳有聽到我剛才說的話嗎，潔西？」

她知道他在測試她，看看這麼說她會有什麼反應。「這件事情可是非常難搞的，讓我先從中施力並想想辦法。我會先找出艾利克斯到底知道了什麼，你得有點耐心。」

「潔西，妳在跟他上床耶，這就是妳會有耐心的原因吧。」

「不，**事情不是你想像的那樣**。」

她正在解開他的腰帶，但是因爲用的是左手，所以看來有點笨手笨腳。她得想辦法讓他保持久一點的冷靜，不要在這個時候捅出任何簍子。

「我該如何知道妳並沒有跟艾利克斯．克羅斯墜入情網？」他繼續追問下去。

「麥克，因爲我深愛著你。」她的身子往前靠並抱緊狄凡。這個男人也是很容易被操弄的，男人都是一個樣。她現在所需要做的，便是等待聯邦調查局的監控鬆懈下來，再來他們就可以自由地遠走高飛了。一切眞是完美，這就是本世紀最了不起的一樁犯罪事件。

80

那天早上清晨四點，當我接到電話的時候，我仍在睡夢中迷迷糊糊。聲音聽起來心力交瘁的華勒斯．哈特正在電話線上，這是一通從佛斯頓市立監獄的來電，他的手邊有一個大麻煩正待解決。

一個小時以後我便到達監獄，我是特別受邀前來的四名佳賓其中之一，我們現在全擠在華勒斯那間面臨緊急事件、既擁擠又緊張的辦公室。

新聞媒體尙未被告知這樁肯定轟動社會的越獄事件，但是他們需要先被告知這個訊息以保持警覺——訊息的揭露是無法避免的。媒體屆時必定會整天用焦點新聞，報導桑傑／默菲重獲自由之身的事情。

華勒斯．哈特整個人塌在他那堆滿文件的辦公桌前，看起來好像心力都已被掏空。其他在辦公室裡面的人，還包括典獄長以及這間監獄的律師。

「你對這名失蹤警衛的背景瞭解多少？」我一遇到機會便詢問華勒斯這個問題。

「他的名字叫做費森豪爾，三十六歲上下，已經在本處服務長達十一年，過去沒有什麼不良記錄。」哈特回答我的問題。「直到今天爲止，他都一直恪守本份。」

「你的想法是什麼？你認爲這名警衛會是蓋瑞最新的人質嗎？」我尋問華勒斯的意見。

「我不這麼認爲。我猜想這個王八蛋是在幫助桑傑越獄。」

就在同一個早晨，聯邦調查局也針對麥克·狄凡以及查理·伽克立，成立了一個二十四小時跟監小組。有一種推論認爲桑傑／默菲也許會來找他們，因爲他知道是這些人破壞他的偉大計畫。

監獄警衛費森豪爾的屍體，被發現丟棄在馬里蘭州克里斯費德市，一處廢棄農場的損壞車庫裡頭。一張二十元的鈔票被塞進他的嘴裡，這張鈔票很顯然不是佛羅里達州那批贖金的其中一部分。

各地都有發現桑傑／默菲蹤跡的線報不斷傳來，但是都沒有進一步的線索可供追查。桑傑／默菲一定正在外頭的某處躲起來嘲笑我們，也許正在某間黑暗的小房間狂笑不已。他的新聞又重回全國各大新聞報紙的頭版版面，就像蓋瑞最喜歡的結果一樣，他又成爲史上第一大壞蛋了。

我在當晚六點左右開車到潔西的公寓。其實我心裡並不想再重返舊地，因爲我的胃一想到此事就感覺不大舒服，而且腦袋狀況更糟。但是我必須告訴潔西，桑傑／默菲也許會把她放在報復名單之中，尤其是如果他發現潔西和狄凡、伽克立之間已密謀串通好。我必須去警告潔西，在不洩露我知道其他事情的前提之下。

當我爬上那個熟悉的紅磚色走廊階梯，我可以聽到屋內正在播放搖滾樂，聲音大到牆壁都在震動。這首歌收錄在邦妮·瑞特的《占據我的時光》專輯。邦妮此時正在大聲唱著：

「我給我的愛人一根蠟燭……」

在潔西的湖邊小屋那裡，我們倆不斷地重複播放邦妮・瑞特的專輯，或許那天晚上她正在想念我。在過去幾天裡，我的腦海也一直想著她的事情。

我按了門鈴，潔西跑過來替我開門。她身上還是穿著平常慣有的打扮：一件縐褶的短袖圓領汗衫、短褲，上面還繫了條皮帶。她微笑著開門，看起來很高興見到我。她是如此冷靜、沉著而且鎮定。我胃部緊張得快要打結了，但是外表的我看起來仍一如平常。我知道我現在該做些什麼事，至少我認爲我知道該怎麼做。

「還有一件事得說。」我如此說道，就好像我們才剛在一分鐘前結束最後的談話一般。

潔西邊笑邊替我打開大門，但我卻沒有踏進去。我站在走廊上，風吹過門的聲音從另一戶傳了過來。我正在注意她有沒有露出任何破綻，任何會讓我察覺她的表現不像平常那樣自然的地方。然而我沒有發現任何異常。

「要不要試試駕車環遊美國啊？這回我請客。」我這麼告訴潔西。

「艾利克斯，聽起來是個好主意。我得穿上一件長褲才行。」

幾分鐘後我們便騎在摩托車上頭，從她的家飆馳離去。我嘴裡仍在哼著：「我給我的愛人一根蠟燭……」接下來我就一邊把所有的事情，在腦袋裡沙盤推演了最後一遍。這就是所謂的**做好計畫，再次檢查，然後便開始尋找誰是好人、誰才是壞蛋的遊戲**。

「我們可以邊騎車邊聊天呀。」潔西轉過頭來在風中對著我大喊。

我將她的背部及胸部抱得更緊了一些，這樣的動作讓我心裡感到更加難受。我對著她一邊的髮間大喊：「我替妳的安全感到擔憂，因爲桑傑已經越獄了。」這部分說的都是實話。我絕對不想看到潔西被謀殺、乳房還被割下來的慘劇。

她轉過頭來問道：「爲什麼這麼說呢？爲什麼你會擔心我的安全？我的史密斯與維森手槍現正放在家裡。」

因為妳是毀掉他那件完美犯罪樂趣的幫兇，而且他可能已經知道妳跟此案的關聯了。我很想跟潔西這麼說。**潔西，因為妳把那個小女孩從農場裡帶走。妳擄走了瑪姬‧蘿絲‧鄧尼，然後妳必須殺了她，對嗎？**

「他從報紙上看到我們兩人之間的事，」我用這個理由當藉口，「他可能會追殺每個跟這件案子有關係的人，特別是他認爲曾破壞他完美計畫的那些人。」

「艾利克斯，那就是他心裡眞正在想的事情嗎？你會知道哪一個人在想什麼事，因爲你是犯罪心理學權威。」

「他想向全世界展現自己是個多麼了不起的人。」我繼續說道。「他希望這宗案件的轟動及複雜程度，鬧得跟當時的林白案件一般大，我相信這就是他在腦子裡打定的主意。他想要讓自己犯下的案子成爲最轟動也最了不起的一件，但是他還沒做到。或許他現在已經再度開始進行計畫了。」

「在我們這宗案件裡，誰會扮演布魯諾‧豪夫曼的角色？桑傑會想將此案嫁禍給誰呢？」潔西對著迎面吹來的風大喊。

潔西是在試著向我傳達自己對此案的辯解嗎？她有可能是被桑傑以某種方式設計陷害的

嗎？這將是本案最難解的謎……但是桑傑究竟是如何辦到的？而且他又爲何這麼做呢？

「蓋瑞・**默菲**就是布魯諾・豪夫曼。」我告訴她，因爲我猜想我知道答案。「**他**就是那個被蓋瑞・桑傑巧妙設計陷害的人。他被判有罪而且鋃鐺入獄，但是**他**可是無辜的。」

我們在車程的頭半個小時聊得很起勁。但是在隨後的路程當中，我倆都保持沉默。

我們兩人現在都躲藏在自己的私人世界裡。我發現自己只是抱住她的背部而已，但彼此的內心距離卻很遙遠。我正在回想，關於我們之間所發生過的各種事情，那種內心交雜的感覺是很糟的；眞希望所有的感覺在這一刻全部停止。其實我知道她也是個精神病患者，就像蓋瑞一般，心裡沒有善惡觀念。而我也相信任何大企業、政府單位以及華爾街，都充斥著這種人在其中。他們對自己的行爲從不會感到後悔，直到他們被逮到以後才知道悔恨，然後開始流下虛假的眼淚。

「我們再去度一次假如何？」我終於向潔西提出我早已計畫要問她的題目。「再去維京群島度假一趟好嗎，我很需要讓自己放鬆。」

我不確定她是否有聽到我說的話。稍後潔西回答：「好吧，我也想去做做日光浴，就到那個小島上去吧。」

我在那輛快速行駛的摩托車上進行我的計畫，而目標已經完成。我們在這片美麗的鄉間道路向前急駛，周圍所有模糊不清的景象，以及目前正在發生的事情，都讓我的腦袋倍感疼痛，而且似乎沒有停止繼續傷害我的跡象。

81

瑪姬．蘿絲．鄧尼想活下去的意志勝過一切。她現在已瞭解這個事實。她想回到過去的生活，也很想看到自己的爸爸和媽媽，見見她所有的朋友，她在華盛頓特區及洛杉磯市的朋友，特別是麥可。小蝦米。麥可到底出了什麼事呢？他們已經讓他離開了嗎？他是否已經被家人贖回，而她自己卻因爲某些原因而尚未被救回去呢？

瑪姬每天都辛勤地採收蔬菜。這件工作雖然辛苦，但是，整體來說，這件工作是她所能想像到的工作中，最枯燥無聊的一件了。在豔陽高照的漫漫長日裡，她必須將自己的心思放在其他的事物上，以打發這段無聊的時間。這樣她才能夠不去想她正在做哪些辛苦又無聊的事，以及她到底被囚禁在何處。

在綁架案發生幾近一年半以後，瑪姬．蘿絲．鄧尼從她被囚禁的地方逃了出來。

她一直訓練自己每天都要早起，這件事情的重要性大過其他的事。在她嘗試其他的事情之前，她先試著做到這件事。現在外頭仍是一片漆黑，但是她知道太陽將在約一個小時後升起，然後氣溫就會變得很炎熱。

她赤足走進廚房，手上握著她的工作鞋。如果他們現在將她逮個正著，她可以辯稱自己只是要去上廁所。她的膀胱已積滿了水，這是她預先做好的防範措施，以防自己被抓到便可以用上廁所來當藉口。

他們已經告訴過她，她永遠無法逃離此處，即使要離開現在這個特別的村莊都無法辦到。因爲這裡距離下一個城鎮已超過五十英里那麼遠，不論她選擇逃往哪一個方向。這就是他們告訴她的一切。

整個山區充滿毒蛇及危險的老虎，偶爾她還會在晚上聽到老虎在咆哮。她是絕對不可能逃到其他的城鎮的，綁匪如此警告她。

而且如果被他們抓到逃跑的行爲，他們會再把瑪姬放回地底下至少一年。還記得被人活埋起來的感覺如何？有好幾天都不見天日的生活又是什麼滋味呢？

廚房的門被鎖起來了，還好她知道這扇門的鑰匙，是與很多其他生鏽的老鑰匙一起保存在一個工具櫥櫃裡。瑪姬・蘿絲取出這把鑰匙，而且還拿了一個小型榔頭當作她的武器。她把這把榔頭塞進衣服的鬆緊帶底下。

瑪姬將鑰匙拿來開啓廚房的門。它被打開了，所以瑪姬可以走到外頭。這麼長的一段時間以來，她首度獲得自由。她現在的情緒相當高漲，就好像她曾看過貓頭鷹向上飛到牠應該棲息的處所時那種感覺。

即使只是她一個人可以獨自行走的那種感覺都很棒。瑪姬・蘿絲走了好幾英里，她已決定往山下走，而非往上攀登——即使那群小孩當中有人發誓，往上面的方向不遠處會出現一個小鎮。

她從廚房帶了兩張熱捲餅出門，而且一整個早上她就靠這些東西當做點心以塡飽肚子。當太陽上升後氣溫便開始溫暖起來，直到十點以後，便讓人熱得受不了。她一直沿著泥土路段向前走了好幾英里，而不是走在柏油路上，但她還是跟柏油路保持很近的距離，她總是讓柏油路保持在自己的視線裡面。

漫長的午後，她持續地行走著，在這麼高溫的環境底下，她的毅力眞令人佩服。或許她在田裡所做的一切粗活訓練出她的耐力。她的身體比起過去要強壯得多，甚至身上都已鍛鍊出肌肉。

在午後稍晚，隨著她持續向山腳下走去，瑪姬·蘿絲已經可以看到前方有城鎭的蹤影。那個地方跟她過去數個月被囚禁的場所比起來，規模要大上許多，而且也比較現代化。

瑪姬·蘿絲開始跑完這最後一段的下坡路程。泥土路最終和柏油路交集在一塊，她走到大馬路上了。瑪姬沿著這條大馬路往前走了一小段，便看到前方出現一個加油站。那是一個原始的加油站，外面的招牌上寫著「殼牌石油」這幾個字。她的生命當中，從未看過比這個景象來得更爲美好的事物了。

瑪姬·蘿絲往前方一看，那個男人就在不遠處。

他詢問瑪姬是否一切安好。他總是稱呼瑪姬爲芭比，而瑪姬知道這個男人有點關心她。瑪姬告訴他自己一切都很好，她只是在發呆罷了。

瑪姬·蘿絲並沒有告訴他自己又在編故事，一個能讓她脫離痛苦的完美幻想。

82

蓋瑞·桑傑／默菲心中，無疑仍存有他的偉大計畫尙待執行。現在，我也有自己的計畫等著完成。問題來了：我自己的計畫可以執行得多好呢？我想要成功的決心究竟有多麼強烈？我可以不計任何代價嗎？我願意做到什麼程度？又會有多麼接近我設定的目標呢？

我們這一趟維京群島之旅起始於華盛頓特區。那天是一個陰冷、多雨的星期五早晨，室外溫度約為華氏五十度。在正常的情況下，我會迫不及待想逃離那個地方。

我們必須在陽光普照的波多黎各更換交通工具，轉搭一架三個引擎的三角架飛機。下午三點三十分，我們的飛機滑向一座有著白色沙灘的海島，前方有一個狹長的降落跑道，周圍高大的棕櫚樹在海風中搖晃不已。

「我們到達目的地了。」她從我後面的位置上發出聲音。「在太陽底下的那邊，就是我倆做日光浴的位置了，艾利克斯。我可以在這裡待上一個月而不會想離去。」

「它看起來就像照片上描繪的那般美麗。」我不得不承認。我們很快就可以親眼看到那些美麗的景象，也可以發現我們倆願意單獨相處的時間究竟有多長。

「這些令人厭煩的旅客們想要待在那片海裡，但是卻不敢往下看。」潔西說道。「他們只知道人類須靠獵捕魚肉及水果生存下來，卻得等掉到水裡以後才知道要學會游泳的道理。」

「這就是我們到這裡來度假的目的，不是嗎？在陽光底下嬉戲不好嗎？讓我們身邊那些壞人都消聲匿跡好嗎？」

「艾利克斯，每一件事**都**好極了，就算現在不是，也會慢慢變好。就再容忍一下吧。」潔西的講話方式看來總是那麼眞誠，我幾乎想全部相信她所說的話了。

當飛機的艙門打開，加勒比海小島的香味隨著微風吹來。溫暖的空氣吹進我們那架九人座的小客機。

每一個從停機坪走下來的人都戴著太陽眼鏡，以及穿著色彩鮮艷的圓領襯衫。幾乎每個人的臉上表情都面帶微笑。我也勉強擠出一個笑容。

潔西抓住我的雙手。她剛才講的話有正確、也有錯誤的地方。這裡的每一件事物對我來說都像身處天堂。現在正在發生的事情……實在是美妙到不行。

島上那些夾帶著英國口音的黑人男女，引領我們通過當地那一個悠閒的迷你海關。潔西或我的背包都沒有被人翻查。這一點事實上是美國國務院特別事先安排的，因爲我的背包裡夾帶著一把小型左輪手槍——裝滿子彈並隨時可以射擊。

「艾利克斯，我還是喜歡到這裡休假。」當我們接近一小排正在等待計程車的人群時，潔西如此說道。停放在計程車旁邊的還有一些摩托車、腳踏車、骯髒的休旅車。我心裡在想，我們日後是否還有機會一同乘坐另一輛摩托車奔馳呢？

「讓我倆永遠待在這裡好不好？」她說道。「假裝我們永遠都不必離開。沒有時間壓力、沒有收音機播報煩人的新聞。」

「我喜歡聽妳講的那些話。」我這樣告訴她。「我們來玩一會兒『假裝』的遊戲吧。」

「你說的對極了，讓我們開始吧。」她拍起手來的樣子，就像一個小孩般天眞無邪。

自從我們上次到訪後，海島的景色似乎沒有改變過。或許自從洛克菲勒家族在一九五〇年代購買小島以來，就一直是這樣。

遊艇和帆船集結在充滿浪花的海面上。我們通過小餐廳及店鋪，前往潛水設備的出租地。油漆明亮的一層樓住家，全部都在它們的屋頂裝設電視天線。**這就是我們在陽光底下的住家，真是個天堂**。

潔西和我還有時間在飯店裡面游泳。我們將自己的泳技炫耀了一番。不但伸展了自己的身體，還比賽看誰來回游泳的速度比較快。我還記得我倆第一次一同游泳的場景，那是在邁阿密海灘的飯店游泳池裡面，也是她開始向我演戲的開端。

之後，我們伸開四肢躺在海灘上，看著夕陽落到海平面底下，海平面被照得通紅，然後從眼前完全消失。

「艾利克斯，這眞是似曾相識的景象。」潔西微笑說道。「就像以前一樣，還是我在做夢呢？」

「現在已經不同囉。」我回道，然後又迅速補充說明：「我們之前並非如此瞭解對方。」

潔西眞正的想法是什麼？我知道她的心裡現在一定也有一個計畫。我猜想她知道我盯上狄凡和伽克立了，她需要知道我計畫對這兩人採取什麼樣的行動。

一個年輕、有著健壯體魄的黑人，穿著剪裁整齊的白色泳褲和旅館的圓領襯衫，替我們將鳳梨、椰子和蘭姆酒調製的飲料送到海灘椅的旁邊。

讓我們開始玩「假裝一切都沒發生」的遊戲，此時是再好不過了。

「這是你們兩個人的蜜月旅行嗎？」他的神態既輕鬆又無憂無慮，跟我們開起玩笑來。

「這是我們第二度蜜月旅行。」潔西告訴他。

「好吧，那你們可得加倍享受喔。」這個面帶微笑的海灘服務生說道。

小島上的緩慢步調最終還是到了入夜時分。我們在旅館內的帳篷餐廳享用晚餐。更多詭異的似曾相識場景迎接著我倆。坐在這個完美的加勒比海小島上，我相信自己的一生當中，沒遇過比這回更口是心非、感覺更不眞實的事情了。

我看著服務生將烤鰹魚、海龜等一道道的菜端進端出，聽著牙買加流行的雷鬼搖擺樂準備開始演出。突然之間，我想到眼前這個美麗的女人竟讓麥可．郭德堡就這麼死去，我也幾乎確定她已謀害瑪姬．蘿絲．鄧尼，或者她至少是一名共犯。但她卻從來沒有表達一絲自責的暗示。

藏在美國的某處便是她分到的一千萬美元贖金，但是潔西聰明得足以讓我與她「分攤」這趟行程的旅遊支出。**回到問題的核心，艾利克斯，天下沒有白吃的午餐，瞭解嗎？**

她的主菜是一隻海島龍蝦，一盤鯊魚皮則是開胃菜，她也在晚餐時喝了兩杯麥芽啤酒。潔西是如此個性溫和且聰明伶俐。就某方面來說，她甚至比蓋瑞．桑傑／默菲更令人害怕。

當你遇到一個謀殺嫌犯，卻同時又是你所愛的人，與你正在合用一份完美的晚餐與雞尾酒之際，你該說些什麼？我很想知道很多事情，但是又不能將那些在我腦袋裡不斷敲擊的眞正疑問拿出來，一一質問她。取而代之的，我們聊一些有關假期的事，一個爲了現在及未來幾天、將待在這個小島做些什麼的「計畫」。

我的眼神穿過晚餐桌並望向潔西，她今晚看起來美麗無比。她不斷將自己金黃色的頭髮往耳後撥去，這對我來說是如此熟悉及親切的一個手勢，那就是緊張的一種象徵。潔西在緊張和擔心一些什麼事情?她到底知道多少了?

「好吧,艾利克斯,」她終於開口,「你可以告訴我這次來維京群島的眞正目的是什麼了嗎?我們在這裡還得進行一些你尙未公布的待辦事項嗎?」

雖然我已經準備好回答她這個問題,但當她說出來的時候我還是嚇了一跳,因爲她說起來的感覺眞是流暢不已。我也準備好開始說謊,雖然我可以將這件必須做的事情給合理化,只是我沒有辦法讓自己對說謊這件事感到愉快罷了。

「我想要讓我們倆能夠彼此談話,是一種**眞實**的對話。或許這是妳第一次這樣做,潔西。」

潔西的眼角泛起淚光,它們緩慢地流下她的雙頰,淚水被燭光照得閃閃發亮。

「我愛你,艾利克斯,」潔西低聲輕喚道,「事情就是這麼簡單——對於我們兩個人的未來而言,永遠是最艱鉅的一項挑戰,因爲至目前爲止都是困難重重。」

「妳是指這個世界還沒準備好爲我們兩個人的愛情做見證嗎?」我向她追問。「還是妳覺得我倆還沒準備好讓社會接受這段戀情?」

「我不知道這兩點哪一個才對。如果說我倆在一起的結果是如此艱難,那麼是哪一個原因造成的,不就變得不重要了嗎?」

我們在晚餐後選擇到海邊走一走,往下走便會前往一個沉船遺蹟地點。從旅館招待處與餐廳算起,這個像圖畫般美麗的遺蹟延伸了大概有四分之一英里長。但是這整個海灘看起來已經被棄置很久。

天上有微弱的月光，但是當我們接近那些沉船時，光線就變得更暗了。條狀的雲朵從天空中飄過。最後，潔西的身影看起來就像我身後的一團黑影般難見。這個時刻開始的每一件事，都讓我感到極度不舒服，而我又忘了把槍帶在身邊。

「艾利克斯。」潔西已經停下腳步。一開始的時候，我認爲她是聽到些什麼聲音，然後我低頭看了一下肩膀。我知道桑傑／默菲不可能在這個地方出現。但是我有可能會猜錯嗎？

「我一直在想，」潔西說道，「思考一些有關綁架案的事情，但是我不想這麼做，尤其不要在這種地方度假的時候。」

「什麼事情在困擾著妳？」我詢問她答案。

「因爲你突然停止跟我分享調查進度內的事情。你決定要對伽克立和狄凡怎麼處置了嗎？」

「好吧，既然妳已談到這個話題，」我接著告訴她，「讓我跟妳說吧。妳對於他們兩人的見解果然與衆不同。我走進另一個死胡同了。現在，讓我們來盡情享受這個眞正的假期，這是我們兩人掙來的、千載難逢的大好機會呢。」

83

蓋瑞・桑傑／默菲一邊在監視，一邊心裡正在納悶。他的心思早已飛回到當時號稱完美的林白之子綁票案。

他的腦海裡仍可以描繪出下列景象：幸運的林白、可愛的林白夫人，安妮·摩洛·林白，以及查爾斯·小林白躺在搖籃裡，在紐澤西州霍普威爾市的那棟兩層樓農莊的育嬰室。這些就是當時的種種景象，這也是當時的人們所能刻畫出來、最美好的一種生活了。

至於在較為平庸且無聊的今日，到底桑傑還能監看些什麼？

首先，他的視線裡有一對來自聯邦調查局的呆子探員，他們坐在別克轎車裡。精確一點來講，有一個男呆子和一個女呆子，正在進行跟監的勤務。他們根本就不會帶來任何威脅，所以桑傑持續待在那裡也不會有問題。但是如此一來他也覺得沒有什麼挑戰性。

其次，在他眼前是一棟現代建築高樓，這是麥克·狄凡探員位在華盛頓地區的住所。霍桑之家（譯註：霍桑為美國著名小說家，與惠特曼等齊名），這就是他們取的名字。在南沙尼爾之後，還有誰具備這種悲憫的心？這裡有的只是屋頂游泳池以及可供日光浴的露天甲板，可以停放高級車輛的專屬車庫，整點的時候還有門房服務。這個前任探員的住所可眞是高級。然而這對聯邦調查局的呆子探員竟然眼巴巴地監看著這棟樓，好像它會突然長出翅膀飛走那般窮緊張。

當天早晨十點剛過不久，有一個聯邦快遞的送貨員進入這棟時髦的公寓大廈。

不久之後，他身著聯邦快遞的制服，而且身上戴著兩個住在這裡房客的眞正包裹。蓋瑞·桑傑／默菲按了一下17—J這戶人家的門鈴。**快遞來了！**

麥克·狄凡一開門，桑傑便將同樣強度的三氯甲烷朝他臉上噴去，這是他曾用在麥可·郭德堡及瑪姬·蘿絲·鄧尼身上的藥物。見者有份，很公平。

就像那兩個小孩的反應一樣，狄凡在他那片鋪滿地毯的大廳裡倒下。公寓裡面正播放著搖滾樂，這是獨特的邦妮．瑞特搖滾專輯，曲目是《給他們留點談話機會》。

狄凡探員在幾分鐘以後醒了過來，他不但覺得頭暈眼花，看出去的影像還會重疊。他身上所有的衣服都被剝個精光，他現在處於完全迷惘且失去判斷能力的狀態。

他的身體被放在浴缸內，裡面有加到半滿的冷水，而他的腳踝被銬在浴缸扶手上面。

「到底是誰在搞鬼？」他的話聲聽起來既含糊又沒力。他覺得自己就好像喝完一打威士忌那般全身乏力。

「**這**，是一把極爲銳利的刀子。」蓋瑞．桑傑／默菲彎下腰來，展示他手上的鋼製獵刀。「仔細看著這個活生生的表演，現在將你那雙又大又污濊的藍眼珠集中注意力。**集中精神**，麥克。」

蓋瑞．桑傑／默菲逕自用那把刀子劃向這個前任探員的上臂。狄凡痛得大聲叫喊出來。一道看來嚇人、大約三吋長的傷口立刻迸開來。鮮血流進那片寒冷且正在打轉的浴缸水裡。

「不准再抱怨一聲。」桑傑警告他。他揮舞著手中的刀子，威脅狄凡要再給他劃上一記。「搞清楚，這可不是吉列牌電動刮鬍刀或是舒適牌刮鬍刀。它會帶給你劃傷與流血，所以請你務必要小心。」

「你到底是誰？」狄凡試著再問一次。他的腦袋仍然覺得非常暈。「**你究竟是誰？**」他問道。

「請容許我自我介紹，我是個有錢又有品味的男人。」桑傑說道。好吧，**是這樣子沒**

錯，他**正**試圖往成功邁進。他的未來前程又再度發光發亮起來。

狄凡聽完以後感到更迷惘了。

「這是從《為魔鬼感到悲憫》當中摘錄出來的句子。我就是蓋瑞．桑傑／默菲，原諒我穿上這件寒酸的快遞制服，這樣的喬裝打扮還眞醜。但是我實在有一點趕時間，這一點你並不知情，眞是可惜。因為我在好幾個月前已經很想與你會面了，你這個**無賴**。」

「你到底想要什麼？」狄凡掙扎著想要至少維持一些尊嚴，雖然目前他處於一個非常危險的環境。

「好了，廢話少說，嗯，好的，就這樣吧。因為我**真的非常趕時間**，就是現在。你有兩個非常清楚的選擇。第一——我將在這裡切掉你的陰莖，放進你的嘴裡當做一個方便的塞嘴物，然後我還要在你的身上多割出幾個新鮮傷口來凌虐你，應該說是數以百計的傷口，從臉部和脖子開始劃起，直到你肯說出我想知道的答案。到目前為止如何？我講的夠清楚嗎？我再重複一遍——第一項選擇：痛苦的折磨，直到最後無可避免地讓你流血而死。」

狄凡的頭不由自主地向後靠，想遠離眼前這個模糊又看不清楚的瘋子。不幸的是，他的視力開始變清楚了，事實上他的眼睛正張得開開的。他看到的是蓋瑞．桑傑／默菲？就在他的公寓裡面？手上還拿著一把獵人的利刃？

「第二個選項，」這個瘋人持續對著他的臉大聲叫嚷，「我**現在**將從你的口中得到事實眞相，然後我會去拿我的錢，不論你將它放在哪裡。我會再回來並且殺掉你，但是算你好運——我屆時不會用誇張的方式。誰曉得？你應該會趁著我不在這裡的時候企圖逃亡。雖然這麼做的功用令人存疑，但是有希望總比絕望好。我必須告訴你，麥克，如果我是你，我會選擇第二個方案。」

麥克・狄凡現在的腦袋狀況已夠清醒去做出正確決定。他告訴桑傑／默菲自己那一份贖金藏在何處。其實就藏在華盛頓特區裡。

蓋瑞・桑傑／默菲相信他說的話，但是話說回來，誰又能眞正分辨這些事情的眞假，畢竟他是在跟一個警察交涉。

在他出去之時，蓋瑞停在公寓的門口，維妙維肖地模仿阿諾史瓦辛格在《魔鬼終結者》裡的聲音，然後說道：「我會再回來！」

事實上，他對於今天所做的事感覺特別好，他靠自己的力量便解決了該死的綁架案。他剛才扮演了警察的角色，而且那種感覺還挺美妙的。計畫將會生效，就像他一直以來所知道的那樣。

眞酷的垃圾啊！

84

我睡得相當不安穩，幾乎每個小時都會起來一遍。走廊上並沒有鋼琴可以讓我彈，也沒有珍妮和戴蒙需要我叫醒，只有這個嫌犯安詳地睡在我身旁。

那裡只有我擬定好的計畫需要被執行。

當太陽終於升起，旅館的廚師爲我們準備好一盒精緻的午餐可以帶走。他們用柳條打包了好酒、法國礦泉水、昂貴的美食。還另外幫我們準備了潛水設備、絨毛浴巾，還有一枝黃白條紋相間的海灘陽傘。

當我們抵達甲板的時候，所有物資都已經裝塡在快艇上頭，這時才剛過早上八點。航程只花了大約三十分鐘，便抵達我們的小島——這是一個美麗、與世隔絕的地點。我們又回到天堂了。

我們接下來整天都會在那裡獨處，從旅館來的其他情侶也有他們自己的私人島嶼需要拜訪。一群珊瑚礁環繞我們的海灘，從海岸算起來，大約延伸了有七十至一百碼之遠。

我們眼前的海水就像最清澈的礦泉水般澄淨。當我直接往水底望下去時，還可以看到水底沙子的質地，甚至可以細數沙粒的顆數。各種不同的魚蝦在我的腳邊附近獵食，宛如一個眞實的戰場。還有一對正在微笑的五呎長梭魚，一路跟著我們的船前進，幾乎到達海岸線旁邊才興致缺缺地游走。

「你們二位希望我什麼時候再把船開回來呢？」船夫詢問我們的意見。「你們可以自行決定。」

他是一個肌肉發達的漁夫，年紀大約四十左右的水手。看起來是個生性隨遇而安的人，在我們這趟航程中，他和我們分享了釣到的大魚以及其他多采多姿的島嶼故事。他似乎對潔西和我在一起的狀況不以爲意。

「喔，我想兩點或三點好嗎？」我看看潔西，「妳覺得理查先生應該幾點回來接我們呢？」

她正忙著攤開海灘巾，以及其他充滿異國情調的東西。「我想三點就好，那聽起來很不錯，理查先生。」

「好的，那麼，兩位盡情享樂吧。」他微笑道。「你們現在便開始獨處囉，我認為本人提供服務的時間應該到此為止。」

理查先生向我致意之後便跳回船上，啓動引擎，而且一轉眼間便從我倆的視線中消失。我們現在真的是在私密的小島上獨處了。別擔心，放開胸懷盡情享樂吧。

跟一個綁架及謀殺嫌犯一同躺在一條海灘巾上的那種感覺，是有一點奇怪又不夠眞實。我把自己所有的感覺、計畫，以及我知道必須做的事情，不斷反覆推演了好幾遍。

我試著控制自己那種疑惑又生氣的情緒。眼前這位我曾經愛過的女人，現在看來是如此陌生。我閉上眼睛並且讓陽光鬆弛我的肌肉，當然我需要先放鬆，否則這麼做也不會有效。

妳怎麼忍心殺掉這個小女孩呢，潔西？妳怎麼可以這麼做？妳又怎麼可以向每個人說出那麼多謊言呢？

蓋瑞・桑傑沒有去別的地方！他突然之間便出現在我們眼前，一點預警都沒有。他帶著一把跟小腿一樣長的獵刀，就像在華盛頓特區的貧民窟裡作案用的那一把。他的雙手高舉過頭，而他的身影已經籠罩我全身。

但是他實在不可能上到這個小島，不可能。

「艾利克斯，艾利克斯，你在做白日夢啊。」潔西說道。她把冰冷的雙手放到我的肩膀上，然後用指尖輕柔地碰觸我的臉頰。

昨天那個漫長、大部分又是失眠的夜晚……溫暖的陽光以及涼爽的海風吹來，讓我在海灘上不知不覺地進入夢鄉。

我抬頭望向潔西，她就是那個籠罩我全身的陰影，而非桑傑。我的心跳聲如此之大，對我們的神經系統來講，夢境會像眞實世界一般去刺激它產生劇烈反應。

「我昏睡過去有多久了？」我問她。

「寶貝，就只有幾分鐘的時間。」她回應我的問題。「艾利克斯，讓我抱抱你。」

潔西在海灘巾上向我移過來。她的胸部磨擦過我的胸膛。當我睡著的時候，她已經把比基尼泳裝的上半部脫掉。她那身柔軟的肌膚，因爲塗抹過防曬油而閃閃發亮。她那性感雙唇微閉成一條細線。此時的她看起來美麗極了。

我坐了起來並且離潔西遠一點。我指向一個滿布九重葛的地方，幾乎就在海水旁邊。

「讓我們沿著海灘一路走下去，好嗎？我們去散散步，我想趁機跟妳說些事情。」

「什麼樣的事情？」潔西詢問我。當我推開她時，她非常明顯地感到失望，即便只是持續一會兒的時間。她想要在沙灘上做愛，但是我卻不想。

「來嘛，我們去走一走然後談談心。」我向她說道。「這種陽光照在身體的感覺舒服極了。」

我把潔西拉了起來，然後她才有點心不甘情不願地跟著我走。她也不想再麻煩地把上衣穿回去。

我們沿著海岸線走，雙腳浸在清澈、淨止的海水裡。我們兩個現在雖然沒有肌膚之親，但彼此間保持在幾吋的距離內，這種感覺是既怪異又那麼不自然。如果這還不算最慘的事，至少也是我生命當中最難熬的一段時間。

「艾利克斯，你的舉動好嚴肅。我們原本是要來這裡找樂子的，還記得嗎？我們現在有快樂嗎？」

「我知道妳做過什麼，潔西。雖然花了一點時間，但是我終於把所有的線索兜在一起了。」我這樣告訴她。「我知道妳將瑪姬．蘿絲．鄧尼從桑傑手上搶走，我還知道妳殺了她。」

85

「我想把所有的事情都談清楚。我身上沒有錄音設備，潔西，這應該再明顯不過了。」她爲我所說的話開始微笑，她的演技總是那麼精采。「我可以看出來你身上並沒有帶那些東西。」她回應道。

我的心臟以極快的速度跳動。「告訴我發生了什麼事，告訴我這一切究竟是爲什麼，潔西。說說我花了近兩年的時間所追求的眞相究竟是什麼，那是妳原先在一開始就知道的事。告訴我妳在此案裡扮演什麼角色。」

潔西的僞裝面具，也就是她總是那麼燦爛的笑容，終於從臉上消失。她的聲音聽起來很認命。「好吧，艾利克斯，我便告訴你一些你想知道的事，你就是不肯放手不去調查的眞相。」

我們繼續走下去，然後潔西終於告訴我事實的眞相。

「這件事是怎麼開始發生的呢？嗯，在最初的時候，我們只是在執行自己的勤務，我發誓這是眞的。我們是財政部長一家人的臨時褓母。傑若德．郭德堡並不是常常受到威脅恐嚇。哥倫比亞人曾一度威言恐嚇他，而他的反應就像一般人一樣，他反應過度了，要求特勤局保護他全家人。這就是所有事情的起源，那種跟監保護的細節，繁瑣到我們當中沒有一個人覺得那是必要的。」

「所以妳就把兩個無足輕重的探員派去保護他們。」

「事實上是兩個朋友，他們對我來說並不是無足輕重的人。我們認爲做到這種程度的保護，根本就是在浪費國家公帑。然後麥克有一次注意到有一名老師，一個名叫蓋瑞．桑傑的數學教師，已經有好幾次有意無意地在郭德堡住家外面徘徊。首先我們認爲他在迷戀那名小男孩。狄凡和伽克立認爲他可能是個男同性戀者，一切就是這麼簡單。但無論如何我們還是得查出他的底細。這些都是在狄凡和伽克立原始的工作日誌上所記載的事項。」

「他們其中一個人曾去跟蹤蓋瑞．桑傑嗎？」

「是的，跟蹤過他好幾次，也到過好幾個不同的地方。我們當時並不是很擔心這件事，但還是跟蹤著他的一舉一動。有一個晚上，查理．伽克立尾隨他進入東南區。我們並沒有把桑傑跟那裡發生的謀殺案聯結在一起，特別是那些命案報導從沒有在媒體上大肆曝光。你知道的，對媒體來說那只是更多的城內謀殺案罷了。」

「是的，我的確知道這個現象。你們對蓋瑞・桑傑是在什麼時候開始產生新的懷疑？」

「我們並沒有懷疑他會犯下綁票案，直到他眞的將那兩名小孩擄走的時候。在綁票案發生的兩天之前，查理・伽克立曾經跟蹤他去過一處位於馬里蘭州的農場。查理當時並沒有意識到會發生綁票案，因爲他也沒有理由做出此項推論。」

「但是他已經曉得那個農場的位置所在。當這件案子發生的時候，麥克・狄凡從學校打電話給我，他們當時想去追桑傑。那時便是我萌生搶奪贖金的念頭之際。其實我也不是很確定眞正的發生時間，或許在之前便有想過這個念頭吧。艾利克斯，這麼做實在太輕鬆了，只要三或四天，所有的辛苦都將結束，而且也沒有人會因此受傷，除了已發生的事之外，沒有人會再因此受傷，而我們可以得到那些贖金，那可是數百萬美元。」

潔西談到綁票計畫的時候，那種若無其事的模樣眞是令人感到害怕。她雖然把整件事給輕描淡寫了一番，但那個點子仍出自於她，並非狄凡或伽克立的主意，是潔西想出來的。她才是整件事的幕後黑手。「那妳把小孩子怎麼了？」我詢問她。「瑪姬・蘿絲和麥可後來怎麼了？」

「他們已經被綁架，我們也沒有辦法阻止已經發生的事情，於是我們去監視那間位於馬里蘭的農場。我們很有自信地認爲那些小孩不會出什麼事情，因爲桑傑只是個數學老師，我們並不認爲他會傷害小孩子。我們猜想他只不過是個業餘的綁匪罷了，因此一切全在我們的掌控當中。」

「他可是把小孩裝進箱子，然後再埋進地底下啊，潔西。最後麥可・郭德堡還因此死亡了。」

潔西凝望著大海，她慢慢點了點頭。「是的，那個小男孩最後死了，那改變了所有的事情，艾利克斯，而且是永久改變。我不曉得我們當初是否能阻止這一切發生。當時我們只是潛入屋內並帶走瑪姬・蘿絲。雖然我們達成自己的綁架需求，然而整個計畫卻也因此改變了。」

我們兩人仍沿著正在閃閃發光的海水散步。如果當時有任何人看到的話，可能會猜想我們是一對情侶，正在嚴肅地討論我們之間的關係；是的，後面這個部分倒是再正確不過。

潔西最後終於望向我。「我想要告訴你，我們之間進展到什麼地步，以及我所有的秘密，其實一切不是像你想的那樣子。」

我對她這一席話感到無言以對。因爲它讓我感覺好像再次站在月亮的黑暗面，那麼的無知，而我的情感正要爆發。我的心裡正不斷地尖聲大喊。但我還是讓潔西繼續說下去，讓她持續說話，我的感覺現在都已經不重要了。

「當你我之間開始認識的時候，那是在佛羅里達州，我當時需要知道你到底能找到哪些線索。我想要一個能從華府警局內部向我提供訊息的人。你本來就可以成爲一個好警察，而且你還是一個剛正不阿的人。」

「所以妳利用我來替妳掩護一切。妳選上我做爲交付贖金的人選，這是因爲你無法信任聯邦調查局裡的人。妳總是用專業的眼光來思考事情，潔西。」

「我知道你不會做出任何可能危害到小女孩安全的事情，我也知道你會乖乖交付贖金。但是一切複雜的事情發生在我們從邁阿密回來以後，我不曉得確切的發生時間，我發誓這些都是眞實的。」

當我聽她說出這番話，我的內心感覺既麻木又空洞。我的身上滲出涔涔汗水，但不是因爲太陽的曝曬。

我正在猜想潔西是否有帶槍枝到這個小島上來？**她總是以職業的角度辦事**，我再度提醒自己一遍。

「不管現在結果如何，我已與你墜入情網，艾利克斯，我是眞的愛上你。爲了你，我可以放棄追尋很多事情。你是那麼溫暖又有內涵，還有如此深情、善體人意。戴蒙和珍妮也讓我動心。當我和你在一起的時候，我覺得自己的生命完整了起來。」

我覺得有一點暈眩，同時有點想嘔吐。這種感覺跟瑪麗亞過世大約一年後的情況完全一樣。「不管後來的情況變成如何，我也愛上了妳，潔西。我試著不要這麼做，但是我無法克制自己。我只是無法想像，有誰會像妳這樣欺騙我，對我說謊並且欺瞞我所有一切，使我現在仍然無法相信妳說過那些謊言。那麼妳跟麥克．狄凡的關係呢？」我向她詢問。

潔西聳了聳肩膀，這就是她唯一的答案。

「妳犯下了一件完美的罪行，一件堪稱大師的傑作。」我這麼告訴她。「妳創造出蓋瑞．桑傑總想要犯下的偉大罪行。」

潔西的眼神望向我的雙眼，但她似乎看穿我的心思。現在整個謎團只剩下一塊尚未被解開——還有一件最後的事是我必須知道的。

一個令人難以想像的細節。

「那個小女孩結果如何？妳，或是狄凡和伽克立，究竟對瑪姬・蘿絲做了什麼事？」

潔西搖了搖頭。「不行，艾利克斯，那部分的事我不能告訴你，你知道我不能說的。」

當她開始吐露事情眞相以後，她便把雙手環抱在胸口，現在她的手臂還是緊緊環抱在胸前。

「妳怎麼可以殺害一個小女孩？潔西，這種事妳怎麼下得了手？妳怎麼可以就這樣殺害瑪姬・蘿絲・鄧尼呢？」

潔西突然間轉身，並背對我急奔而去。這實在是太突然了，即便是以她的身手而言。她朝向海灘陽傘以及浴巾那裡跑去。我迅速踏前一步並抓住她的雙手，還好我抓住她的肘彎。

「**把你的雙手從我身上拿開！**」她放聲尖叫，面部表情開始扭曲。

「或許妳可以拿瑪姬・蘿絲的訊息與我**交換**妳的罪行減輕。」我向她大聲叫嚷做爲回答。「或許我們可以做個情報交換，潔西！」

她的身子轉了過來。「他們不會讓你重啓此案的調查，別再自欺欺人了，艾利克斯。他們手上沒有我的任何把柄，你也沒有，所以我不準備跟你談交換條件。」

「是啊，是啊，妳想的可眞周到。」我如此說道。我的聲音從大聲叫喊直到變成輕聲低語。「**是的，妳會**，潔西。妳將會跟我交換條件……**妳一定會的**。」

我的手指向四周的峽谷以及棕櫚樹，如果再從沙灘更往島內核心走近一看，樹林將愈長愈茂盛。

桑普生從他藏匿的島內樹林深處站起來，他手中揮舞著某樣東西，看起來像是銀色的指揮棒。他拿在手上的東西，其實是一個長距離麥克風。

兩個聯邦調查局探員也站出來向我揮手致意。他們站在桑普生身後。從當天早晨七點以前，他們便隱身叢林。這些探員的臉和手臂都被曬得通紅，就像龍蝦的顏色一般。桑普生大概剛做完這輩子最久的一次日光浴吧。

「我的朋友桑普生就站在上面。從我們開始散步以後，妳所講出來的一切全被他給錄下來了。」

潔西將眼睛閉上幾秒鐘，她沒有料到我會做得這麼絕，也沒有想到我竟會使出這一招。

「現在妳願意跟我們談談妳是如何謀殺瑪姬．蘿絲了吧。」我向她命令道。

她的眼睛重新張開，而它們看起來又小又黑。「你搞不懂這一切，你就是沒辦法瞭解，對不對？」她向我反問。

「我又不懂哪些事了，潔西？請妳告訴我哪些事是我不懂的。」

「你持續在找尋人性當中的優點，但是那根本不存在！你的案子會被別人搞砸，而你最後會看起來像個傻子，一個完完整整、徹徹底底的笨蛋。他們即將再次拒絕你的請求。」

「或許妳講的是正確的，」我說道，「但至少我擁有這一刻的成就感。」

潔西想撲過來打我，但是被我用前臂擋住拳頭。她的身體扭成一團後終於倒下。她雖跌得很重，但是比起她應得的報應可還差得很遠。潔西的臉上此時充滿著又驚又怒的表情。

「這只是一個開端，艾利克斯。」她坐在沙灘上撂下狠話。「你也變成了一個混帳東西，眞是恭喜你了。」

「不，」我告訴潔西，「我感覺很好，我這樣做沒有什麼不對的地方。」

我讓聯邦調查局的探員以及桑普生對潔西．佛萊娜根做出正式逮捕動作，然後我便搭乘一班小型快艇回到旅館。隨後我在一個小時內便打包好行李，踏上回到華盛頓特區的路途。

86

在我們回到華盛頓特區的兩天以後，桑普生和我又回到工作崗位上繼續奮戰。我們準備動身前往玻利維亞的城市烏優尼，因爲我們有充分的理由和希望，並且相信最終一定可以找到瑪姬．蘿絲．鄧尼。

潔西重複不斷地說，她想以訊息交換罪行減免。然而，她拒絕跟聯邦調查局的人員對談，**她只願意與我交換情報**。

烏優尼在安地斯山脈上頭，是一個位於首府奧魯羅市南方一百九十一英里的小城市。到達該處的唯一辦法便是乘小飛機先飛到穆雷多市，然後再坐吉普車或休旅車至烏優尼市。

一輛福特探險者載著我們八個人踏上最後這一條難走的道路。車上與我同行的有桑普生、兩名從財政部派來的特別探員、美國派駐玻利維亞大使、本車駕駛，最後是湯瑪士及凱薩琳．蘿絲．鄧尼夫婦。

在過去累垮人的三十六個小時裡，查理·伽克立和潔西都已願意用瑪姬·蘿絲的資訊來交換減刑。至於被屠殺的麥克·狄凡，屍首被人發現陳列在他華盛頓特區的公寓裡。當屍體被找到以後，獵捕蓋瑞·桑傑／默菲的行動也益發劇烈，但是截至目前爲止，我們仍一無所獲。蓋瑞此刻一定在電視上看到我們前往玻利維亞的新聞報導。當然，蓋瑞會覺得是在欣賞自己的故事。

伽克立和潔西對整個綁架案的說法完全如出一轍。他們原本有機會可以在拿到一千萬美元的贖金後便遠走高飛，但他們不能將小女孩放回來，因爲他們要讓警方相信桑傑／默菲才是綁票者；那個小女孩的出現會毀掉這一切。不過他們打消了殺死瑪姬·蘿絲·鄧尼的念頭。不管如何，這些都是他們在華盛頓特區所做出的證詞。

在通過安地斯山脈的最後幾哩路程時，桑普生和我靜靜地坐在休旅車裡不發一語。每個人都一樣。

當我們接近烏優尼市的時候，我觀察了鄧尼夫婦的反應。他們倆靜靜地坐在一起，彼此之間還有一點距離。就像凱薩琳曾告訴我的那樣，失去瑪姬·蘿絲這件事，幾乎摧毀他們的婚姻。我因此想起自己在一開始的時候，有多麼喜歡他們兩個人。我仍然很欣賞凱薩琳·蘿絲，在這趟旅程當中我們也聊過一會兒。她熱情地向我道謝，我永遠都不會忘記那一幕。

我希望他們的小女兒，在這趟漫長而恐怖的苦難即將結束之際，能夠在那裡安全地等待我們的到來……我想到瑪姬·蘿絲·鄧尼——這個我從未曾見過面的小女孩，而我們就快要見到彼此了。我想到那些祈禱她平安歸來的所有禱告，以及在華盛頓特區的法庭外張貼的告示牌，還有那許多在窗臺上為她禱告的蠟燭。

當我們開過一個村莊的時候，桑普生用手肘撞了我一下。「抬頭看一看那裡的山丘，艾利克斯。我不會說看到這些景觀讓我們的一切努力都變成值得，但是這或許代表我們已經接近達成目標。」

休旅車正在烏優尼市的小村莊裡，向上爬越一個陡峭的斜坡。用錫和木頭打造而成的簡陋小屋，陳列在這條硬是從岩石當中開出的小徑兩旁，從一些錫屋的屋頂上還會冒出一陣濃煙。這條狹窄的巷道似乎是持續向上通往安地斯山脈。

瑪姬．蘿絲正站在半山腰上的馬路等著我們。

這名十一歲的小女孩，站在造型幾乎是一模一樣的錫屋前面。她跟其他帕蒂諾家庭的一些成員站在一塊兒。她已經跟這個家庭的人生活在一起快兩年了。看起來這個家族裡，還有一打以上的小孩居住在一起。

從大約一百碼距離這麼遠，當這輛休旅車在這條充滿車輪痕跡的泥濘道路向上賣力開動的時候，我們都可以清楚地看見她的面容。

瑪姬．蘿絲跟其他那些帕蒂諾的小孩一樣，都穿著同樣鬆垮的圓領汗衫、棉質短褲，上面還繫了一條皮帶。但是她那頭金髮讓她看起來特別醒目。她的皮膚曬得很黝黑，然而身體狀況看起來十分健康。她的外貌看起來就好像她那美麗的母親。

帕蒂諾家庭成員對她的眞正身分一點都不知情，他們在烏優尼市從來沒聽過瑪姬．蘿絲．鄧尼的新聞。甚至在鄰近的普拉卡優，或是在高聳的安地斯山脈上，距離此十一英里遠的烏比那，都不知道這個消息。我們從玻利維亞的官方與警局方面，只能得到這麼多資訊。帕蒂諾家族被人付費並要求把這個小女孩看守在村莊內，一方面保證她的安全，但另一方面也不能讓她逃跑。狄凡曾告訴瑪姬，她根本逃不到哪裡去。如果她敢嘗試，她會被抓到以後再毒打一頓，然後還會被關在地底下很長很長一段時間。

現在我無法將自己的目光從她身上移開。眼前的這個小女孩，對那麼多人來講有多麼的重要。我想到關於她的無數張照片和海報，無法置信，她此刻竟然眞的站在我眼前。在經過了這麼久的時間以後。

當她看著這輛美國大使專屬的休旅車從山下爬坡上來的時候，瑪姬．蘿絲臉上沒有笑容，對這一切沒有任何反應。

對於有人終於爲了拯救她而前來這裡，以及她已經被救出來的這個事實，似乎並沒有令她感到很開心。

她的表情看來很迷惘，有點受到驚嚇，而且怕生。她一下往前踏出一步，然後又退後一步，並回頭看著她的那些「家人」。

我懷疑瑪姬．蘿絲是否知道現在究竟發生了什麼事。她的精神已經嚴重受到創傷。我甚至懷疑她現在是否對外在的事物還能有所感覺。我很高興自己能夠到這裡提供必要的協助。

我又再度想到潔西，然後便不自主地搖起頭來，我腦海裡的風暴仍未曾停歇。她怎麼能夠對這個小女孩做出這麼殘忍的事？只爲了那幾百萬美元？即使爲了全世界已知的所有錢財也不應該這麼做！

凱薩琳．蘿絲是第一個衝下車的人。在此同一瞬間，瑪姬．蘿絲張開她的雙手。「媽咪！」她大聲哭喊了出來。然後，只猶豫了不到一秒鐘的時間，她往前跳了上去。瑪姬．蘿絲跑向她的媽媽，她們衝進彼此的懷抱。

就在下一刻，我從淚眼模糊的眼角中，已看不大清楚眼前的事物。我看了看桑普生，也看到幾滴眼淚從他的墨鏡後面流了出來。

「我們是兩名堅強的警探。」他邊說邊向我做了個鬼臉。這就是我所喜歡的他──這是孤獨野狼的微笑。

「是啊，我們肯定是華府警局內最棒的一對。」我回道。

瑪姬．蘿絲終於踏上回家的路程，她的名字一度在我腦海中就像咒語般揮之不去──瑪姬．蘿絲、瑪姬．蘿絲。現在一切的努力都值得了，只爲了欣賞最後這個感人的一幕。

「全案偵查終結。」桑普生宣布破案了。

第六部

克羅斯之家

87

克羅斯之家就在這條街的對面。它就這麼佇立在那裡，平淡中散發出謙卑的光芒。

那個壞小孩正被屋內橙色燈光所散發出來的光芒給迷惑住。他的眼光在窗戶之間遊移，好幾次，他從窗戶中看到一個黑人老太太，拖著龐大的身形往樓下走去。這一定是艾利克斯‧克羅斯的祖母，不用懷疑。

他知道這個女人叫什麼名字，娜娜媽媽，他也知道艾利克斯打從還是小孩子的時候便這麼稱呼她。在過去這幾個星期，他試著去瞭解任何有關克羅斯家的事蹟。他現在已經計畫好該如何處置他們這一家，那是一個乾淨俐落又充滿幻想的點子。

有時候這個壞男孩喜歡像這般被人們所恐懼，他也會害怕自己所做出的行為，甚至替屋內人的安危感到擔心。但是只要他能夠控制這種感覺，他就能從中享有樂趣，而且他還能夠隨心所欲地將這種感覺召來又喚去。

他終於開始敦促自己離開現在藏匿的處所，往前更靠近克羅斯家一點。他想**成為他們的恐懼來源**。

當他全身上下充滿這種恐懼感的時候，他的感覺便會更為敏銳。他可以在非常長的一段時間內，集中注意力及焦點於某項事物。當他穿越第五街的時候，他的潛意識裡，除了這間房子和裡頭的人以外，並沒有別的事物可以干擾他。

這個壞男孩隱身進入圍繞著房屋周圍的草叢中。他的心跳現在變得很強勁，而呼吸開始變得又短又急促。

他先深深吸了一口氣進去，然後再讓空氣緩緩從嘴巴當中流出來。**慢慢來，享受這一切，**他這麼告訴自己。

他轉過身來好**背對**著這間屋子。他可以眞正感覺到溫暖的空氣從背後的牆上傳送出來。他透過枝葉間的縫隙來觀賞街上的車水馬龍。東南區的燈光總屬於較昏暗的一處，這裡的路燈就算壞了也沒人會來換修。

現在他可小心翼翼多了，他正在慢慢享受那甜美的時光。他注視街道上的一舉一動已長達十分鐘之久。沒有人看見他，這次可沒有人監視他的行動了。

「最後做出這個動作後，我就可以轉身去犯下更大更重要的案件。」他心裡這般想著。有些時候他自己都搞不清楚只是心裡在默想，還是嘴巴眞的有唸出聲。太多的事情現在一口氣全部同時湧向他，通通合而爲一了：他的想法、他的文字、他的行動，以及他對自己所陳述的那些故事。

在這個特別的夜晚之前，每一個做案的細節已被他試想了好幾百回。一旦等他們全部都睡熟了以後，也許是在清晨兩點至三點之間，他要帶走那兩個小孩子，戴蒙和珍妮。

他要先用藥迷昏他們，就在他們倆位於二樓的臥房內。他要趁警探／醫師艾利克斯·克羅斯在昏睡中做完這個案子。

他必須這麼做。聲名卓著的克羅斯博士現在需要承受極大的苦難才行。克羅斯必須成爲新綁票案裡的部分成員。這就是整個案件中最重要的部分。這才是唯一值得犯下此案的動機，因為他將成為最後的勝利者。

並非克羅斯需要更多額外的辦案動力，而是此案一發生他就非得辦下去不可，不計任何代價。首先，這個壞男孩要殺了那位老女人，也就是克羅斯的祖母。然後他還要去小孩們的房間裡面。

當然這些案件將永遠不會被偵破。克羅斯家的小孩也永遠不會被找到。此案綁匪將不會要求贖金。然後，他終於可以放下這一切去做別的案子。

他會忘了克羅斯警探這個人，但是艾利克斯・克羅斯則永遠也忘不了他的名字，或者是他那些失蹤的孩子們。

蓋瑞・桑傑／默菲轉身朝向這間屋子前進。

88

「艾利克斯，有人潛進我們家裡。艾利克斯，有陌生人現在就在我們的身邊。」娜娜媽媽靠近我的耳朵旁邊輕聲低語。

在她講完這些話以前，我已起身跳下床鋪。在華盛頓特區街上混了這麼多年，我已學會行動一定得敏捷才行。

我聽到極為輕微的重物撞擊地板的聲音。是的，肯定有某個陌生人在這個屋子裡，這個噪音並非由我們家那臺老舊的暖氣系統所傳出來。

「娜娜媽媽，妳待在這裡別動。直到我呼喚妳的名字，否則別出來。」我對著祖母輕聲囑咐。「當情況解決了以後，我會大聲叫嚷喚妳出來。」

「讓我打電話報警，艾利克斯。」

「不，妳乖乖地待在這裡別動。我自己就是警察呀，待在這裡吧。」

「小孩怎麼辦？艾利克斯。」

「我會去救他們，妳乖乖待在這裡，我會把小孩們帶過來。這次請妳遵照我的命令一回，**請聽我的指揮**。」

樓上漆黑的走廊並沒有任何人影。反正是沒有我可以看得到的人。當我快速衝到小孩房間時，我的心跳不由自主地加速跳動。

我傾聽房間裡是否還有其他聲音，四周圍實在太過於寂靜。我思考著這件恐怖的惡行：**有人潛入我們的家**。我把這些雜念逐出腦海。

我必須將注意力集中在**那個人**身上，我知道出現在這裡的那個人是誰。自從桑普生和我將瑪姬．蘿絲拯救回國以後，我便讓自己在好幾個星期內都保持警戒。最後，我的警戒程度才剛剛鬆懈了一些，這位老兄**馬上**就出現了。

我急忙跑向孩子們的房間，一開始便從樓上的走廊往下跑去。

我推開那扇吱吱作響的門。戴蒙和珍妮仍各自在他們的床上熟睡著。我得將他們快點叫醒，然後把他們都抱到娜娜媽媽身邊。因爲有小孩子的關係，我從未把配槍放在樓上，它被我放在樓下的小秘室裡。

我將放置在床鋪兩旁的電燈泡轉開來。**沒反應！**燈光竟然沒有跟著亮起來。我想起桑德斯以及透納家所發生的命案。桑傑非常喜歡黑暗，在黑夜犯案已經變成他的註冊商標，這裡有他的風格存在。他在犯案前總是喜歡把電源切掉，而依照目前這種樣子研判，這個瘋子應該在我們的屋子裡。

突然間，我被驚人的力道給重擊了一下。有某種東西像一輛快速失控的卡車撞向我，我知道那是桑傑幹的。他剛才偷襲我！他幾乎只用一拳的力量，我便不支倒地。

他眞是既兇狠又強壯的人。在他的人生當中，他的身體，以及他全身上下的肌肉，都因爲犯過多起命案，所以可以一下緊繃但又馬上放鬆。自從桑傑小時候被鎖在自己父親房子的地下室裡，他就一直在勤練耐力。他在過去近三十年來已經被傷得很深，因此才計畫要向這個世界討回一些公道；他也計畫得到他認爲自己應得的名望。

我要成為大人物！

他又發動攻擊，我們兩個同時倒下並伴隨著一個很大的撞擊聲，空氣也從我的胃部被擠了出來。

我腦袋的一邊撞到小孩櫥櫃最堅銳的邊緣，這時我的視線開始模糊起來，耳朵也充滿嗡嗡作響的聲浪。從我的眼睛望出去已是一片金星亂舞。

「克羅斯醫生，剛剛是你嗎？你是否忘記這場表演誰才是主角啊？」

當他大聲叫著我的名字時，我僅能勉強看到蓋瑞・桑傑的臉。他試著用震耳欲聾的尖叫在實質上傷害你，他的聲音就像一種堅銳的武器。

「你碰不著我的一根汗毛！」他又再度大聲叫喊。「你是抓不到我的，醫生！你明白了嗎？你難道還不明白嗎？我才是整個案子的明星，不是你！」

他的雙手和臂膀都是血跡斑斑，到處都是血，我現在可以看得清楚了。但是他到底傷了誰？他在我們的房子裡已經做過了什麼事？

我可以看到小孩的房間裡那個移動黑影的外形。他的一隻手裡高高舉起一把刀子，從我這個角度看起來斜斜的。

「我是這裡的明星！我是桑傑！默菲！不管我想變成什麼樣的人！」

我瞭解是誰的鮮血滿布於他的手掌和手臂。那是**我的血**。當他第一次攻擊我的時候，已經刺傷我了。

他舉起手中的刀子以展開第二次攻擊，而且發出像動物一般的吼叫聲。小孩們都被嚇醒了。戴蒙尖叫道：「爹地！」而珍妮則開始哭泣。

「孩子們，快點離開這裡！」我大聲叫道。但是他們已經因爲太過驚恐，而沒有力氣離開他們的床鋪。

他先用刀子佯裝攻擊孩子那裡，然後那柄刀子再度向我砍來。我身體向旁邊移動，刀子就在我的肩膀斜斜地劃過了一記。

這一次我便感到疼痛，而且能夠清楚感受到是哪裡在痛。桑傑的刀子劃破了我的肩膀肌肉。

我對著桑傑／默菲大聲喊叫，小朋友們則持續在哭。我現在眞想殺了他，而我心底的憤怒快要爆發出來了。對這隻待在我屋內的野獸，我除了憤怒沒有其他的感覺。

桑傑／默菲再度舉起他手上的刀子。那柄致命的刀鋒是如此長，而且鋒利到讓我甚至於沒有感覺到第一個傷口的存在。那一刀是如此乾淨俐落。

我聽到另一聲尖叫——那是一聲猛烈的大叫。在這詭譎的幾秒內，桑傑呆立在那裡不動。

然後他一聲咆哮，轉過身去。

一個影子從門的旁邊跑過來攻擊他。娜娜媽媽分散了他的注意力。

「這是我們的房子！」她用盡全部力量憤怒叫嚷出來。「滾出我們的房子！」

在小朋友的衣櫃上有一道光芒吸引了我的目光。我跑過去並將放在珍妮的紙娃娃書上的那柄剪刀取在手上，那是其中一把娜娜媽媽拿來剪羊毛的剪刀。

桑傑／默菲用他的刀子再度劃向我。這是他在社區犯下謀殺案時用過的同一把刀子嗎？還是用來殺害薇薇安・金老師的兇器？

我拿剪刀向他揮舞，立即感覺到刀割過肉的觸感。這把剪羊毛的剪刀從他的臉頰劃了過去。他的哭嚎在臥室裡掀起一陣迴音。「王八蛋！」

「這是給你的一點小小教訓。」我怒罵著。「現在是誰在流血啊？桑傑還是默菲？」

他嘴裡叫嚷著一些我聽不懂的話，然後他又向我衝來。

這次剪刀刺到他脖子上面的某處，他跳了回去，把剪刀從我的手上拉了過去。

「放馬過來吧，你這個混帳東西！」我大聲叫嚷。

突然之間他往後退了幾步，並且蹣跚地跑出小孩子們的房間。他從未對娜娜媽媽發動攻擊，那是他心裡面惡毒後母的代表形象。也或許是因爲他已經受了太嚴重的傷害以致於無法還擊。

他用雙手抱住臉。當他跑出房間的時候，他的聲音提高成一個既尖銳又刺耳的尖叫。他有可能又是處在人格轉換的邊緣嗎？還是他已經徹底迷失在他那些幻想裡面的其中一個呢？

我用一隻膝蓋跪了下來，而且想要待在這裡別動。那些叫聲在我的腦袋裡產生很大的轟隆聲響。我試圖要站立起來。鮮血飛濺得到處都是，我的襯衫上面、我的褲管周圍，以及我那雙光腳踝。這當中包括了我的血，也有他的血在裡面。

一陣突然湧上來的腎上腺素激勵我再度奮戰下去。我抓起一些衣服，然後在桑傑後面追了下去，他這次跑不遠了，我不會再讓他逃走。

89

我衝到小房間裡抓起我的手槍套。我知道他一定事先做過詳細規畫——以防他需要逃跑的時候，能在最短的時間內逃離現場。他對每個犯案步驟一定重複思考過好幾百次。這個人總是喜歡活在自己的幻想世界裡，而非現實世界。

我猜想他可能會離開我們的房子。**先逃離這裡**，以後還可以有東山再起的機會。我的思考模式開始跟他愈來愈像了嗎？我想是的，這眞是一件令人害怕的事。

我們家的前門被打得大開，至目前爲止我在他的背後還沒跟丟。鮮血弄髒了整個地毯。他會不會是故意留下線索引誘我踏上去呢？

如果在我們家的這次犯罪行動失敗，蓋瑞・桑傑／默菲會到哪裡去藏匿？他總是會預先想好一個備用方案，哪裡會是他藏身的最佳場所呢？哪裡才會是讓我們完全意想不到的地方呢？隨著鮮血從我的側面和左邊肩膀不斷地滴下來，我發現那已開始阻礙我的思考能力。

我搖晃著奔到外頭，進入暗茫茫的黑夜，空氣冷得有點刺痛。我們的街頭就像它慣常有的一般寂靜無聲。現在是凌晨四點，我對他可能的去處僅有一個想法。

我在猜想他是否知道我竟然試圖追捕他？他已經準備好迎接我的到來嗎？桑傑／默菲的思考仍然領先我兩步嗎？截至目前爲止，他一直具備如此的能力。我必須超前他的思考邏輯——只要這一次成功就好。

在地底下前進的地鐵，從我們家算起到第五街是一站的距離。附近仍有隧道正在興建當中，但是已有鄰近的一些小孩跑到底下去，行走那一條直通國會山莊的隧道……這是一條**地下秘密通道**。

我蹣跚著前進，而且是邊走邊跑到地鐵入口。雖然身上的傷口隱隱作痛，但是我不大在乎。因爲**他竟然闖進我家裡面，他竟敢動起綁架我家小孩的念頭**。

我走下階梯以進入隧道內部，然後把手槍從掛在肩膀上的皮套內拔出來。我每動一步都會牽動身上的傷口，感覺相當疼痛。我蹲低身形，在這條狹長的隧道裡前進。

他有可能正在監視我的一舉一動。他有可能預先想到我會追到這裡來嗎？我在隧道內潛行，這有可能是個陷阱，這裡到處都有讓他藏身之地。

我直接走到隧道最尾端，但是那裡卻沒有鮮血的蹤跡，四處都沒有。桑傑／默菲並沒有躲在地下隧道，他往其他方向逃離，這次又讓他脫逃成功。

隨著腎上腺素的作用衰退，我感覺身體既虛弱又疲倦，而且還失去了判斷能力。我爬向石階並準備離開地底下。

夜貓子們在地鐵站的報攤以及福斯通宵營業的宵夜店外頭來來往往。我的外表現在看起來一定是一團糟。我的身上濺滿了鮮血，但是卻沒有人想停下來幫助我，連一個人都沒有。在這個國家的首府裡面，他們已經看過太多類似的殘忍畫面，所以早就見怪不怪了。

最後我終於停步在一輛正在運送一大疊《華盛頓郵報》的卡車司機前面。我告訴他自己是一個警察。因爲失血過多，我感覺自己有點輕飄飄的，現在還有點頭暈目眩。

「我沒有做什麼錯事啊。」他跟我這麼說。

「你沒有持槍射擊我吧，混帳東西？」

「不，長官，我沒有。你是怎麼了，發瘋了嗎？你眞的是一名警察？」

我叫他用運送報紙的卡車載我回家。在整趟短短六個街區的路程當中，他向我發誓將來一定會去告發市政府。

「要告就去告蒙瑞市長，」我這樣告訴他，「把他告到倒爲止。」

「你眞的是警察嗎？」他又把同樣的問題問了我一次。「你的行爲眞不像個警察。」

「別懷疑，我就是個警察。」

巡邏車與緊急救護車早已聚集在我家門口，這個景象再度提醒我那場已發生的惡夢——**這裡就是第一犯罪現場**。在此之前，從沒有警察和救護車眞正來到我家。

桑普生已經在那裡等我了，他身上穿著一件破爛又老舊的巴爾地摩金鶯隊圓領汗衫，外面罩了一件黑色皮大衣，頭上則是戴了一頂胡度·葛魯斯演唱會的紀念帽。

他看著我的神情，好像我已經發了瘋似的。警車上紅色與藍色的緊急事件警示燈在我身後不停轉動。「感覺頭暈嗎？你的臉色看起來很差，感覺還好吧，兄弟？」

「被人用獵刀捅了兩次，但是情況並沒有比我們上回在加菲爾德市中槍那次來得糟糕。」

「嗯，可是你看起來比想像中嚴重，我要你在前面這片草坪上躺好，現在就立刻躺下來，艾利克斯。」

我點了點頭，並且離開桑普生面前。我需要解決這件事情。不論如何，**這件事一定得先終結**。

緊急醫療小組的人員正在嘗試幫我在草坪上躺下來。但是我們的草坪又太過迷你，他們想乾脆把我抬上擔架。

我突然有另一個念頭襲過。**我們家的前門被桑傑打得大開，他不關上門便揚長而去，為什麼？**

「你們去忙該忙的事情吧。」當我走路穿過這些醫護人員的時候，如此對他們說道。「但是得留下那一床擔架。」

人們對著我大喊，但是，無論如何我還是得往前走。

我安靜且故意地走過客廳，接著進入廚房。我打開廚房裡那扇與後門成對角的門，然後再快步往下走進地下室。

在地下室裡我並沒有看見任何東西的蹤影，也沒有任何物體在移動，每一件東西都是井然有序地擺在那裡。地下室是我想到最後一個，他有可能藏匿的地方。

我走到一個位於暖氣爐旁邊的容器，那裡是娜娜媽媽把所有的髒衣服丟進去準備下次洗滌的地方，也是從樓梯間算起來距離最遠的地下室角落。這裡面的黑暗角落全部都沒有桑傑／默菲藏匿的身影。

桑普生從地下室的階梯上頭衝了下來。「他不在這裡面！有人看到他在市中心出沒，他剛才出現在都彭圓環附近。」

「他想再多犯下一起驚天動地的案件。」我低聲咕噥。「狗娘養的傢伙！」林白之子。

桑普生並沒有試著要我別跟他去，反正他從我的眼神判斷也知道阻止不了我。我們快速跑向他的車子那裡。我覺得自己的身體狀況還算可以，如果真的不行，我是會寧願放棄不做的那種人。

一個在附近的年輕混混，注視著我胸前襯衫上面的那一片黏稠血跡。「克羅斯，你快死了嗎？那真是好極了。」他替我說出了我的死後頌詞。

我們花了大約十分鐘左右的時間，開車到達都彭圓環。警方的巡邏車到處停放，滿滿的都是——在黎明尚未破曉之前，詭異的紅藍相間警車燈號，在這裡閃爍不停。

對於這些大部分屬於執大夜班的警察，現在的時間也太晚了，但是沒人希望這個時候華盛頓特區裡會有一個瘋子仍在外逃亡。

此人正在想著**如何再犯下另一件大案子**，因爲**他想要成名**。

在接下來的大約一個小時之內，並沒有發生任何事情——除了天色漸漸明亮起來。這個圓環的周圍已開始出現行人的足跡。當華盛頓特區的店家開始準備營業時，附近的車流量也漸漸大了起來。

這些早起的行人對於發生的事感到好奇，紛紛停下來詢問警方發生了什麼事。而我們當中沒有人跟這些民衆吐露相關細節，除了跟他們宣導：「請你們繼續往前行進，就只要往前走別管其他事，請你們配合，這裡沒什麼好看的。」謝天謝地。

一名緊急醫療團隊的醫師診治過我的傷口，除了傷口面積很大之外，我還流了過多的血。當然，站在醫生的立場，他希望我直接去醫院報到。但是那件事可以等。因爲桑傑可能還要再犯案。作案地點是都彭圓環嗎？就在這個華盛頓特區的市中心鬧區？蓋瑞・桑傑／默菲**十分喜歡在首都犯案**。

我要緊急醫療團隊的醫師退後，他也聽了我的話。我開始吸食止痛嗎啡，它們的確在短時間內便發揮了止痛功效。

桑普生站在我旁邊，嘴裡叼著一根雪茄。「你將會跌倒，」他告訴我，「你會整個人塌下來，就像某些巨大的非洲象罹患突發的心臟病一樣。」

我正在品嘗止痛劑帶來的舒適感。「倒下並非是因爲突發而來的心臟病，」我告訴他，「大隻的非洲大象，是被人用刀子給刺了好幾回。而且那也不是一隻大象，它是一隻非洲羚羊，屬於非常高雅、美麗，同時具有力量的野獸。」

我終於開始朝向桑普生的車子走回去。

「你有想到什麼線索嗎？」他在背後叫住我。「艾利克斯？」

「是的，讓我們駛離這個地方。都彭圓環這裡並沒有一個好的藏身地點，他也不會選在交通的尖峰時刻持槍掃射。」

「艾利克斯，這件事你確定嗎？」

「我有十足的把握。」

我們在華盛頓市區開車到處繞，一直到早上快八點才停止。我們慢慢感到絕望，我在車上也開始眞正覺得很疲倦了。

這隻大非洲羚羊大約準備好倒下來了，汗水也從我的睫毛中間滑過，滴到我的鼻子上頭。我試著用蓋瑞・桑傑／默菲的邏輯來思考事情。他現在位於市中心嗎？或者是他已經逃離華盛頓特區呢？

然而七點五十八分的時候，車上的無線電傳來一通訊息。

「在賓州大道發現嫌犯的蹤影，此處靠近拉法葉公園。嫌犯的手上擁有一把全自動武器，目前他正在接近白宮當中，請全體車輛集合至同一處以追趕嫌犯！」

桑傑想再幹一票大的，至少我終於弄懂一點他的心思了。當他們發現桑傑的蹤影時，他的位置距離四點鐘方向的賓州大道已少於兩個街區，也就是說他的位置距離白宮已非常近。

我要成為大人物！

他們把桑傑目前所在的位置，鎖定到一間修鞋店跟一棟設滿律師事務所的高級建築物之間。他正用一輛停在當地的吉普車當作掩護。

還有一件事相當棘手，那就是他的身邊還帶著人質。他把兩名今天早上原本走在上學途中的小朋友擄了過來。這些小孩看起來大約十一或十二歲，跟蓋瑞開始被後母鎖起來以後的年紀約一樣大。人質是一個男孩一個女孩，根本就像是瑪姬・蘿絲與麥可・郭德堡兩年前的翻版。

「我是分隊長克羅斯。」我說罷便通過警方早已經架好、橫跨在賓州大道上的路障。從街頭望去，白宮非常清晰可見。我在猜想，總統此刻是否正透過電視觀賞我們的行動，因為現場至少有看到一輛CNN的新聞轉播車正在待命。

好幾架新聞臺的直升機在我們的頭頂上飛過，由於這裡是白宮領空的限制飛行區，因此他們並不能飛得太靠近。有人說蒙瑞市長已經在趕來這裡的路途上，但是蓋瑞心裡頭可是裝著更大的一尾獵物。他要求晉見美國總統，若不依從，他就要殺了那兩名小孩。

在我視力所及最大的距離範圍之內，賓州大道及交會的幾條街道上的交通早已打結。好些駕駛以及乘客乾脆走下交通工具，把車子丟在馬路上不管。然而他們當中許多人是停在這裡趕著看熱鬧的。現在應該還有數百萬人正在收看電視轉播才對。

「你認為桑傑正在往白宮的方向前進嗎？」桑普生向我問道。

「我或多或少知道，他現在的心裡正打著哪些鬼主意。」我回道。

我跟路障後頭的反恐特警隊（譯註：Special Weapons and Tactics，美國的特種警察部隊，專長特殊武器及戰略的使用，簡稱ＳＷＡＴ）指揮官溝通了幾句話。我告訴他蓋瑞・桑傑／默菲已經做好最壞的準備，他隨時會有跟大家一塊同歸於盡的想法。

一個談判專家已經到達現場，只是他巴不得把這個「榮耀的時刻」留給我去完成。最後還是決定，由我去跟桑傑／默菲協調一個妥善的解決辦法。

「我們要把握這個機會，」——桑普生捉住我並且把話講得非常直接——「我們得射殺他，沒有別的取巧辦法了，艾利克斯。」

「告訴他你想要怎麼辦。」我跟桑普生這麼說。「但是如果你找得到機會，先扁他一頓，然後再抓住他。」

我幾次舉起袖子以擦掉臉上的汗水，因爲額頭上已經緊張得汗如雨下，同時也感覺到有點噁心和暈眩。我手上拿著一個電動擴音器，而我已把電源鈕扳開。

現在我也掌握出名的機會了，**我也想成為大人物**。這是眞的嗎？這就是最後在我心裡面浮現的聲音嗎？

「這裡是艾利克斯・克羅斯在說話。」我用擴音器大聲喊出來，人群當中可以聽到有一小撮人正在爲我喝采。但是，我沒說話的時候，華盛頓特區市中心的大街上卻非常安靜。

此時一連串槍械瘋狂掃射的聲音從對街傳來，停在賓州大道的汽車窗戶因此全被擊碎。桑傑在短短幾秒之內便展現出驚人的破壞力，幸好我目光所及範圍內都沒有人受傷，那兩個小孩子也沒有受傷。你眞是行啊，蓋瑞。

隨後一個聲音從對面街道上傳來，這是蓋瑞的聲音。

他正對著我大喊。這是我和他之間的私事。難道這就是他想要的結局？就在全國首府的市中心，藉由現場連線與即時轉播的全國新聞報導，爲自己創造一個名氣到達巔峰的狀態。

「讓我看看你的臉，克羅斯博士。站出來吧，艾利克斯。把你的漂亮臉蛋秀出來給大家瞧瞧。」

「我爲什麼要這樣做？」我透過擴音器向桑傑對話。

「連想都別想。」桑普生在我後面低聲說道。「如果你要出去白白送死，那乾脆讓我先射你幾槍好了。」

結果對街立即又傳來一連串槍擊聲響，這次射擊的時間長度更是遠勝第一次。華盛頓現在給人的緊張感就像在貝魯特市中心，四周到處傳來攝影器材的運作聲響，以及相機猛按快門的聲音。

我突然站起來，而且從一輛警用轎車後頭走了出來。雖沒有走很遠，但是這個距離已經足夠讓我被蓋瑞槍殺了。此時現場竟然還有一些混蛋爲我的處境而感到歡呼。

「蓋瑞，你最想要的電視臺轉播已經在現場了。」我向他大喊。「他們現在正把全部的畫面錄製進去，他們會把我站在這裡的樣子給拍進去。我因此會被塑造成一名巨星。雖然我在想要出名這件事情起步較晚，但是對我來說結尾可是非常轟轟烈烈。」

桑傑／默菲聽我講完以後便開始狂笑，他的笑聲持續了好一會兒之久。他患有躁鬱症嗎？還是憂鬱症呢？

「你終於瞭解我的心裡在想些什麼了吧？」他對著我大喊。「你已經想通了嗎？你現在知道我是誰了吧？你又知道我要些什麼嗎？」

「我很懷疑。我知道你已經受傷，也知道你認爲自己快要死了，否則——」我的話語停頓了一下，讓這句話聽起來的感覺就像其字句本身一般，那麼充滿戲劇性——「否則，**你不會讓我們有機會再抓到你。**」

就在賓州大道的正對面，桑傑／默菲在一輛鮮紅色吉普車的後面站起身來，兩個小孩子則是平躺在他身後的人行道上，目前爲止看起來似乎都沒有受傷。

蓋瑞向我這個方向以誇張的動作鞠了一個躬。他現在的表情看起來就像一個美國正常的鄰家男孩一般，就像他在法庭流露出的那種神情。

我現在開始朝他的方向走過去並持續靠近，直到愈來愈接近他。

「做得眞好。」他這麼稱讚我。「你剛剛那番話說得沒錯，只不過我才是大家注目的明星。」突然之間他把手上的槍朝我的方向轉過來。

此時我身後傳來一陣槍響。

蓋瑞・桑傑／默菲的身體朝著修鞋店的方向飛了過去。他的身體隨後躺在人行道上，然後再轉了幾圈。他身旁的小人質們開始尖叫出聲，勉強從地上爬了起來並且立即跑開。

我用最快的速度飛奔向前，並穿過賓州大道。「別開槍！」我大喊。「停火別動。」

我轉身一看，桑普生仍站在原地，他的佩槍槍口仍然瞄準蓋瑞・默菲。我一說完他才把槍口對準天空，但是他的視線仍停留在我身上，他剛才已經替我和蓋瑞解決了彼此之間的恩怨情仇。

蓋瑞躺在人行道上一個突起的小丘。有一股鮮紅色的血液從他的腦袋和嘴巴穩定地流出來。他躺在地上一動也不動，那把自動步槍仍然被他抓在手上。

我走向前去，並且首先把他手上的槍取下。我聽到照相機的快門聲在我們後面不停喀嚓喀嚓地響。我在此時搖了一下他的肩膀並叫喚：「蓋瑞，你聽得到我說話嗎？」

我非常小心地將他身體翻轉過來，但是他的身體仍無法自行移動，一點也沒有生命跡象。此時的他看起來又像一般鄰家男孩一樣無辜，而且他似乎又回復了善良的本性，成爲蓋瑞・默菲。

當我俯身往下看的時候，蓋瑞的眼睛突然之間張得大開，又開始翻白眼，然後他的眼神便直接望向我，嘴唇也在此時慢慢張開。

「幫幫我。」最後他終於用一種柔軟、但喉嚨有東西嗆住的聲音，低聲向我求救。「幫我，克羅斯博士，請幫助我。」

我在他旁邊跪了下來以便更靠近他。「那麼你現在是誰？」我試著詢問他。

「我是蓋瑞……蓋瑞・默菲。」他回道。

將軍，死棋！

尾聲

正義的邊疆地帶（一九九四年）

90

當這命定的一天終於來臨之際，我前幾天便開始無法成眠，甚至連幾個小時都睡不著。我不想在自家的走廊上彈琴，也不願聽到任何人談論未來幾個小時內即將發生的那件事情。我溜進孩子們的房間裡，當他們還在沉睡的時候，親親戴蒙及珍妮的臉頰，然後我便於清晨兩點左右離開家裡。

我在凌晨三點的時候抵達洛頓監獄，遊行示威群眾已經重新集結，在這個月光照耀下的天空，扛著他們自製的標語。其中有些人唱著一九六〇年代的抗議歌曲，還有很多人在禱告，現場也來了多位修女、神父及其他神職人員。我發現大部分的抗議群眾都是女性。

在洛頓監獄裡，負責行刑的地方是一間狹小、擁有三面窗戶的古老樣式房間，其中一面窗戶專門保留給新聞媒體採訪用，另外一面則是留給州政府派來的官方觀察員，至於第三面窗戶便是保留給囚犯的親朋好友。

在三邊窗戶的每一面玻璃窗前，均用深藍色的門簾覆蓋，清晨三點三十分一到，監獄裡頭的執事將它們一扇一扇開啓。囚犯終於全身被皮帶綁在醫院用的輪床上給推了出來，病床上還有一片臨時張開的平臺可以放置左手臂。

潔西的雙眼一直盯著這個房間的天花板，但是當兩名行刑的技術人員走到病床邊的時候，她開始警覺並且明顯感到緊張。其中一個人手上拿著不鏽鋼的醫院托盤，上面盛著針筒。如果施打毒劑的方式正確，那麼囚犯所會感受到的生理性痛苦，只有在針筒刺進皮膚當時的那一剎那。

這好幾個月來，我常到洛頓監獄探訪潔西和蓋瑞．默菲。我向華府警局告假一段時間。還有，我雖然同時在寫這本書，但是探監的餘暇倒是挺多的。

蓋瑞的精神似乎變得有點錯亂，他所有的病狀都詳細記載於診斷報告。他的大部分時間都沉迷在他那個複雜的幻想世界當中。現在想勸導他回到現實世界已經變得愈來愈困難。

或許他的狀況眞的就像表面上所看到的那樣子吧。而這種情況也替他免除另一次上審判庭的機會，還讓他逃過可能的死刑宣判。我很確定他現在又在耍花招，但是沒有人聽進我的建議；我很清楚地瞭解，他現在又在算計另一樁脫逃計畫。

潔西同意和我交談，我們總是能夠侃侃而談。她對於州立法庭宣判她和伽克立死刑這件事，並不感到十分驚訝，因爲畢竟她得爲財政部長之子的死亡負起責任。她和另兩名特勤局的探員曾綁架過瑪姬．蘿絲．鄧尼；他們必須爲麥可．郭德堡的死亡，以及爲薇薇安．金老師的死亡負起全責；潔西和狄凡亦曾謀殺佛羅里達州的那名駕駛，約瑟夫．丹堯。

潔西告訴我，她覺得很自責，而且在犯案一開始就有這種感覺。「但是這種感覺仍不足以構成停止我繼續犯罪的力量，我的良心一定被某些東西給侵蝕了。即便是現在，我仍有可能做出同樣的錯事，我願爲了一千萬美元再冒一次這種危險，很多人也都會這麼做的，艾利克斯。現在是人性貪婪的時代，但你不是這種人。」

「妳怎知道我就不是。」我問她。

「我就是知道，你是正義黑騎士的化身。」

她告訴我，當一切事情結束以後，我不應該覺得內疚。她說那些遊行示威及抗議者的行爲使她感到憤怒。「如果今天換成是他們的小孩死掉，其中大部分人的反應就會跟現在很不一樣了。」

我心情很糟。我不曉得自己還能相信多少潔西所說的話，但我還是覺得很難過。我並不想在這時候還出現在洛頓監獄，但是潔西要求我一定得去探望她。

那裡沒有其他人在窗邊探望潔西，這個世界上再也沒有一個人關心她。潔西的媽媽在她被逮捕後不久便過世了。六個星期之前，前任特勤局探員查理·伽克立在他的家人面前伏法，而這件事也確定潔西的命運該何去何從。

幾條長長的塑膠管連接上潔西左臂上的針頭，以便做靜脈注射。已經開始流出的第一滴液體是一道無害的鹽水。

在典獄長一聲令下之後，麻醉用的硫噴妥鈉便被注射到靜脈之內。這個作用就像是麻醉手術使用的巴必妥酸鹽，目的是讓病患緩慢地陷入睡眠狀態。最後高劑量的麻妥儂注射液（譯註：具有骨骼肌鬆弛作用）會被加入注射藥劑之內。這種藥劑會在十分鐘之內引發人體死亡。爲了加速這種過程，同等劑量的氯化鉀也被摻入其中。這種藥物會讓心跳速度減慢，最後會停止跳動，如此一來便會在十秒鐘之內使人致死。

潔西在屬於「朋友」的那一扇窗口發現我的蹤影。她用指尖向我輕輕揮手，然後勉強擠出一絲笑容。直到最後一刻，她還努力梳整了那頭現在已經剪短的頭髮，看起來仍然如此美麗。這讓我想起亡妻瑪麗亞，以及我們倆甚至在她臨終之前都來不及說的再見。但是我認爲現在這種生離死別更糟。**我多麼想離開這座監獄**，但是仍然強忍傷痛留下來，因爲我答應過潔西，會留到最後一刻，而我總是會完成自己許下的承諾。

事實上，這一切的過程並沒有什麼戲劇性。潔西終於闔上雙眼，我甚至懷疑那些致命的毒藥是否已注入她的體內，但是我無從得知一切的答案。

她深深吸了一口氣，然後再也沒有出聲，這就是人類所謂用現代文明方式來處決罪犯的方法，這同時也是潔西．佛萊娜根生命的終結。

我離開監獄後便急忙走回我的車。我是一名心理醫生兼警探，我這般告誡自己，因此我可以承受眼前所發生的事物，我可以接受任何打擊。我比任何人都來得堅強，一直是如此。

我的雙手深深插入大衣口袋裡面。在我的右手掌心內，握得如此之緊以致於掌心生疼的，是潔西曾經送給我的銀色髮簪，那好像是很久以前的事情了。

當我到達車子的旁邊，發現一份平常的白色信封，夾在駕駛座的擋風玻璃雨刷底下。我將信封塞進外套口袋，直到我駛回華盛頓的路上之前都懶得去看它。我猜想我知道信件內容是什麼，事後也證明我是對的。那個瘋子寄了一封訊息給我，這是一封與我關係密切的私密信件，深深刺痛我心坎。

艾利克斯：

在他們處決她之前，她有啜泣、哀號且乞求原諒嗎？你又曾流下傷痛的淚水嗎？

請你跟你的家人牢牢記得我，我想要被人們永遠記得。

永遠的朋友
林白之子

他仍然在玩著他那一套恐怖的心理遊戲，他總是喜歡這麼做。我已經把整件事的詳情講給想聽的人，也爲心理學期刊撰寫了一篇他的診斷後人格特徵分析。我認爲蓋瑞・桑傑／默菲必須爲他自己做出的行爲負責。我覺得他應該爲東南區的謀殺案上法庭接受審判。他手底下那些黑人亡魂的家人，也應該得到公平及正義伸張的一天。如果有任何人最該被判死刑，那應該是桑傑／默菲。

這個紙條告訴我，他已經找到辦法來引誘其中一名警衛答應爲他犯罪，他和洛頓監獄的某人已經走得很近。桑傑已經做好其他計畫，這是長達十年或二十年的計畫嗎？他還生活在自己的幻想世界，和那些捉弄他人的心理遊戲當中。

我一邊開車回華盛頓特區，一邊想著誰是技巧比較高超的騙人專家，到底是蓋瑞或潔西？我知道他們兩人都是精神病患者。這個國家的人們，比地球上其他地方出現更多快要變成這種精神病患的人，他們來自四面八方，不分體型大小、種族、信仰及性別，這是最令人擔心害怕的一件事。

當我在早晨抵達家裡時，我在走廊上彈了蓋希文的《藍色狂想曲》，另外，我也彈了邦妮・瑞特的《給他們一些往事回味》。珍妮和戴蒙跑了出來，聆聽他們最愛，且才華僅次於雷・查爾斯（譯註：盲人歌手Ray Charles，被譽為黑人靈魂樂天才）的鋼琴演奏家。我們一起坐在鋼琴的長凳上，沉浸在音樂裡，心靈爲之深深打動。

稍後，我前往聖安東尼餐廳吃午餐，只因爲那裡有好吃的花生醬。

國家圖書館出版品預行編目資料

雙面人魔／詹姆斯.派特森(James Patterson)著；黃怡芳譯.
-- 初版. -- 臺北縣板橋市 ：宏道文化, 2005[民93]
面； 公分. -- (J.P 克羅斯・犯罪推理；2)
譯自：ALONG CAME A SPIDER
ISBN 986-7232-14-3 （平裝）

874.57 94019893

J.P 克羅斯・犯罪推理 02
2005年11月初版

雙面人魔（*ALONG CAME A SPIDER*）

定價／320元

作　者／詹姆斯・派特森（James Patterson）
譯　者／黃怡芳
總編輯／林淑真
主　編／高岱君
編　輯／黃建勳
美　編／孫凡淳
封　面／小　圓

出版者／雅書堂文化事業有限公司
發行者／宏道文化事業有限公司
地　址／台北縣板橋市板新路206號3樓
電　話／(02)8952-4078　傳　真／(02)8952-4084
e-mail／elegant.books@msa.hinet.net
網　址／www.elegantbooks.com.tw

總經銷／吳氏圖書股份有限公司
地　址／台北縣中和市中正路788-1號5樓
電　話／(02)32340036　傳　真／(02)32340037~8
通　訊／台北郵政30-372號信箱
郵　撥／0798349-5吳氏圖書有限公司